開放系の建築環境デザイン

──自然を受け入れる設計手法

末光弘和+末光陽子／SUEP.
+九州大学大学院末光研究室　著

学芸出版社

はじめに

この本の冒頭に、まず「開放系」とは何かを定義しておきたい。一般的に、開放系とは、外界とエネルギーや物質の交換をする系のことを指す。私たち生物の身体自体がまさにその例であるが、外界からエネルギーを得ながら生きているわけであり、その系を閉じると生きていくことができない、つまり自分自身だけでは成り立たないものである。建築自体、外界をシャットアウトして成り立つものではないため、すべての建築は開放系であるわけである。しかし、その建築を内界と外界を隔てるインターフェイスとして捉えたとき、大きな方向性として外界からのエネルギーを受け入れる媒体として建築を捉えるのか、外界からのエネルギーをシャットアウトする媒体として建築を捉えるのかで、開放系の度合いが変わってくる。

現在の多くの建築環境は、高気密・高断熱と機械制御による空間が主流となっており、これは、建物を外界から遮断することで、室内環境を整え、発電所でつくられたエネルギーをいかに使わずに暮らすのかという思想に基づいている。これを仮に閉鎖系モデルと名付けてみる。地球温暖化防止のため、高い環境性能が求められる時代において、寒冷地を中心にこの閉鎖系モデルの有効性を疑う余地はないが、生活や住文化を重要視してきた建築家として、性能の追求が数値ゲームとなっていることに対する懸念や、何かが欠落している違和感を持っている人は少なくないだろう。そして、世界は広く、画一的な考え方でものを見ることに対して疑問も浮かんでくる。一方で、現在のアジアの国々の人口は、地球上の人口の半分近くになり、経済規模も人口も増大している。このアジアの地域は、蒸暑地域と呼ばれる高温多湿な気候であり、日本も南半分はこの気候に近い。このまま気候変動が続くと50年後には、日本の9割近くはこの温暖地域になると言われている。

ここで問題提起したいのは、果たしてこの閉鎖系モデルだけで本当に地球環境の問題は解決できるのだろうか、ということである。この問題に対して示唆的なのが、南日本や東南アジアの国々で古くから存在する通風や日射遮蔽を重視した建築である。それらは外部に開き、自然エネルギーを受け入れることでいかに豊かに暮らすかという思想に基づいている。これを開放系モデルと名付けてみる。

ここでは、この開放系モデルの建築環境の可能性について考える。断っておくが、開放系モデルとは、非断熱空間を指すのではなく、断熱されていない開放空間が良いという主張をしたいわけではない。断熱／非断熱についてではなく、外部（自然）とつながりながらつくる建築環境のあり方について、考えるものである。地球環境の問題は、多様な気候を持つ地球全体で解決しなければならないため、閉鎖系モデル、開放系モデル両輪を駆使して考えるべきであり、片落ちになっている現状に対して一石を投じたいと思う。ただ、この開放系モデルは、閉鎖系の手法に比べ、パラメータが増え、一気に複雑になる。人が制御できない自然を相手に、不確定要素を前提に受け入れるので、複雑になるのは当然であるが、これらを1つずつテーマに沿って紐解きながら可能性を探っていくことで、少しでも未来の建築のあり方に貢献できればと思っている。

本書では、私たちがSUEP.でこれまで取り組んできた実例の設計手法ごとの紹介に加え、様々な建築家たちによる先進事例の紹介、九州大学末光研究室の学生と行った「プロトタイプリサーチ」、アジアで活躍する建築家へのインタビューから構成されている。紹介する事例全てが、完璧な正解であると言い切れるものではないが、ある部分においてその可能性を追求している建築を選んでいる。この本の中から、自然に開かれた開放系の建築環境デザインについて何かヒントを得ていただければと思う。

2022年5月
末光弘和

INDEX

＊プロトタイプリサーチは九州大学大学院末光研究室による。

01

半屋外をデザインする

古くから日本の住まいでは、縁側、あまはじ、雁木などといった中間領域をつくるための建築言語が重用されてきた。これは日本に限らず、ポルティコやロッジアなどといったさまざまな形で、暖かい地域ではよく見られる。特にアジアのような気温と湿度が高い蒸暑地域では、日射の制御、特に風通しの良い日陰空間のつくり方が重要であり、強い日差しから守り、風を通し、雨などから守る上で機能的だったから広がったのだともいえる。このことは現代的な建築をつくる文脈においても同様に重要であるといえ、自然に開かれた開放系の建築をつくる上で、そのインターフェイスとなる空間がまさにこの半屋外の空間といえる。

半屋外の空間は特に、窓への日射をコントロールする上で有効である。近代以降の建築デザインは、より平滑な表層やより抽象的なボリュームへと進化を遂げてきたが、庇や軒がなくなることで、日射をコントロールする上で窓ガラスの性能に頼りすぎる傾向がある。コストが制限されると、さらに窓の大きさを小さくすることになりがちである。半屋外空間によってガラスの性能を補い、大きな開口部を保ったまま、内外をつなぐ。そこに陰や通風などのデザインを重ねることによって、豊かな建築空間をつくることができる。そのような半屋外空間のさまざまな形や、機能を伴わせることによってできる生活の場の外部への広がりなどが、新しい建築の可能性を示す大きなテーマとなっている。

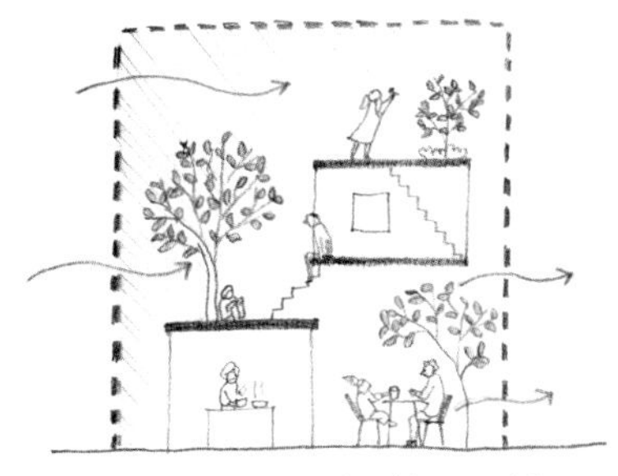

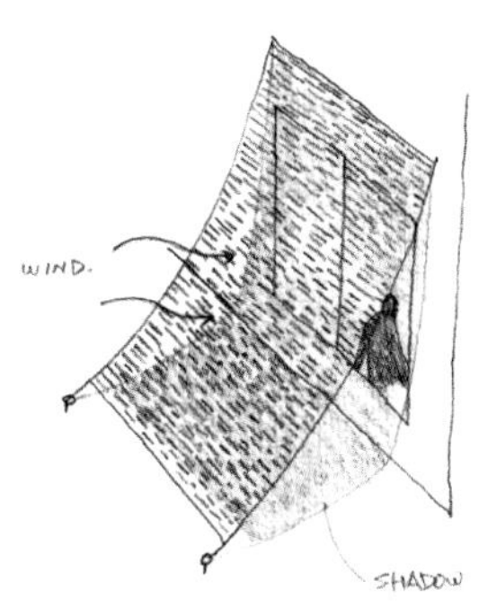

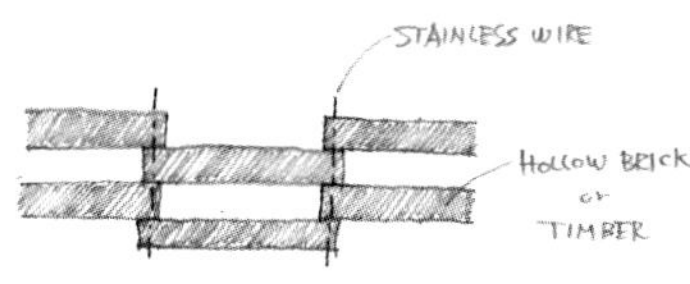

01 半屋外をデザインする①

淡路島の住宅 House in Awaji-island

兵庫県淡路島市／2018年2月竣工

海辺の環境に開かれた ZEHを実現

淡路島の北端に位置し、海岸からほど近く、眺望の良い高台の住宅。都市と自然が近接した場所で、自然エネルギーと自然素材を最大限利用したZEH(ゼロエネルギーハウス)が求められた。建物は島の東海岸に位置するため、眺望の良い海側に寄せた南北方向に細長いボリューム配置とし、全部屋から海を感じられる平面計画としている。断面は2階を主階として、室内と一体的な大きなテラスを設けている。東側に開かれた建物は、眺望を得られる反面、午前中の浅い角度の日射が室内に入ってきて、夏の日中に室内がオーバーヒートするため、建物の外側にもう1つの外皮を重ね、ダブルスキン状の空間とすることで、日射を遮蔽しながら、プライバシーを気にせず、窓を開けて風を通すことができる。海は膨大なクールエネルギーの塊であり、平均気温が4℃ほど低い海風を取り込むことで、涼しく快適な半屋外環境をつくっている。

このダブルスキンは、特注形状の淡路瓦でつくられており、環境シミュレーションによって最適化された3D形状を型に落とし製作された。夏の日射を遮りながら、冬の日射を取り入れるような形状とすることで、半屋外空間が通年で快適になるように意図されている。1階の外壁も淡路の土壁とし、瓦と合わせて、海岸の岩肌とも調和したこの風土に合った外観としている。また高い断熱性能と、高性能サッシによる躯体性能に加えて、地下50mの地熱を利用して全冷暖房のエネルギーを賄うほか、太陽熱で温まる海側のプール水の温度差を利用して全給湯エネルギーを賄う等、建物の周辺にある身近なエネルギーを積極的に取得することで、建物全体の年間消費エネルギー量がゼロになるように計画している。

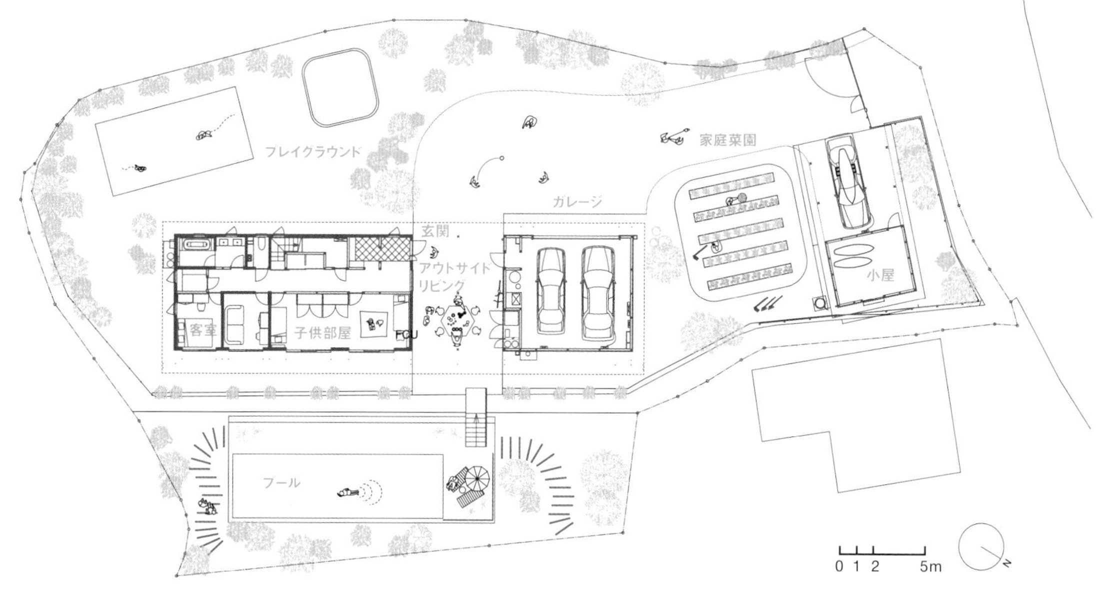

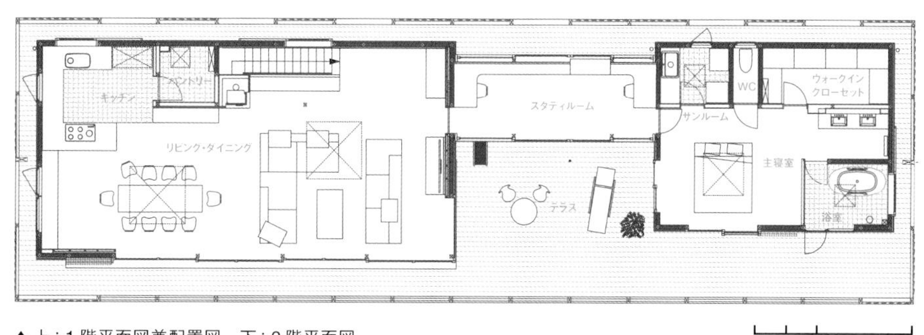

▲上：1階平面図兼配置図　下：2階平面図

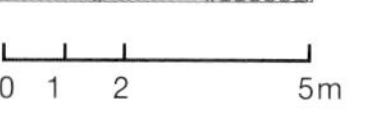

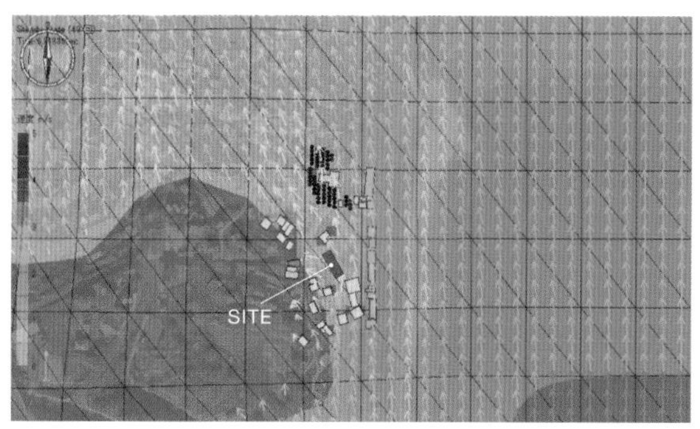

©Google

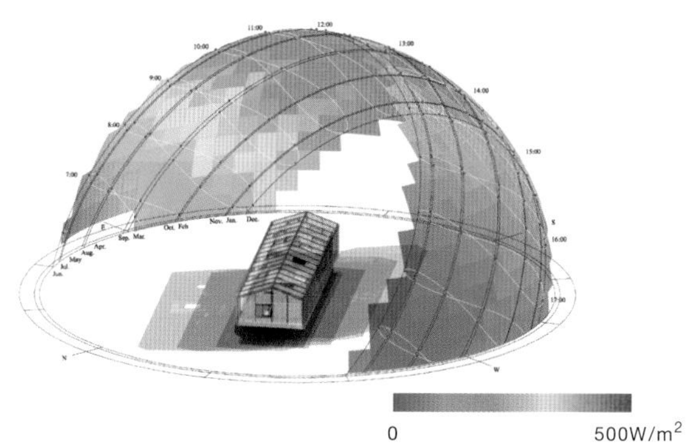

◀上：広域の風解析による地形と風向の確認
下：年間の太陽の動きと日射量の関係

POINT 1

クライメート・リサーチから コンセプトを考える

設計前のクライメート・リサーチ（気候調査）において、設計で活用できる周辺の自然エネルギーを発見し、課題を抽出することが重要となる。この住宅では、海に近い利点を活かすため、海風の季節や時間ごとの動きを調査し、その特徴を捉えた。また、太陽の動きを調査すると、眺望方向と午前中の浅い日射が重なっていることがわかり、それによる夏の温度上昇を解決しながら海風を取り込むため、多孔質なダブルスキンで覆うコンセプトを考えついた。

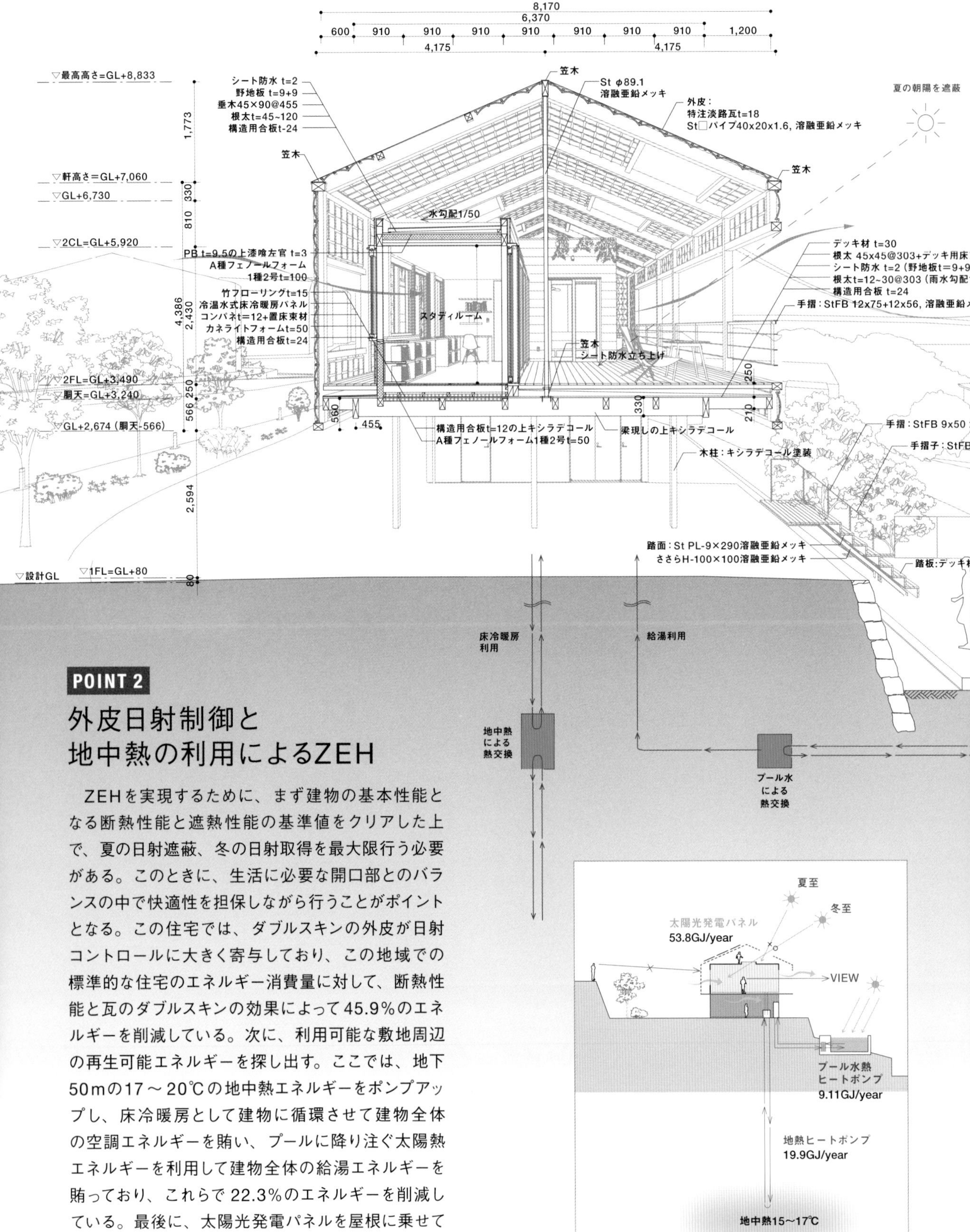

POINT 2

外皮日射制御と地中熱の利用によるZEH

ZEHを実現するために、まず建物の基本性能となる断熱性能と遮熱性能の基準値をクリアした上で、夏の日射遮蔽、冬の日射取得を最大限行う必要がある。このときに、生活に必要な開口部とのバランスの中で快適性を担保しながら行うことがポイントとなる。この住宅では、ダブルスキンの外皮が日射コントロールに大きく寄与しており、この地域での標準的な住宅のエネルギー消費量に対して、断熱性能と瓦のダブルスキンの効果によって45.9%のエネルギーを削減している。次に、利用可能な敷地周辺の再生可能エネルギーを探し出す。ここでは、地下50mの17～20℃の地中熱エネルギーをポンプアップし、床冷暖房として建物に循環させて建物全体の空調エネルギーを賄い、プールに降り注ぐ太陽熱エネルギーを利用して建物全体の給湯エネルギーを賄っており、これらで22.3%のエネルギーを削減している。最後に、太陽光発電パネルを屋根に乗せて創エネすることで残りのエネルギー量を相殺し、ゼロエネルギーを実現している。

▲設備ダイアグラム

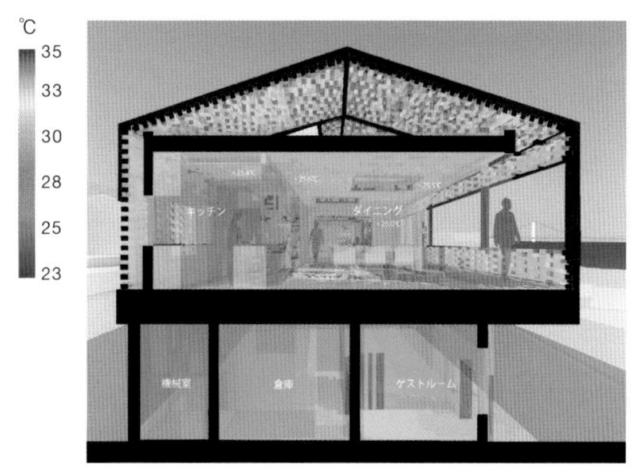

▲表面温度分布のシミュレーション　▲通風のシミュレーション

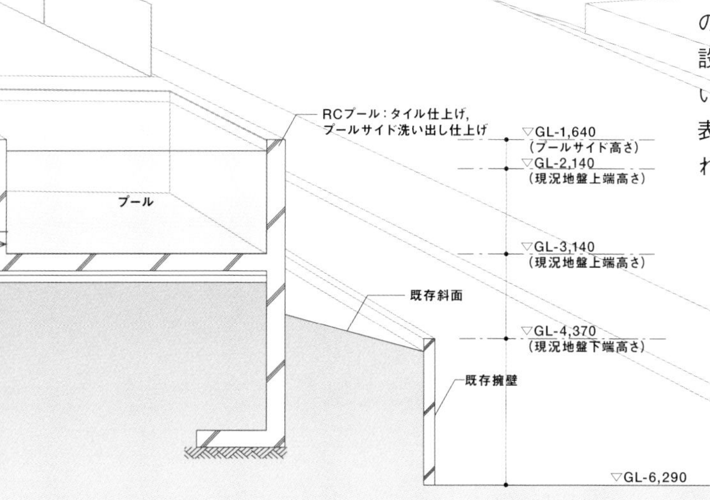

POINT 3

環境シミュレーションで温熱・通風環境を確認

快適性はエネルギー消費量だけでは担保されないため、環境シミュレーションによってどのような温熱・通風環境が得られているのかを確認しながら設計を進めることが重要である。特に、設計を進めていく中で、コストや構造などの別の要件から開口部の大きさや位置などが変わっていくことが多いため、設計の段階ごとに随時確認しながら進められると良い。この住宅では、上図のシミュレーションにより表面温度と通風の確認をくり返しながら設計が行われた。

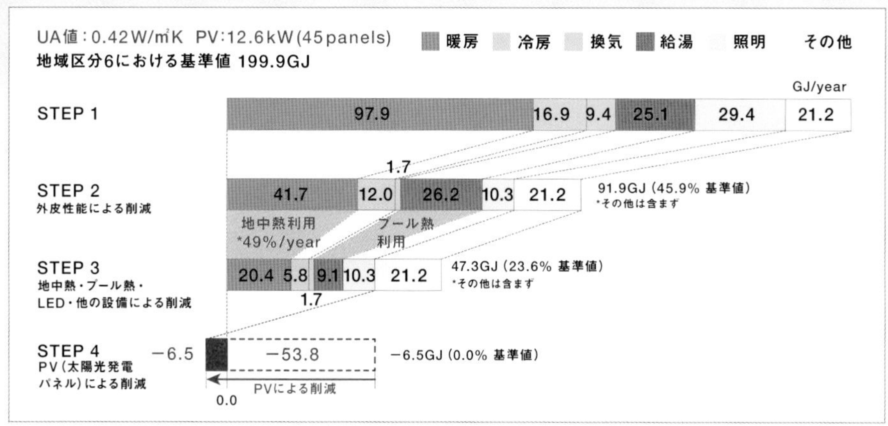

▲エネルギー消費量の削減

POINT 4

環境シミュレーションによる最適化形状を元に、職人さんと特注の淡路瓦を製作

環境シミュレーションによって最適化された瓦は、夏・冬の平均日射角度から算出された、ねじれた形状をしており、夏の日射を遮蔽し、冬の日射を取り込むようになっている。地元の瓦職人さんとつくり方を相談し、3Dデータで得られた形状を3つの特注金型（断面型・平面型・プレス型）に置き換え、その型を使って、職人の手によって1枚ずつ成型することで、3000枚の瓦を製作した。比熱の大きな瓦は、真夏でも裏面の表面温度が35℃前後に保たれ、木陰の葉っぱの表面温度が30℃前後で涼感を生むのと同様に、涼しい物体に包まれることで、快適な輻射環境を生み出している。

▲制作プロセス。断面型・平面型・プレス型の3つの特注金型を組み合わせて、瓦を1枚ずつ職人の手で制作した。

瓦なし

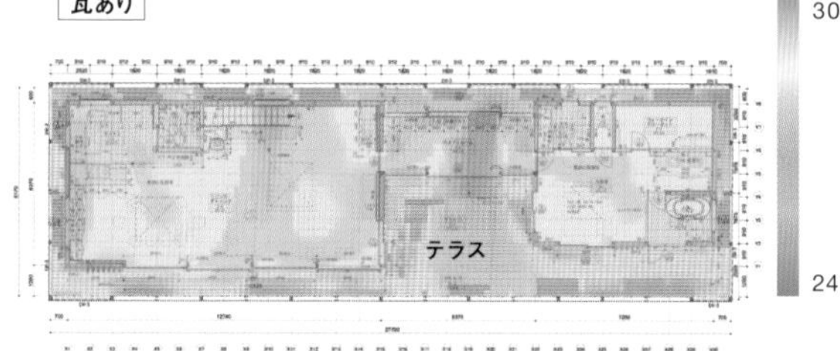

▲外皮瓦のディテール

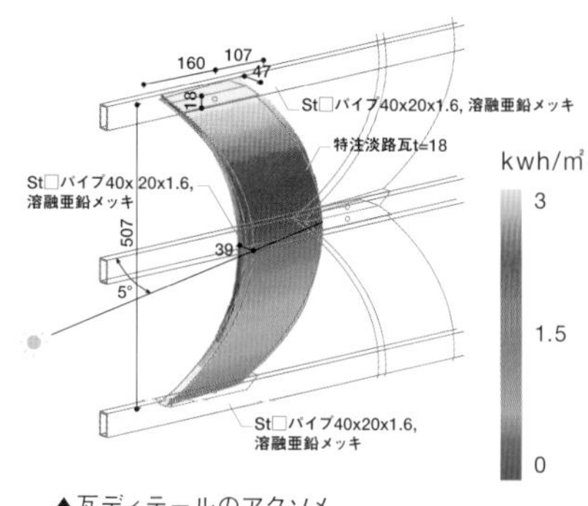

▲瓦ディテールのアクソメ

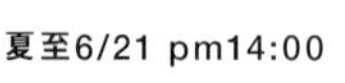

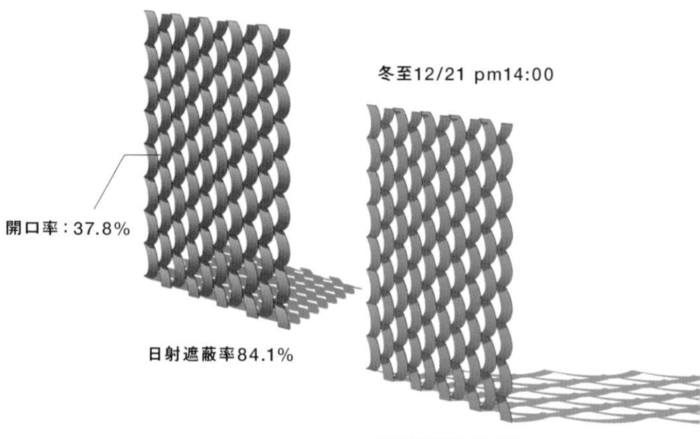

▲夏至と冬至での瓦による日射遮蔽率の比較

POINT 5

SET*で半屋外の温熱環境を評価する

瓦のダブルスキンがつくり出す半屋外空間の快適性について、SET*を用いた評価を試みた。SET*とは、空気温度・放射温度・湿度・風速・着衣量・代謝量を加味した総合的な体感温度指標である。今回、瓦による日射遮蔽効果を検証するため、日射を加味した放射温度を算出するためカリフォルニア大学バークレー校のCBE（Center for the Built Environment）による論文を参照した。

ダブルスキンなしのケースでは、テラスに日射が降り注ぎ、SET*は30℃を超えてしまうが、ダブルスキンありのケースでは直達日射が遮蔽され、かつスタディルームを介して流れる風によって体感温度が下がり、SET*は25℃前後に抑えられている。

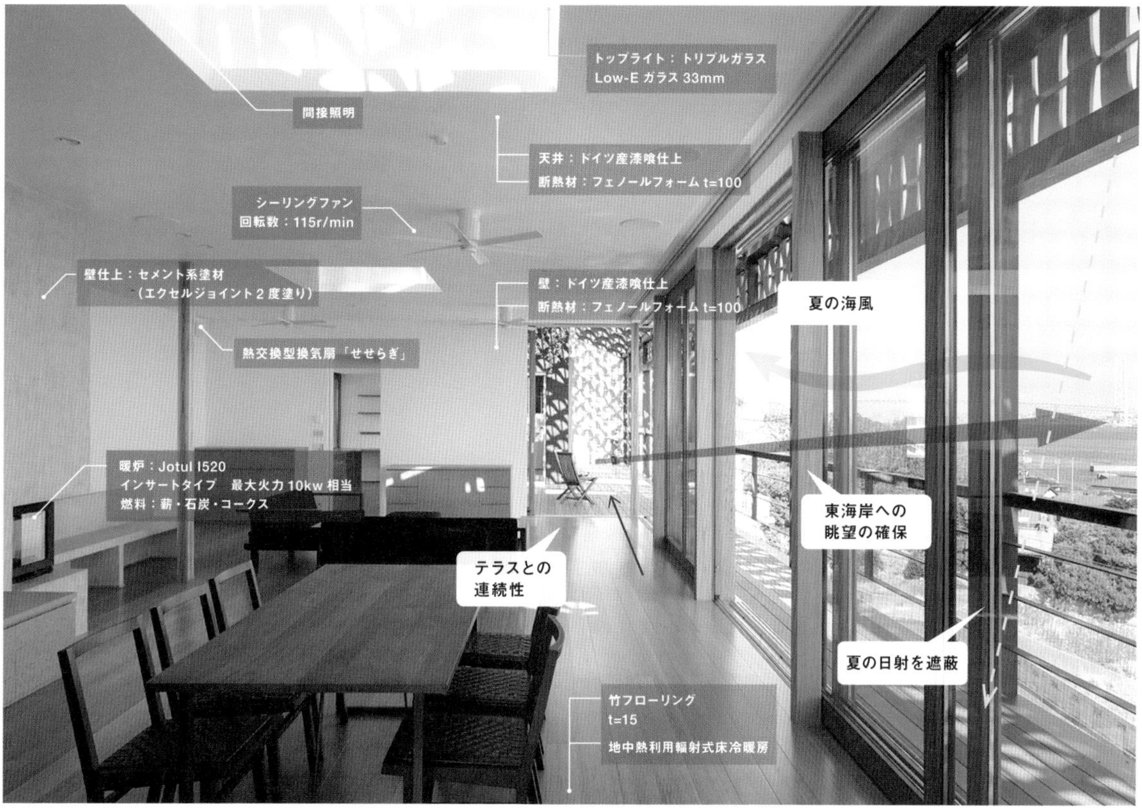

▲リビング・ダイニングから北方向を見る

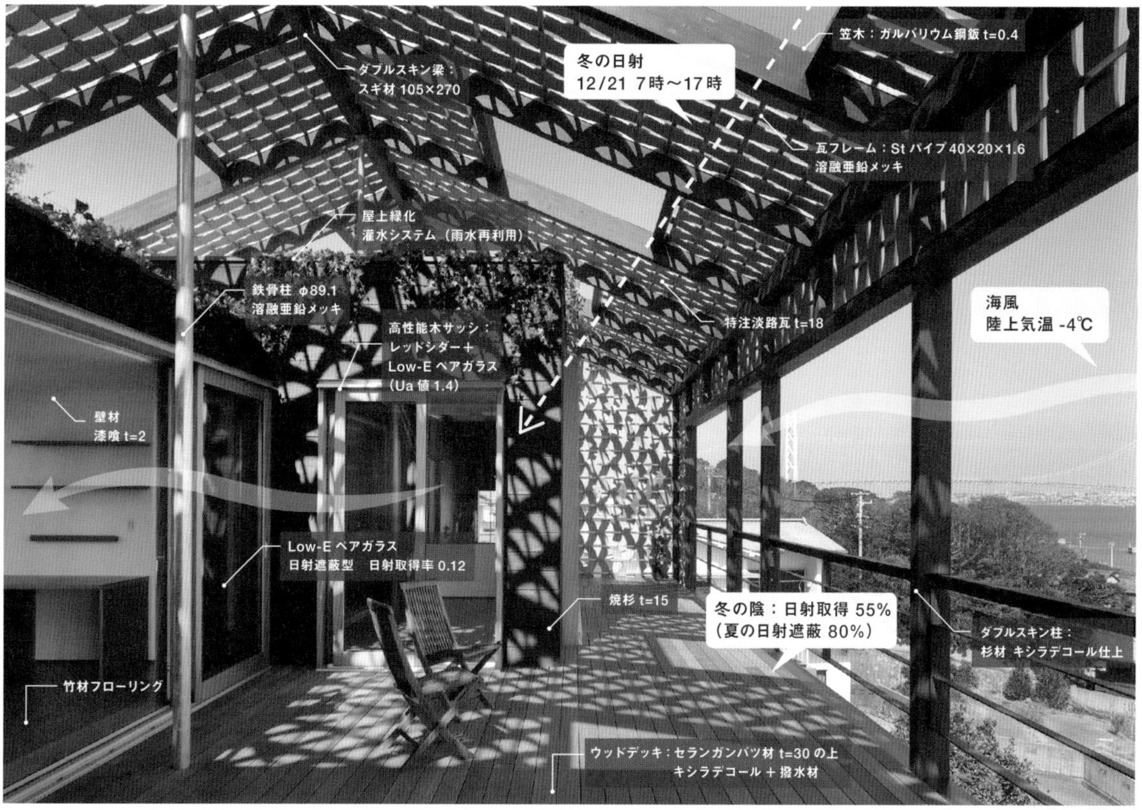

▲２階中央の半屋外テラスから寝室方向を見る

01 半屋外をデザインする②

二重屋根の家 Double Roof House

山口県下関市／2013年4月竣工

大きな簾で日射を制御した快適な半屋外環境

住宅街の真ん中にポカリと空いた350坪の広大な敷地に建つ平屋の住宅。周囲が低層住宅であるため、敷地には影がほとんど落ちず、常に日の光にさらされている。ここに、日射を制御する巨大な「簾（すだれ）」をかけて陰をつくり、その下に住宅をつくることを考えた。巨大な「簾」の下に配置された5つのBOXは、はみ出したり、ズレたりしながら、その隙間に半屋外の快適な空間をつくり出していく。「簾」の下には、光が帯状に差し込む快適な環境が生まれている。

「簾」は、75mm角の地場産の杉の間伐材を市松状に2000本程配列し、PC鋼線を貫通させて、建物両端の壁柱から吊り込むことによってできており、40mの大きなスパンを無柱で浮かべている。吊り込まれた簾は、重力に従いながら、カテナリー状の美しい弧を描き、住まいのどこにいても、上を見上げると簾があるという不思議な安心感のある体験を生み出している。実験とシミュレーションにより、この「簾」は屋根面に降り注ぐ日射の50%をカットし、光を取り入れながら、熱負荷を半減させる役割を持つ効果があると確認された。一方で、季節や時間ごとの必要な日射は取り込むことができるように、簾のところどころに穴が空けてあり、下部のBOX状の建物の各部屋に光を拡散するような断面のトップライトを設けることで、光と熱を取り込んでいる。

住宅地に浮かんだ巨大な簾は、その下に大らかな半屋外の場をつくり、アクティビティに応じて日射をコントロールした快適な住環境を生み出している。

▲リビングから庭を見る

▲二重に重なる屋根

▲トップライト

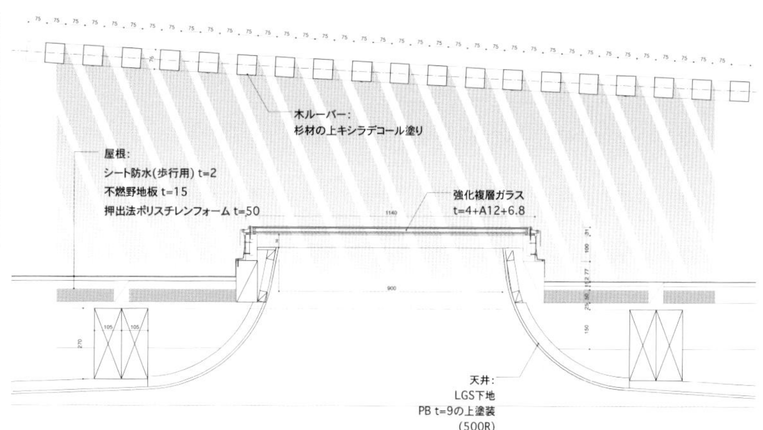

▲トップライト詳細図

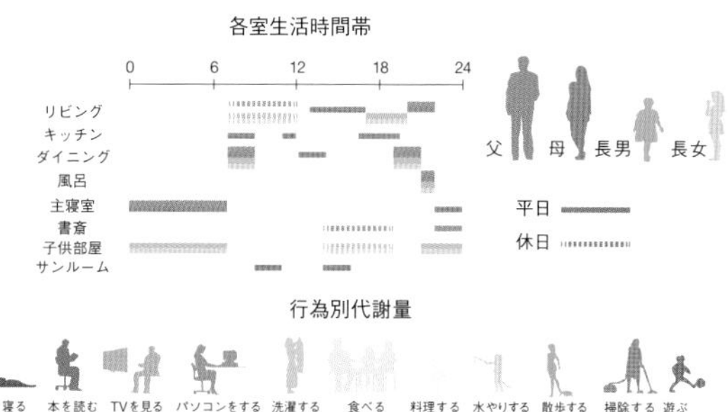

▲想定生活時間帯のダイアグラム

POINT

アクティビティを想定し、日射をコントロールする

屋根や壁を二重にする操作は、日射をコントロールする上では有効だが、うまく操作しなければ、必要な日射をカットしたり、遮蔽すべき日射を取り込んだりしてしまう。ここでは、「簾」の下の各部屋のアクティビティとその時間分布を想定し、必要な時間帯の太陽位置を割り出すことで、部屋の中心と太陽の位置を結び、簾と交差する場所を抜き取るように穴のパターンを決定し、簾の密度を変えている。

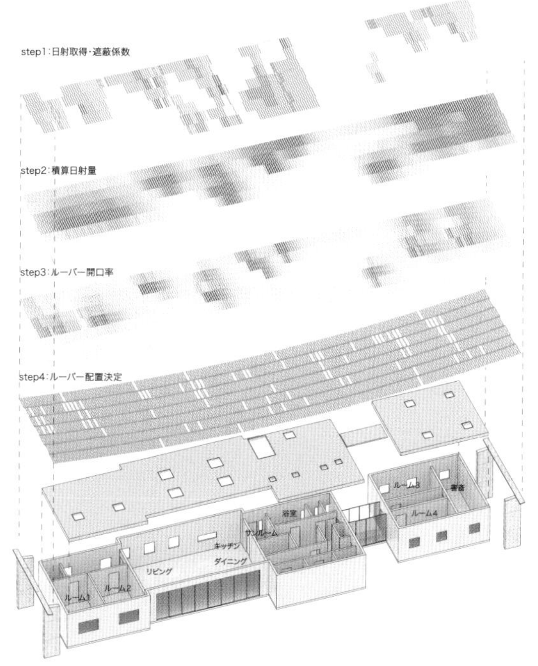

▲ルーバーの配置決定のダイアグラム

01 半屋外をデザインする／先進事例紹介

アンドラ・マティン自邸

──高温多湿な気候の中の快適な中間領域デザイン

▲南東方向からリビングダイニングを見る。大きな軒下の半屋外空間

▲北東方向から建物外観を見る

▲２階南西方向から水盤越しにリビングダイニングを見る

設計者：andramatin　所在地：Jakarta, Indonesia　竣工年：2008年
敷地面積：378m²　建築面積：211m²　延床面積：630m²

ここでは高温多湿な気候の中で快適な環境を取り入れた先進的な建築事例として、インドネシアの建築家アンドラ・マティン氏の自邸を紹介する。建物の中間階に設けられたアウトドアのリビング・ダイニングスペースは、まさに半屋外の快適性を実現している。高い生垣で囲い、外気が通り抜ける位置に水盤を張り、深い軒下で陰をつくることでできたこの空間には、強い日射とスコールを繰り返す東南アジアの環境の中で開放的に暮らす知恵が詰め込まれている。

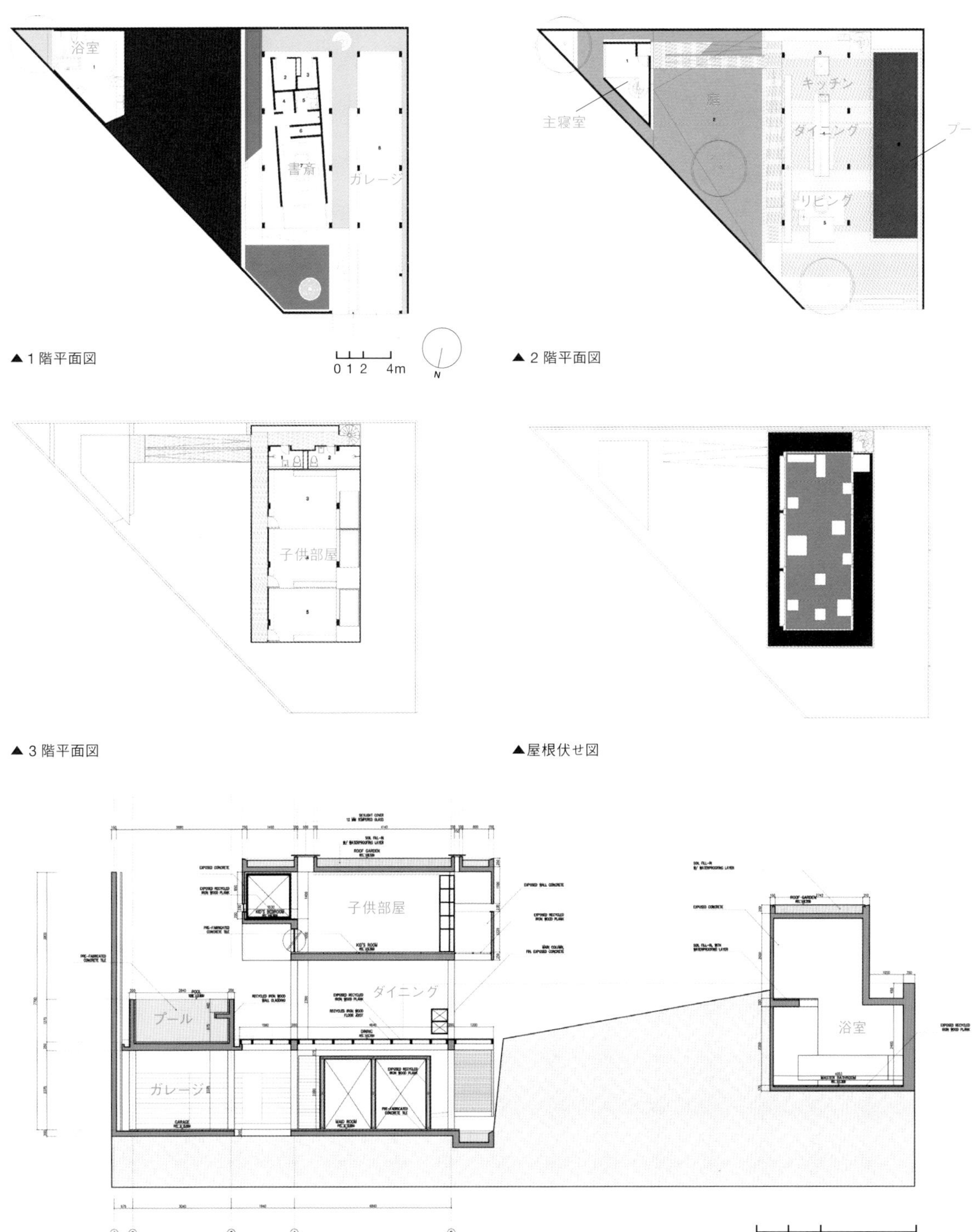

▲1階平面図

▲2階平面図

▲3階平面図

▲屋根伏せ図

▲断面図。風を導く断面操作と水盤の関係がわかる

SIMULATION

半屋外の快適性をコントロールするシェードの形

半屋外空間において開口部を設けることは外部の風を取り込むことと同時に太陽からの熱の影響を空間内に取り込むことにつながる。開口率が快適指数 SET* に与える影響をシミュレーションし、風と日射熱のコントロールの方法に関して検討する。

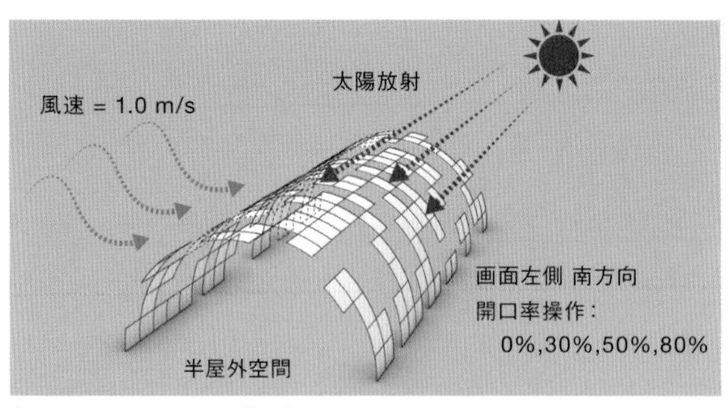

〈FlowDesigner により検証〉

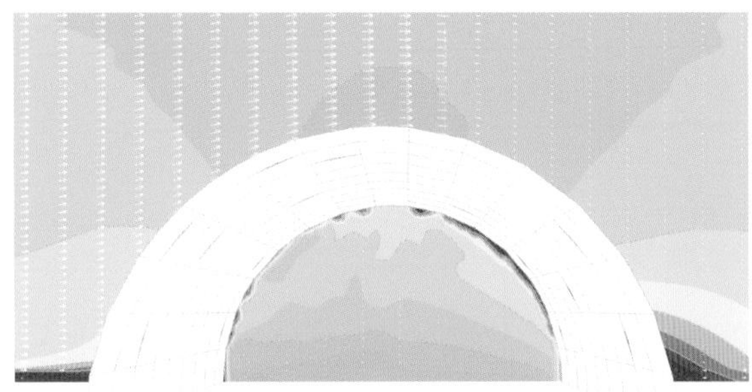

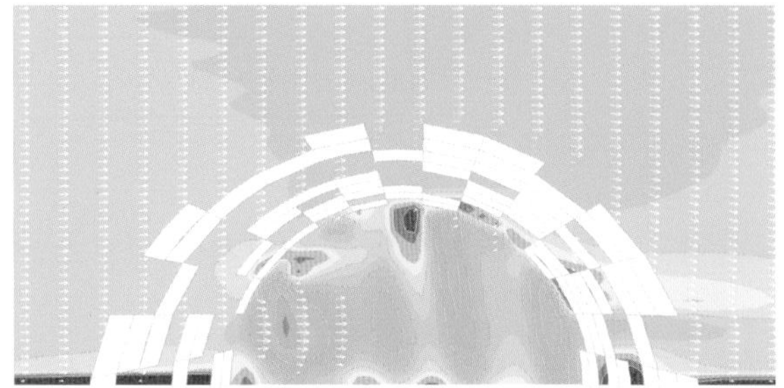

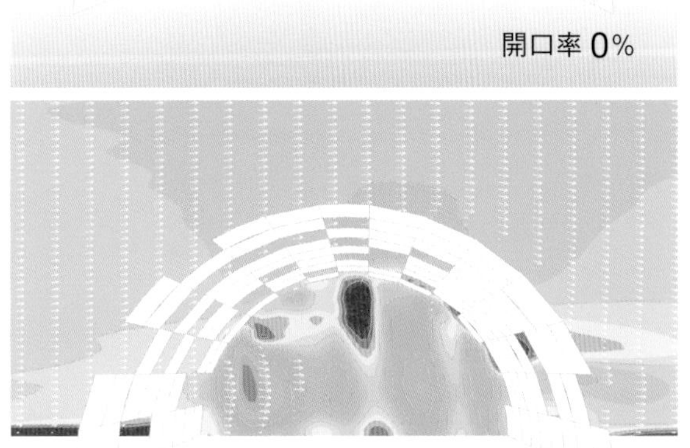

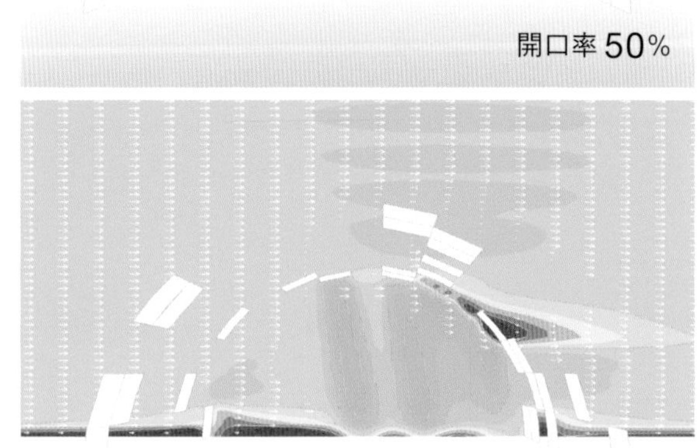

快適指数 SET* [℃] 32 26 20℃

開口率 50%のモデルに対し、頂部を遮蔽

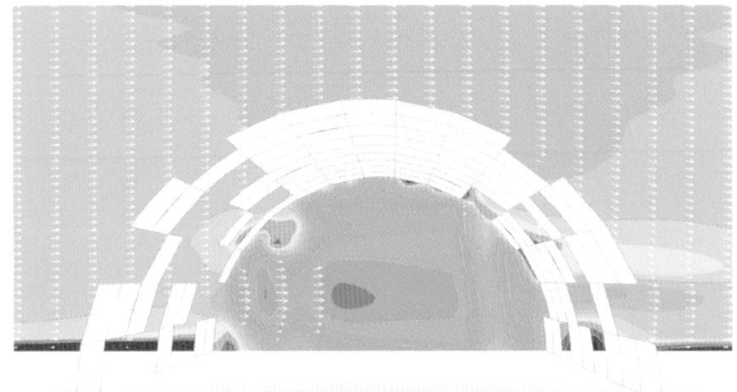

上記の解析4つの比較から、開口率を大きくすることで画面左側から吹く風を取り込むことができ、風速が上がることで、内部の SET* の数値を低くしていることが分かる。一方で、頂部付近の開口により日射がシェード内に入り込むことで温度が上がり、SET* の数値を引き上げている。上記の分析を元に、開口率 50% のモデルに対し、頂部付近の開口を塞ぎ、開口率を 30% にしたモデルを作成すると、同じ開口率でもより快適となることが分かる。

インタビュー①

ベトナムの気候と向き合う建築

西澤俊理（ベトナム、Nishizawa Architects）

▲ビンタンハウス（Vo Trong Nghia architects と共同設計）：寝室からリクガメの庭を見る

気候変動がこのまま続くと、50年後の日本は現在のベトナムの気候に近づくと言われている。つまり、今のベトナムの建築のあり方に未来の日本の建築のヒントがあるのではないだろうか。ベトナムで活動し、その気候風土の中で開放的な建築をつくり続けている西澤俊理さんにその設計思想を伺った。

（2021年5月26日、オンラインにて収録）

▲西澤俊理氏

PROFILE　西澤俊理：建築家。1980年千葉県生まれ。東京大学大学院修了後、安藤忠雄建築研究所勤務を経て、ベトナム・ホーチミン市にて Nishizawa Architects を設立。主な受賞に、ベトナム建築学会賞、アルカシア（アジア建築家評議会）建築賞金賞、WADA 賞 2017など。主な作品に、《Binh Thanh House》（2013、VTN architects と共同設計）、《Thong House》（2014）、《House in Chau Doc》（2017）、《Restaurant of Shade》（2018）など。2021～22年名古屋造形大学非常勤講師。

アジアの気候に寄り添い、外部環境を受け入れる建築

末光：建築の設計におけるアジアの気候との関わり方について、西澤さんなりの工夫や実際に現地に住まわれて感じる価値観などを伺いたいです。まずご自邸の「ビンタンハウス」についてですが、太陽の質の異なりに着目して日陰を多く取り入れるように設計され、特徴的な断面になっています。風などの自然要素とはどのように向き合って設計されたのでしょうか。

西澤：私たちは常日頃から、それぞれの敷地の生活風景をよく観察し、その構造の中で、できるだけ自然な場を作ることを目指しています。その際、環境のすべてを自分たちで作りきるのではなく、他律的に環境に寄り添いながら、野良猫のように場や空気を感じる意識を大切にしています。ビンタンハウスの場合は、隣のサイゴン動植物

園の熱帯林から流入してくる環境が大きかった。早朝にはテナガザルや象たちの声が共鳴し、森の湿気を含んだ涼しい空気も流れ込んできます。時には家の中を、イグアナや蛇などの動物たちが通過していきます。最近では風や熱だけでなく、音の響きや動物の往来なども、居心地の良い場所をつくる大切な要素だと感じます。またこの住宅は、PCブロックで守られた個室階と、開放的な共用階とが交互に現れるような構成なのですが、そのどちらもが半屋外の環境になっていることも、生活の質にとって重要です。

末光：実際にビンタンハウスに現在住まわれて、ベトナムの暑さはどう感じますか。

西澤：ホーチミンは4～5月が最も暑くて、6月になると雨季に入り、夕方のスコールが涼しさをもたらします。

末光：湿度はどう感じますか。

西澤：湿度が高くなると、雨が降って気温が下がるので、雨季に入ると私たち現地住民は大喜びです。

末光：湿度がある方が嫌な気候に感じる日本とは異なるんですね。

西澤：乾季に入りたての11月頃は、湿度も低く気温も穏やかなので、体感的には一番快適です。乾季末の4月や5月は、湿度は上がらずに日射量だけが増えるのでジリジリとした暑さが続きます。先に気温が上昇し、少し後から湿度が追いついてきて、ある一定値に達すると雨季が始まるという仕組みですね。

末光：温度や湿度のリズムとともに生活が展開されていくんですね。

西澤：人々の暮らしを観察すると、この地域の気候に寄り添って生活することを、楽しんでいる人が多いです。

末光：そこにかつて日本人が有していたけど失ってしまったものがあるような気がしていて、性能や数値を追い求めて外部の環境を流入させないような価値観に変わってきていますが、ベトナムはおおらかでそういった外部環境の流入を許容しているところが素晴らしいなと感じています。日本が失ってしまっている自然観などは、ベトナムに長く住まわれてどのように感じていますか。

西澤：私たちが、外部から自然のような他者が入ってきた際、恐怖や気持ち悪さなどを感じるのは、「どう対処したらいいかわからない」「不自由だ」という意識が働くからだと思います。それに対してベトナムの人々は、環境に対して自由に介入して、自分たちが住みやすい環境にカスタマイズしていく身体能力を、住民みんなが有していると思います。

末光：それはどうして持っているんでしょうか。

西澤：おそらく、まだ消費社会に馴らされていないからだと思います。どんな国の人でも、かつてはそのような生産スキルを有していたはずですが、生活が消費の対象になると自分でやりくりする能力は不要になり、親から子への継承もされず、地域に根差した能力や在来知は、失われていきます。

▲ ビンタンハウス：光や風が通り抜けていく、地下の事務所スペース

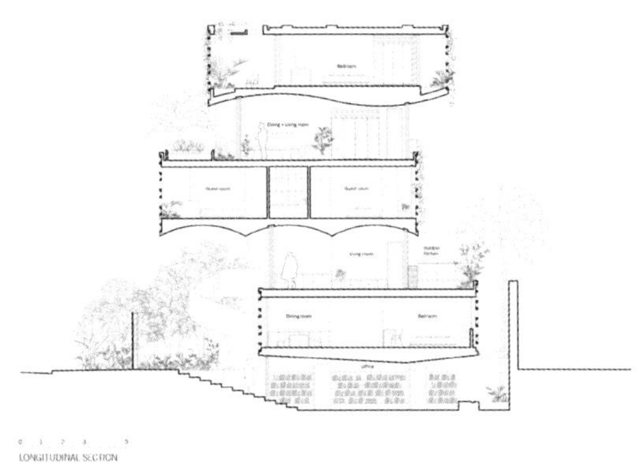

▲ ビンタンハウス：断面図

末光：確かに消費文化の影響もあると思いますが、宗教やベトナムの地理などにも何か要因はあるんでしょうか。

西澤：仏教国なので宗教的には日本と近いですが、歴史的には日本以上に、複雑で制御不可能な強大な外力の下でどう幸せに生き抜くかを考えざるを得なかった背景があり、その結果として、少なくとも自分の身の回りは快適にカスタマイズする、という身体観や環境観が形成されたように感じます。

末光：歴史的にも他者を受け入れざるを得ないという価値観があるんですね。

勝手に緑化される公共空間

末光：次の質問ですが、都市環境に対してはどのように感じていますか。

西澤：私が住んでいるホーチミンは緑化率が低いと言われていますが、植民地時代には「グリーンシティ」というコンセプトで計画された街です。その際、サイゴン動植物園は実験場かつ若木の育成場として、街路樹がたくさん植えられ、そこを基地に多くの街路が緑化されたそうです。樹木が30m程度まで太く高く成長し、建物はそれ以下に留めるというのが植民地時代のマスタープランの骨子でしたが、それは近年の都市計画により崩されています。一方で、この街を実際に歩いてみると、緑化率が低いという印象はありません。それは住民たちがバルコニーや屋上だけでなく、道路や路地などあらゆる都市空地に植木鉢を置いて緑化していく、その量が圧倒的だからです。その方法は制度的な都市空間を人々の手に取り戻すうえで、非常に有効だし面白いなと思います。公共の場所に自分の所有物を互いに置きあうことで、自分の身体意識を薄く広く拡張できる領域を広げつつ、他者との共存や共有が育まれます。家庭菜園にしたり、談笑の場所になったり、カフェになったり。その一方で、新しく建設された高層マンションではそういったアクティビティは生まれていなくて、在来の生活の豊かさを改めて再認識することが大切です。

末光：自分の持ち物を持ち出すあたりがベトナムらしいですね。

西澤：占拠というふうに捉える人もいますが、占拠というよりはそこでいろんな人が楽しむということを重要視していますね。

一番自然な「応答」とは何か

末光：素材の話なども聞いてみたいと思います。他者を受け入れるということの背景にあるのは、地域の素材や生産システムも含めて、建築という生活の場を作っていこうという意志なのかなと考えていたのですが、日本からベトナムを見たときに1つの豊かさはそこにあるのかなと感じています。地域の素材というものに対して、普段どのようにアプローチされているのかをもう少し詳しく伺いたいです。

西澤：そうですね。そこで暮らす生活のリアリティをできるだけ具体的に想像し、それに対する一番自然な「応答」とは何なのかを考えた結果、その場所で生産や流通している一般的な素材、地元の大工さんがやり慣れている構法などをそのまま取り入れるという結論は、自然な成り行きだと思います。予算が限られているプロジェクトも多いので、逆算するとそれ以外の選択肢がない場合も多いですね。

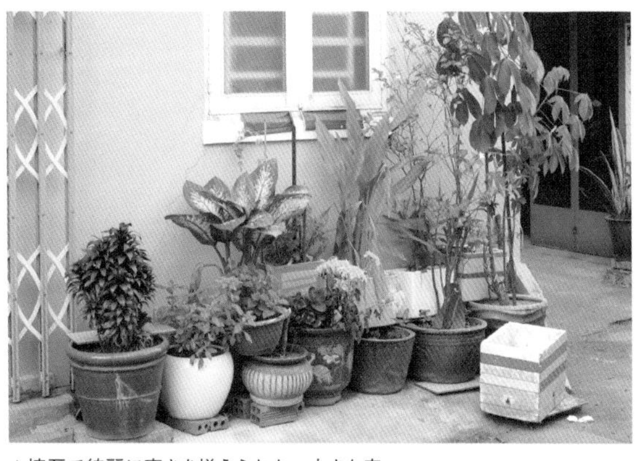

▲煉瓦で綺麗に高さを揃えられた、小さな庭

末光：一番うらやましいなと感じていたのは、窓なんです。日本に限らず、普通は性能を追い求めるがためにほとんどカタログショッピングのような状態で、既製品の中から選ぶという選択肢しかないので、「こんなふうに窓が開いたらいいのにな」と感じても実現することが難しいという実情があります。西澤さんの建築の場合だと、ほとんどの開口が特注で作られている印象があって、そうすると窓はいかようにも開けられると思います。そのときにどのようなことにこだわって開閉機構を考えていらっしゃいますか。

西澤：開口部はとても重要です。窓は、周囲の環境とのつながり方を定義する装置で、色々な開け方や閉じ方があると思います。例えば引き戸の場合だと、開口部から窓の存在感が消えますが、引き残しを残すかどうかでも違ってきます。縦軸や横軸による回転窓の場合は、窓自体はその場に残り続け、そこを通り抜ける光や風、人の流れについて語ってくれます。透明だけれども精神的な距離が生じるFIX窓の場合でも、枠の有無や位置、開口の大きさや場所によって、いろいろな意味が生じます。人間は意味や関係性が織りなす1つの世界の中に、常に自己の存在を確認しながら生きているので、それを形作る装置としても、窓はとても重要だと思います。

末光：印象的だったのは、西澤さんが設計された「チャウドックの家」の横軸回転窓のような、波板のようなものが突き出しているような開口です。どのような意識からあのデザインに至ったんですか。

西澤：チャウドックのあの一帯では、毎年雨季になると地表を覆うメコンの水と共存するために高床の住居が定着してきたのですが、10年ほど前にコンクリートの防波堤が水をとめたため、新しい暮らし方を考える必要がありました。従来は、高床の床全体から風や光が入り込んでくる住まいだったのですが、これからは建物の立面から大きく自然を取り込もうと。ただ、多くの高床式住居がそうであるように、チャウドックの街並みには窓がほとんどないんです。そこで、屋根と外壁と窓がひとつながりになるような窓のあり方を考えました。

末光：あの窓は雨や日差しをどのように防ぐのかなどの性能的な意味合いもあるんでしょうか。

西澤：そうですね。雨や日差しは時間に応じて開閉することで、調整できるようにしています。あとは、ベトナムだと蚊が多いので、それに対処することも考えますね。蚊をどこで避けるかというのが重要で、家全体を蚊から守るのか、または自分が寝る場所だけを蚊から守るのか、何時に寝るのかなどの条件から考えます。チャウドックの周辺だと、夜にアクティビティはあまりなくて、晩ご飯を食べ終えた20時頃には街も暗くなるので、皆自分の蚊帳の中だけで明かりを灯して読書したりネットサーフィ

▲チャウドックの家：木造軸組のスパンや部材だけでなく、継手や仕口についても、すべて地元の規格

ンするなどして、家の中に蚊が入ってくることは特に問題はないんです。

末光：家のスキンが日本とは異なる形で何重かになっているんですね。

西澤：そうですね。どこまでどのような他者が入ってくるのかという設定が日本と異なるところです。

末光：なるほど、面白いですね。これは私の深読みかもしれませんが、先ほどのチャウドックの屋根のような突き出し窓のようなものは、実は雨季が快適だというお話もありましたが、雨が降っているときでも風を通したいという意識はあるんでしょうか。日本だと雨の日は窓を閉じるという印象がありますが。

西澤：確かにそうですね。ビンタンハウスもそうですが、雨の日に窓を開けるとたいへん快適です。ビンタンハウスは共用部が凹んでいるような形状なので、スコールの中で窓をすべて開放すると涼しい風が入り込み、雨の匂いも雨の景色も、とても綺麗です。

末光：なるほど。そこにも1つミソがありそうですね。

綻びを前提とした、作ることに参加するシステム

末光：さて、チャウドックは高床で作られていて、周りの建物も高床で、チャウドックのあるエリア自体がすごく面白い場所だと思いますが、やはり自然の水位の変化とともに生きていますよね。それを災害の視点で捉えたとき、ベトナムの文化性や自然観などはどのようなものでしょうか。自然はある種驚異的なものになりえますし、日本の場合だと東日本大震災の後には漁村は丘の上に上げてしまうか巨大な防潮堤を設けて遮断するかの2択だったのですが、ベトナムはそうではなくて共存していくというスタンスなのだと思います。その辺りで感じられたことはありますか。

西澤：まずメコン川の場合だと、水位の上昇速度はかなり遅く、人が亡くなるようなことはありません。ですから、津波や日本の洪水とは少し状況が異なりますが、それでも、大量の水と土砂が毎年決まった時期に床下まで押し寄せてくるのは一大事です。ただ彼らの日常生活を見ていると、自然に対抗して強固な構造を建てるというよりは、強大な自然が入ってきた際に、あえて綻びが生じることを前提としたシステムを作っているようにも見えます。そのことで、住人の参加が必要とされるわけですね。そこに住まうのに必要なスキルを共有して再生産すれば、

▲チャウドックの家：台所の戸棚、回転窓、隣家の外装材と屋根。これらはすべて、同じ建材店から流通している同型の波板鋼板

自然が侵入してきた時でも焦ることなく対処できます。

末光：「全体をコントロールしよう」という概念はきっとないんですね。

西澤：「しょうがない」という感じだと思います。このシステムの利点は他にも色々あります。まず1人ひとりが作り手側に回ることで、自分の身体の延長というか、身体意識が街全体に拡張します。それに、誰かから必要とされると、自分の存在が肯定されて、自信や楽しさにつながります。また、大きな外力と付き合うには共同体が不可欠なので、街や環境を共に有しあう、というような状態が生まれます。消費が個人を前提とするのとは対照的ですね。消費することを期待されている身体と、作り手側に回ることを期待されている身体とでは、存在するときの心地良さが違うのではないかと思います。

末光：アジアがもともと持っていた力強い身体性やアイデンティティに対して、色々な先進国から消費社会の価値観が入ってきていますが、そういった身体性は維持されるのか、それとも日本のように別の価値観に置き換わっていっているのでしょうか。

西澤：私自身は、ベトナムをはじめとする新興国の人々が、先進国がひと昔前に思い描いたような近代化をそのまま追随するとは思っていません。実際に都心でも、ベトナムの若い人たちはエアコンの完備されたモダンなカフェではなく、ハンモックやローチェアなどで半屋外を楽しめるカフェなどに多く集まっています。だからこそ、今残っている在来知を観察して形にしたり記録したりすることで、選択肢として残しておくことが大切だと思っています。

末光：ベトナムの、消費社会に置き換わらない部分の価値観は、今後の日本にとってもヒントになりそうですね。

▲高床式住居が並ぶ、チャウドックの風景

02

太陽エネルギーを取り込む

太陽との関係を築く上では、冬の太陽のエネルギーを取り込み、夏の太陽のエネルギーを遮蔽することがポイントとなる。開口部に、庇や袖壁、ルーバーなどを組み合わせ、うまく太陽と付き合うような工夫が求められる。

太陽のエネルギーは、地域ごとに晴天率や日射量が異なるため、その場所の特性をよく見極める必要がある。寒冷地でも日射量の多い地域では、冬に積極的に太陽のエネルギーを取り込むことで、空間の快適性に直結し、暖房エネルギーの削減につながる。ただし寒冷地といえども、夏のオーバーヒートに気をつけなければならないため、可動式の庇や格子戸など調整できるような機構になっていると良い。一方で、温暖地では、夏の日射が建物に悪影響を与えるため、夏に日射をしっかり遮蔽できるように工夫が求められる。太陽高度が高い時間帯だけでなく、午前や夕方などの太陽高度が浅い時間帯の日射への対処が重要である。

太陽のエネルギーを取り込むときは、取り込んだ先の素材が蓄熱性のものか、反射性のものかなどをよく考える必要がある。日中の太陽のエネルギーを夜間にまで活かしたいときは、受熱面に適切な熱容量のある素材を用いると良い。これら、陽だまりをつくったり、日陰をつくったりする操作は、空間の機能とセットで考えるのが好ましい。陽だまりの場所にダイニングを持ってくるとか、日陰ができる場所にテラスを持ってくるなど、平面計画と一体的に検討することで、より快適な場所ができる。

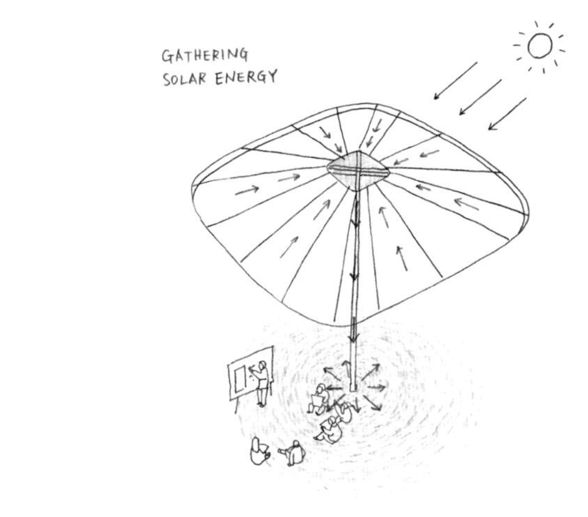

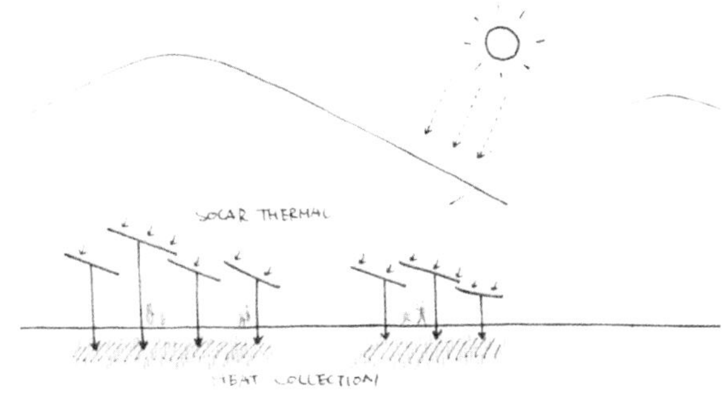

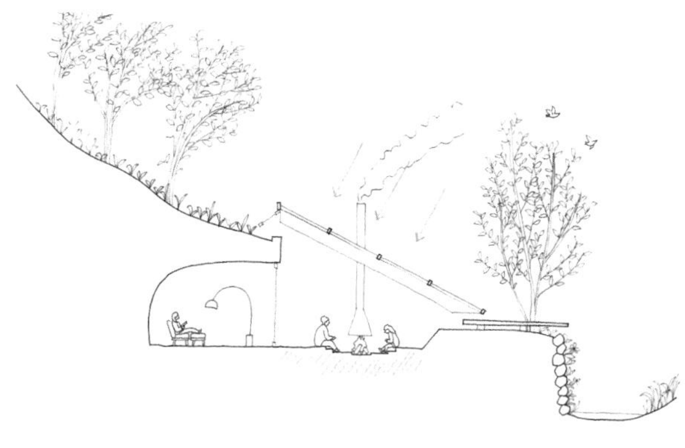

02 太陽エネルギーを取り込む①

清里のグラスハウス　Glass House in Kiyosato

山梨県北杜市／2018年8月竣工

微気候をつくり出す ガラスの温室

八ヶ岳山麓の避暑地である清里高原の清流沿いの、南北に細長い敷地に建つ別荘。標高1100mのこの高原は、川や緑などの自然が豊かな場所であり、年間を通して気温は低く、日照時間が長いのが特徴的な気候である。この自然環境を最大限享受するため、ガラス温室空間（グラスハウス）とコンクリートの個室空間を組み合わせた住宅を考えた。

このグラスハウスは、地形に沿って集成材の梁を斜めに連続させてできた空間で、そこにガラス屋根を架けている。視覚的な内外の連続性だけでなく、清流に沿って流れてくる夏の涼風や、冬に降り注ぐ豊かな日照を享受する。温室内は、床を土で仕上げた土間空間であり、外部の自然と内部の個室をつなぐ中間領域としての場所となる。温室の中央部には、段状に掘り込まれた円形の場をつくり、中心に暖炉を設け、家族の集まる場所とした。

温室のガラスは、冬には午前中に射し込む日射エネルギーを取り込み、土間に蓄熱する。朝の暖かい陽の光を浴びながら食事をしたり、くつろいだりできる特別な時間となる。夏には、窓を開放し、自然通風によって外部の涼風を取り入れる。川のせせらぎを聞きながら、風を感じる快適な場所が生まれる。

斜面に埋め込まれた半地下状のRCの個室部は、安定した熱環境のもう１つのリビングである。断熱サッシによって温室と区切り、断熱ラインを形成することで、日中には建具を開放して温室部と一体的に自然エネルギーを享受しながら暮らし、冷え込む夜には、建具を閉じることで温室部と縁を切り、小さなエネルギーでこじんまり過ごす。

リビング
洗面・脱衣
浴室
和室
スタディルーム
キッチン
玄関
暖炉
温室
ダイニング
テラス
0 1 2 5m

▲平面図

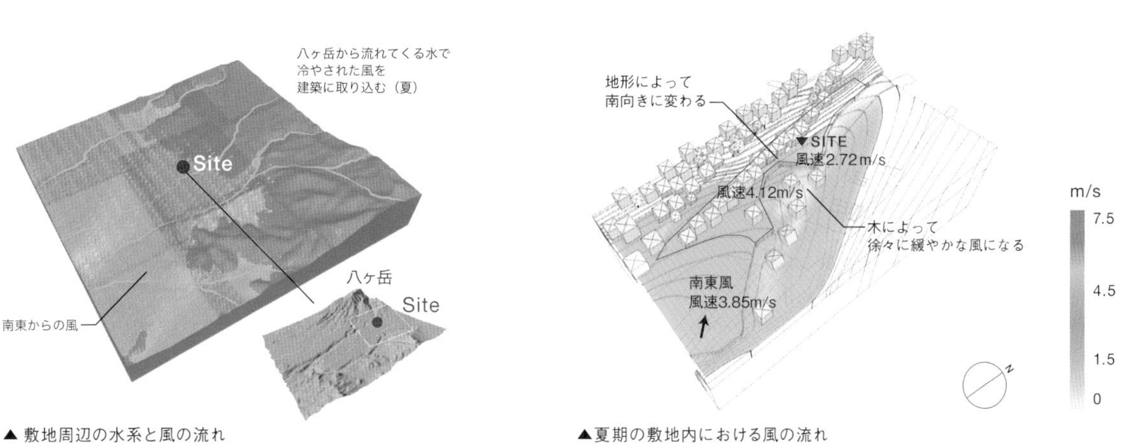

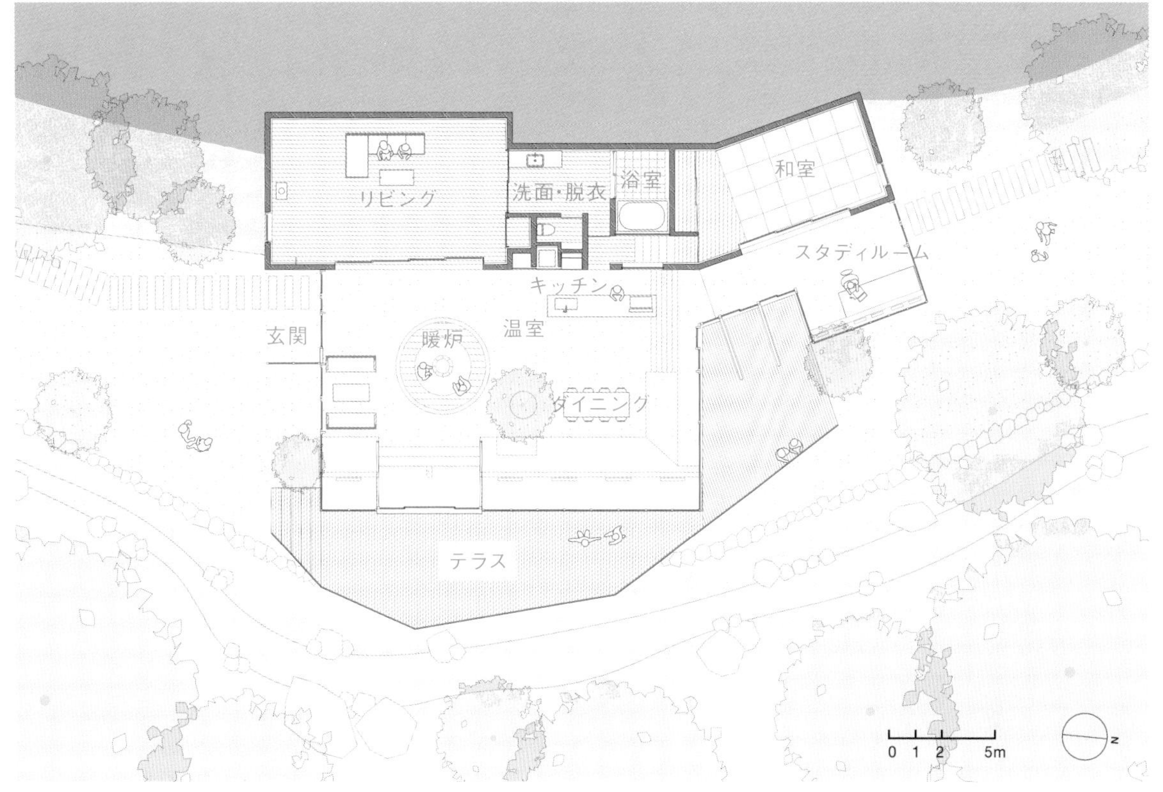

▲ 敷地周辺の水系と風の流れ
八ヶ岳の山麓のクールエネルギーを建築に取り込む

▲夏期の敷地内における風の流れ

POINT 1

季節ごとの風と日照の特徴をつかむ

広域の地形モデルを使って卓越風を吹かせることで風解析を行い、その地域でどのように風が流れているか、それが地形や川などとどのような関係があるのかを確認する。ポイントは、段階的なスケールでの解析をすることであり、広域、中域、狭域の３段階で行うことでより正確な流れを確認することができる。高原気候である清里は、夏の最高気温が低いため、清流沿いに吹く涼風をうまく取り込めば、夏は冷房なしで過ごすことができる。逆に、冬は北風が吹くが、地形や樹木の影響で、直接強い風が当たりにくいことがわかった。また、冬は日射量が多く、晴天率も高いことがわかったため、日中の日射を取り込むことで、少ない暖房エネルギーで過ごすことが可能である。常に、その地域の気候特性をつかみ、デザインと組み合わせて考えることが重要となる。

POINT 2

涼風を取り込むスリット

前面に流れる清流沿いの涼風を取り込むため、傾斜したガラス屋根の先端に空気を取り入れるためのスリットを設けており、上部の電動開閉式の突き出し窓から空気を抜くように計画している。グラスハウスの中の空気は、傾斜に沿って上昇し、排出される。この換気量を十分に取ることで、夏の室温は外部の気温、高原の夏の涼しい気温に近づき、低く保たれる。また、別荘では特に留守の間の換気も重要になるが、このスリットを開けておくことで、空気が循環し、建物を健康に保つ役割も持っている。

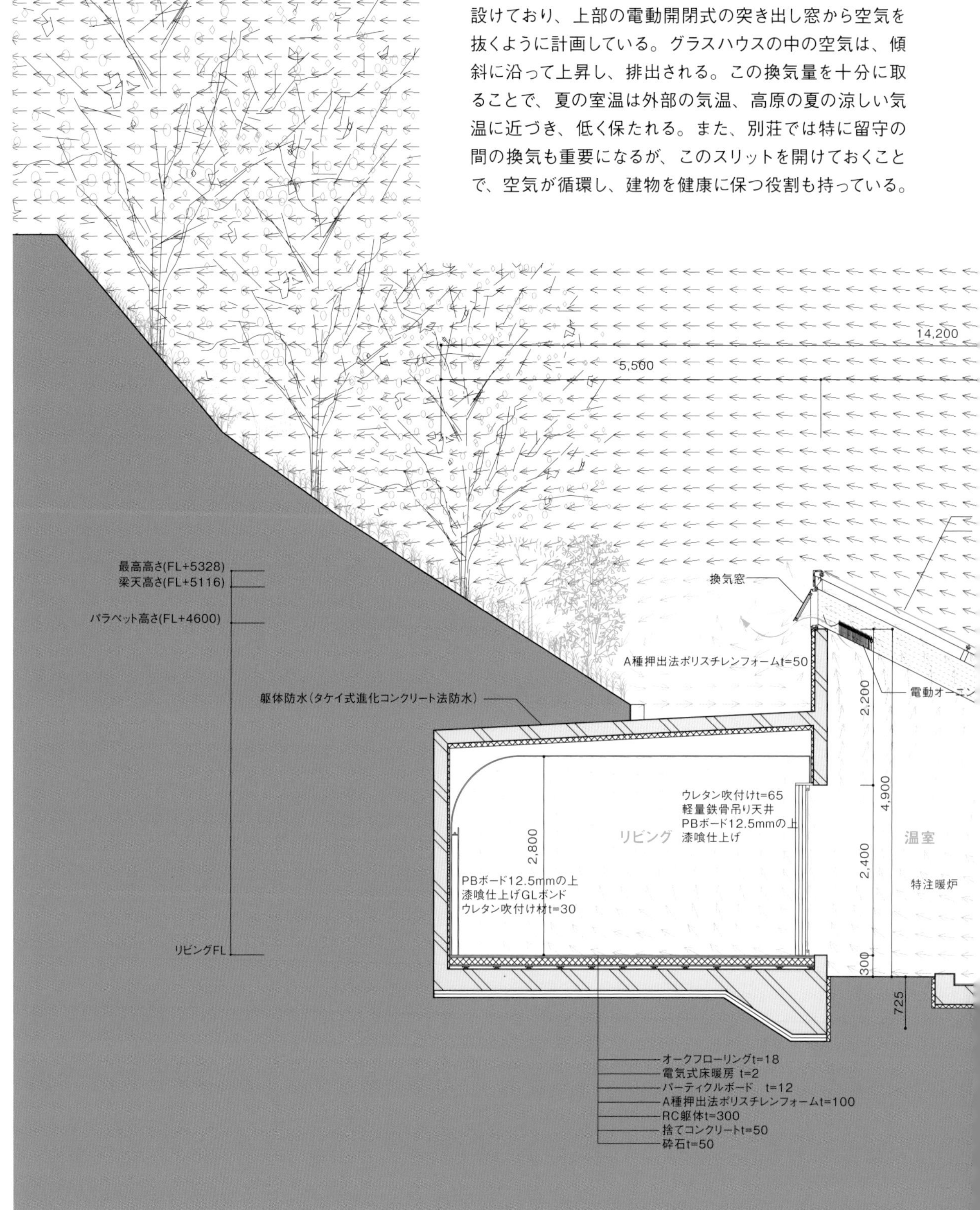

▲断面図 夏期 通風シミュレーション

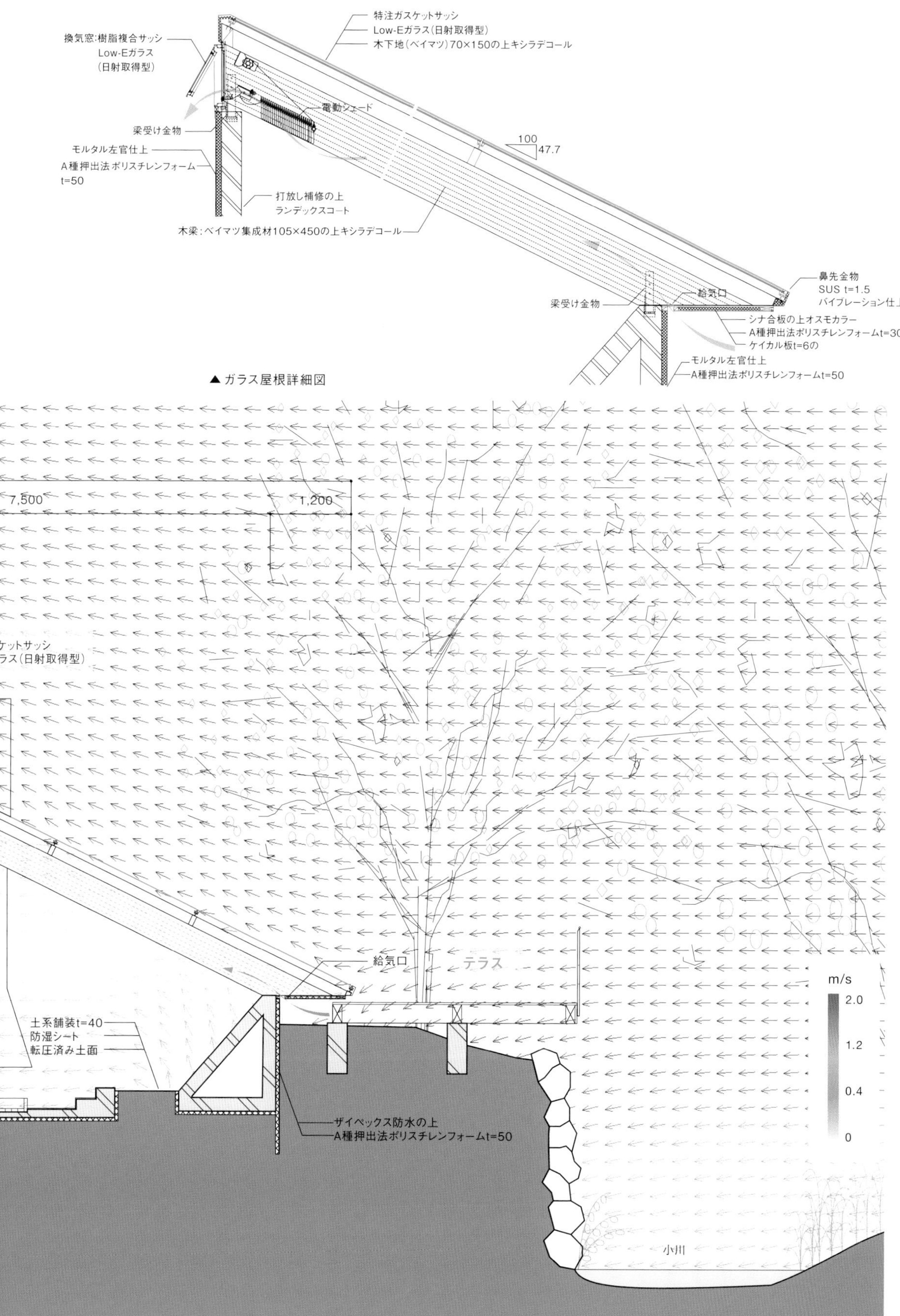

特注ガスケットサッシ
Low-Eガラス(日射取得型)
木下地(ベイマツ)70×150の上キシラデコール
換気窓:樹脂複合サッシ
Low-Eガラス
(日射取得型)
電動シェード
梁受け金物
モルタル左官仕上
A種押出法ポリスチレンフォーム
t=50
100
47.7
打放し補修の上
ランデックスコート
木梁:ベイマツ集成材105×450の上キシラデコール
鼻先金物
SUS t=1.5
バイブレーション仕上
給気口
梁受け金物
シナ合板の上オスモカラー
A種押出法ポリスチレンフォームt=30
ケイカル板t=6の
モルタル左官仕上
A種押出法ポリスチレンフォームt=50
7,500
1,200
スケットサッシ
ガラス(日射取得型)
給気口
テラス
m/s
2.0
1.2
0.4
0
土系舗装t=40
防湿シート
転圧済み土面
ザイペックス防水の上
A種押出法ポリスチレンフォームt=50
小川

▲ガラス屋根詳細図

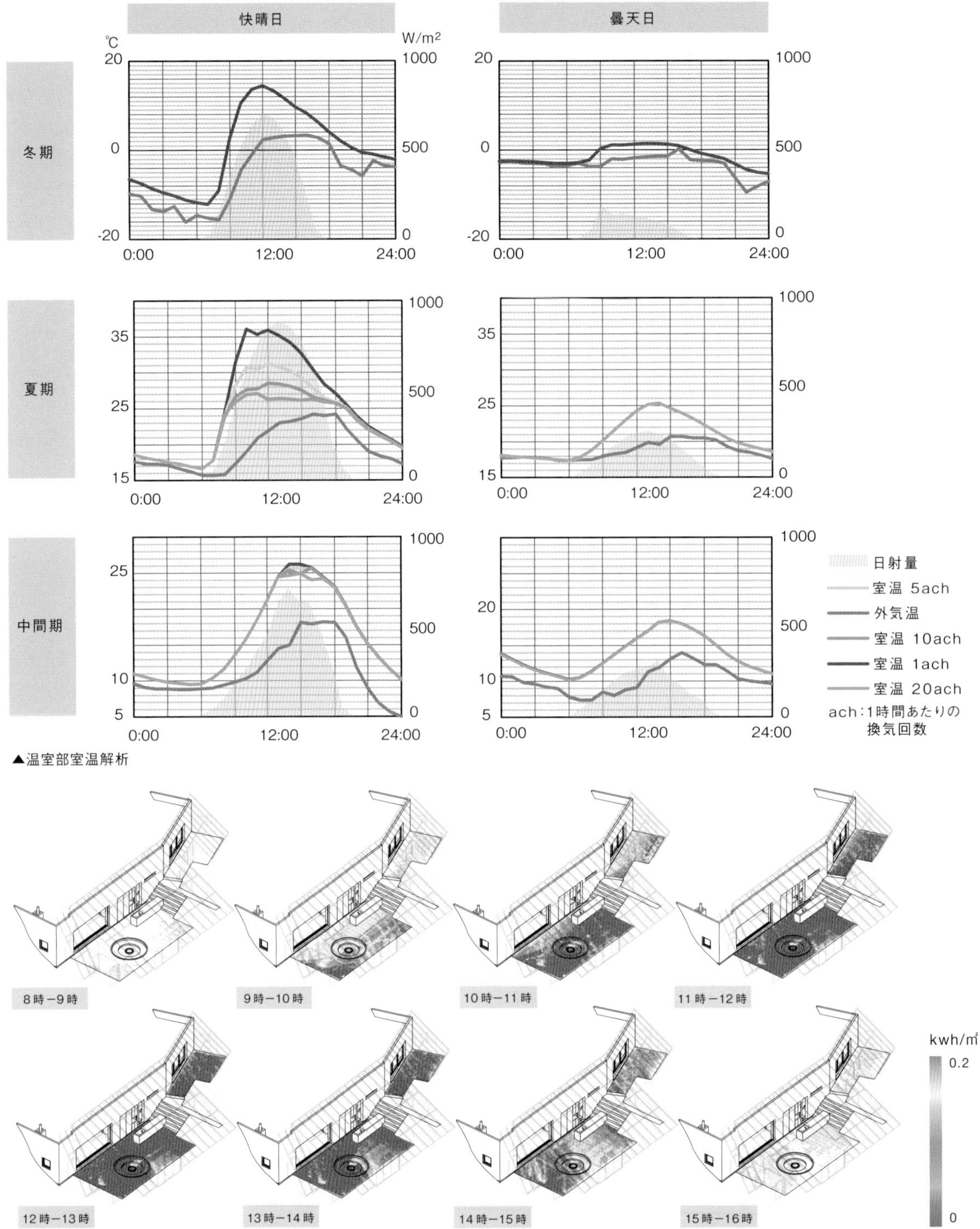

▲温室部室温解析

▲冬至における1時間ごとの日射量の分布

POINT 3

自然室温シミュレーションにより効果を確認する

夏・冬のグラスハウス内の自然室温の確認を行う。冬は、温室に降り注ぐ日射の恩恵で晴天時に外気温＋10℃程度、曇天時に外気温＋3℃程度となり、土間やコンクリートの蓄熱の効果で夜間になっても冷え込んでいないことがわかる。これは、時間ごとの土間に当たる日射量を見ても確認ができる。一方、夏には、換気回数と室温が強く関係していることがわかり、換気回数を20回／hとすることで、外気温に近づき、真夏日でも自然室温が26℃くらいとなることがわかる。

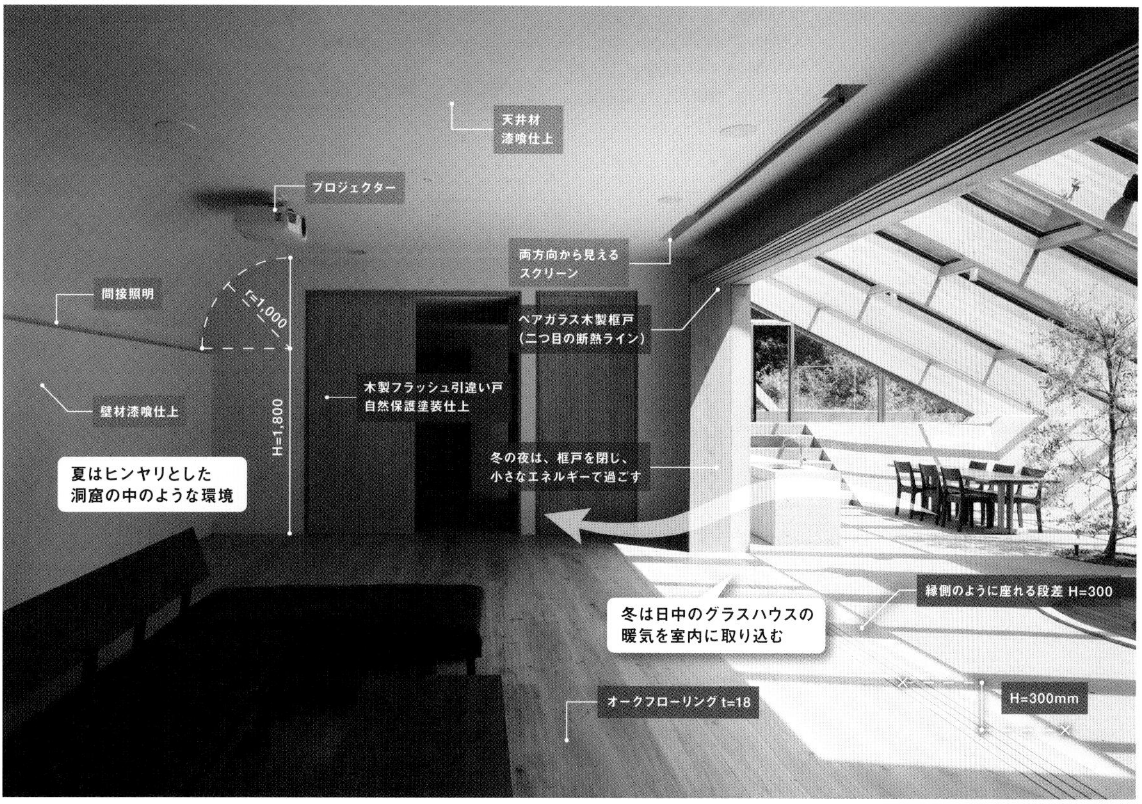

天井材
漆喰仕上
プロジェクター
両方向から見える
スクリーン
間接照明
r=1,000
ペアガラス木製框戸
（二つ目の断熱ライン）
木製フラッシュ引違い戸
自然保護塗装仕上
壁材漆喰仕上
H=1,800
冬の夜は、框戸を閉じ、
小さなエネルギーで過ごす
夏はヒンヤリとした
洞窟の中のような環境
縁側のように座れる段差 H=300
冬は日中のグラスハウスの
暖気を室内に取り込む
オークフローリング t=18
H=300mm

▲ リビング内部より温室方向を見る

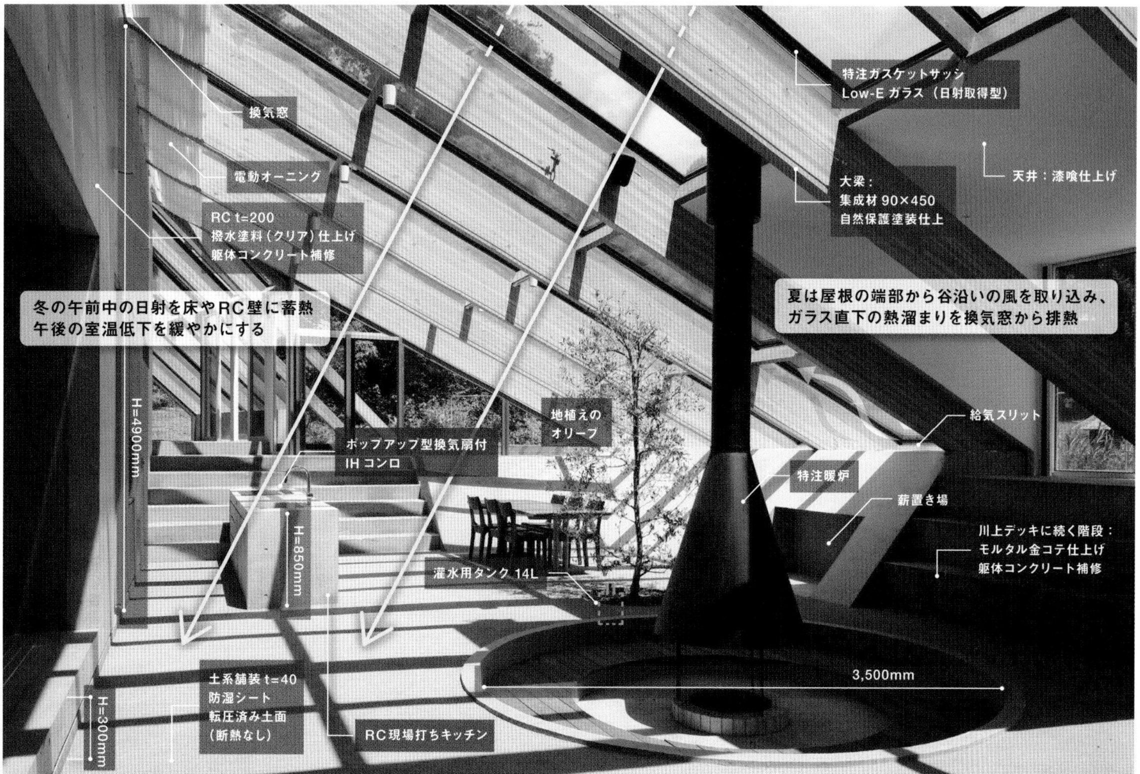

特注ガスケットサッシ
Low-E ガラス（日射取得型）
換気窓
天井：漆喰仕上げ
電動オーニング
大梁：
集成材 90×450
自然保護塗装仕上
RC t=200
撥水塗料（クリア）仕上げ
躯体コンクリート補修
冬の午前中の日射を床やRC壁に蓄熱
午後の室温低下を緩やかにする
夏は屋根の端部から谷沿いの風を取り込み、
ガラス直下の熱溜まりを換気窓から排熱
H=4900mm
地植えの
オリーブ
給気スリット
ポップアップ型換気扇付
IH コンロ
特注暖炉
薪置き場
H=850mm
川上デッキに続く階段：
モルタル金コテ仕上げ
躯体コンクリート補修
灌水用タンク 14L
3,500mm
H=300mm
土系舗装 t=40
防湿シート
転圧済み土面
（断熱なし）
RC現場打ちキッチン

▲ 温室南側より北方向を見る

02 太陽エネルギーを取り込む②

山元町立山下第二小学校 Yamamoto-choritsu Yamashita Second Elementary School

宮城県山元町／2016年8月竣工 （佐藤総合計画と共同設計）

日の恵みを受け止める 傘状の教室空間

東日本大震災による津波被害を受けた小学校の建て替え計画。津波で流された町ごと内陸側に移転し、その新しい町にできる新駅と町役場をつなぐメインストリートに面した中心施設としての役割を期待された。東北の寒冷地でありながらも、太平洋側の気候の特徴も持つこの地域では、冬に山から吹き下ろす北西の風に配慮が必要である一方、東北地方の中では日照に恵まれており、それを活かした環境配慮型の学校を計画した。

寒冷地において、子どもたちのために明るく暖かい居場所をつくるために考えたのが傘状の構造体である。中央の鉄骨柱とそこから放射状に架け渡された木梁は、教室ユニットを柔らかく包み込む傘の下のような空間をつくり出す。教室ユニットは、2教室とオープンスペースを含めた田の字型の平面とし、全て引き戸で仕切ることで、一体的な空間としている。小断面の木造の柱梁の軸組が小スパンで広がる平面は、この可動建具で曖昧に仕切られ、日本家屋のような奥行きのある空間となっている。

通常、校舎は北側に配置し、南側採光となるように計画するが、ここでは、校舎を敷地南西に配置し、通りに近づけることで、まちとの関係をつくっているため、この構造体の頂部にトップライトを設け、光を取り込んでいる。屋根の勾配は集熱効率を高めるため日射シミュレーションにより決定された。7つの傘状構造体は大屋根に抑揚と分節を与え、隣接する「こどもセンター」や保育所、周辺の住宅スケールと調和した新しい町の風景をつくり出している。

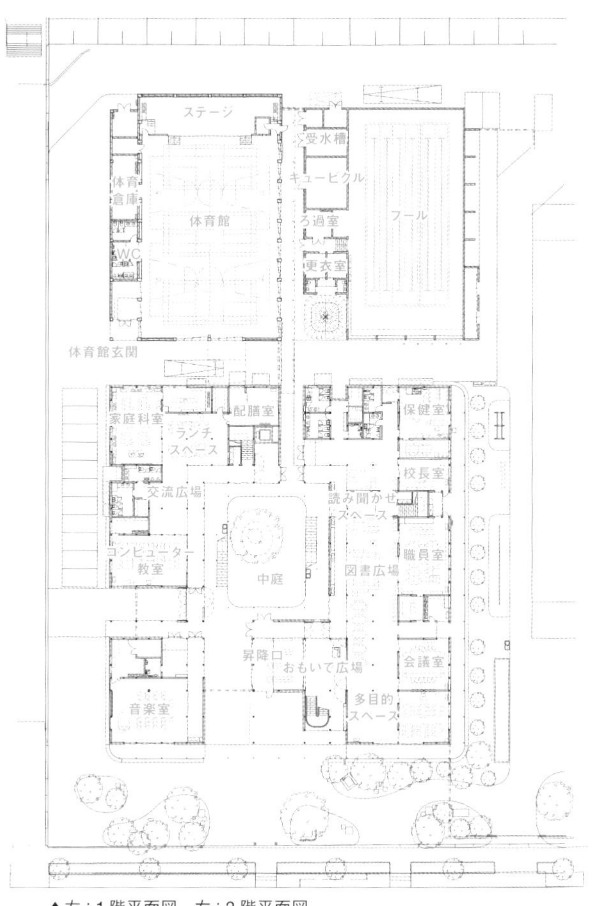

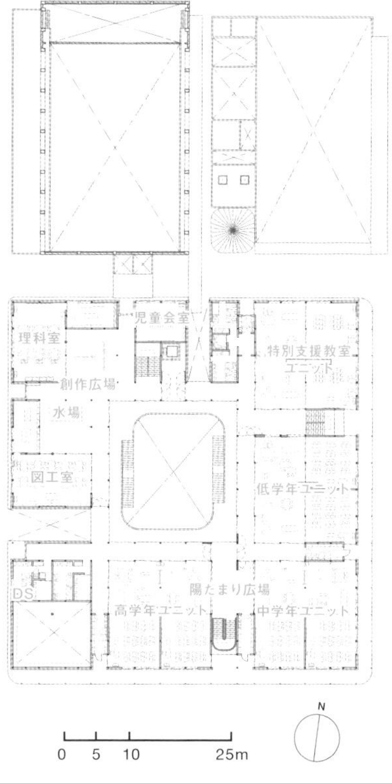

▲左：1階平面図　右：2階平面図

▲教室ユニットのオープンスペース

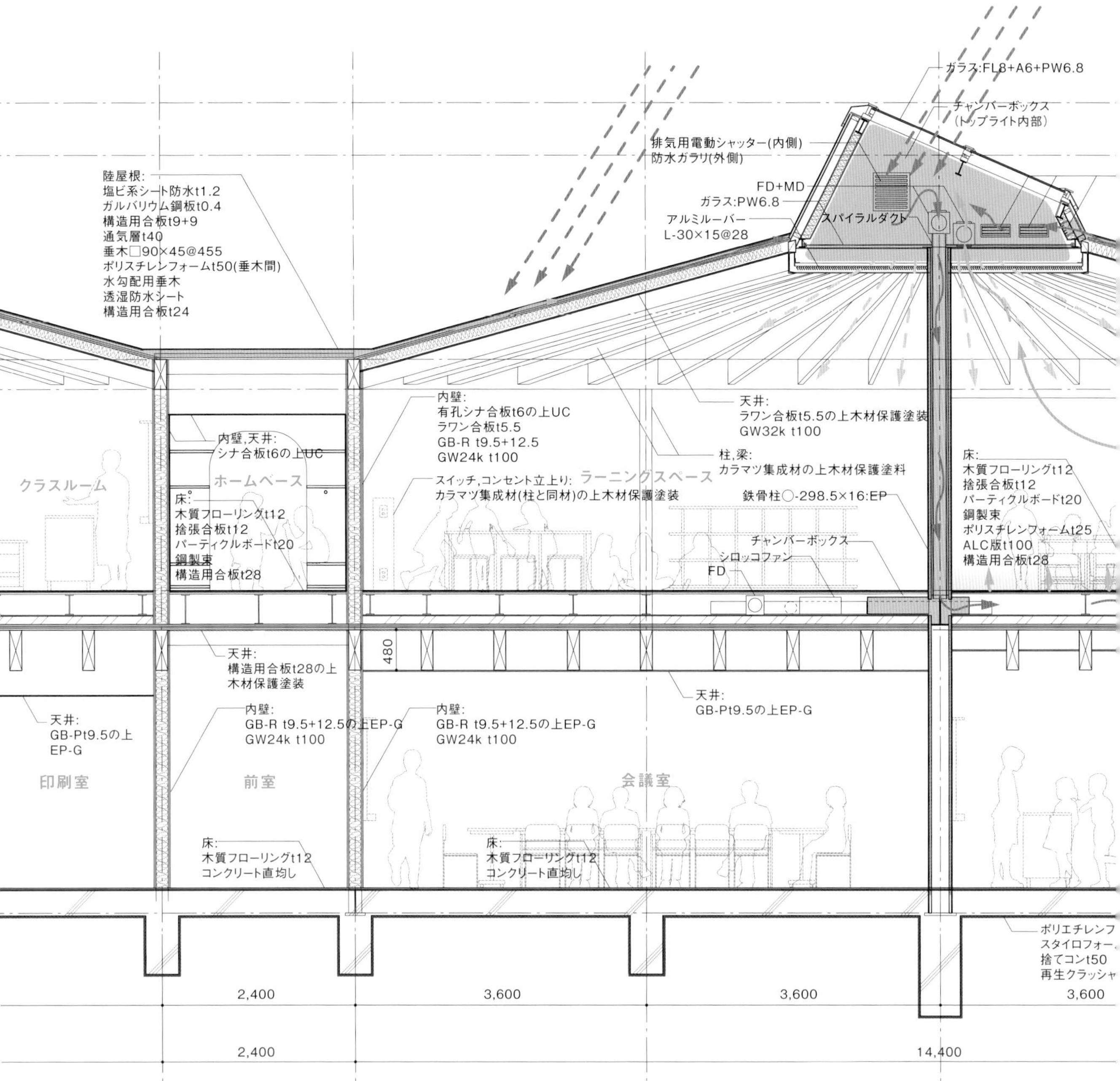

POINT

傘状構造体で陽だまりをつくる

空間を形づくる構造体のシステムと、温熱環境を調整する環境システムを重ねる手法は、強い場をつくり出す目的に対して有効である。この学校では、田の字平面をした2つの教室とオープンスペースに対して、中央の鉄骨柱と放射状に架け渡された木梁による傘の下のような空間をつくり出しており、その中央柱上部に設けられたトップライトによって、自然光で満たされる場ができている。トップライト下には、直射を防ぐためのルーバーが設けられており、拡散光になるように工夫されている。また、この傘状構造体は、光環境だけでなく、温熱環境にも寄与しており、軒下から導入された外気が屋根の通気層で暖められ、トップライト部で集熱し、鉄骨柱を通して床下に暖かい空気を導入することで、自然の暖気を利用した床暖房として機能している。暖房を使用していないときは外気導入モードとして、暖房使用時には循環モードとして選択的に運転することができる。夏は、トップライト内のガラリから排熱し、熱溜まりを防止している。この中央が持ち上げられた傘状の空間は、教室ユニットに一体感を生み出すと同時に、そこに暖かい温熱環境をつくり出すことで、子どもたちが集う場となっている。

▼最高高さ=GL+9,700
653
2,435
…(形状記)憶金属による給気ガラリ
勾配屋根:
塩ビ系シート防水t1.2
ガルバリウム鋼板t0.4
構造用合板t9+9
通気層t30
扇垂木□30×40@455
透湿防水シート
構造用合板t24
通気口Φ100@450
▼軒高=GL+6,932
360
軒先通気口
軒裏:杉板羽目張りt9
ガラス:TP4+A6+TP4
内壁:
GB-R t9.5+12.5の上EP-G
GW24k t100
クラスルーム
2,400
9,700
木製床ガラリ
▼2FL=GL+3,952
250
472
▼2SL=GL+3,480
480
軒裏:杉板羽目張りt9
天井:
GB-Pt9.5の上EP-G
内壁:
GB-R t9.5+12.5の上EP-G
GW24k t100
外壁:
可とう形外装薄塗材t4
窯業系サイディングt14
通気胴縁18×30@450
透湿防水シート
木胴縁45×150@450
Eルーム
2,600
ガラス:TP4+A6+TP4
ウッドデッキ
床:
木質フローリングt12
コンクリート直均し
▼1FL=GL+300
250
300
▼GL±0
3,600
2,000
2,000

▲断面図

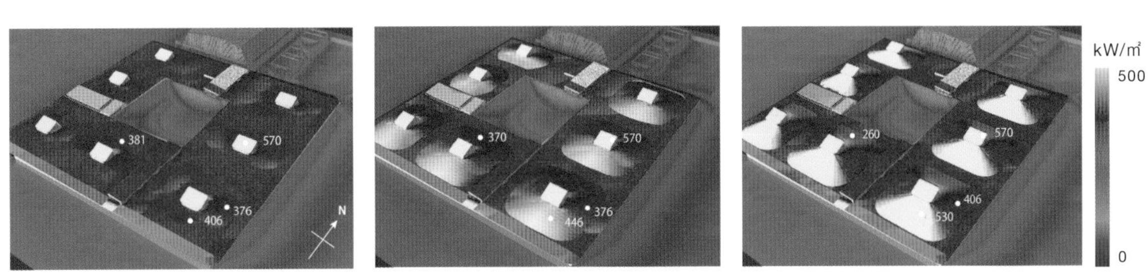

▲冬季積算日射量：環境シミュレーションによる屋根勾配の検討。より効率的に日射エネルギーを集められるように屋根勾配を決定

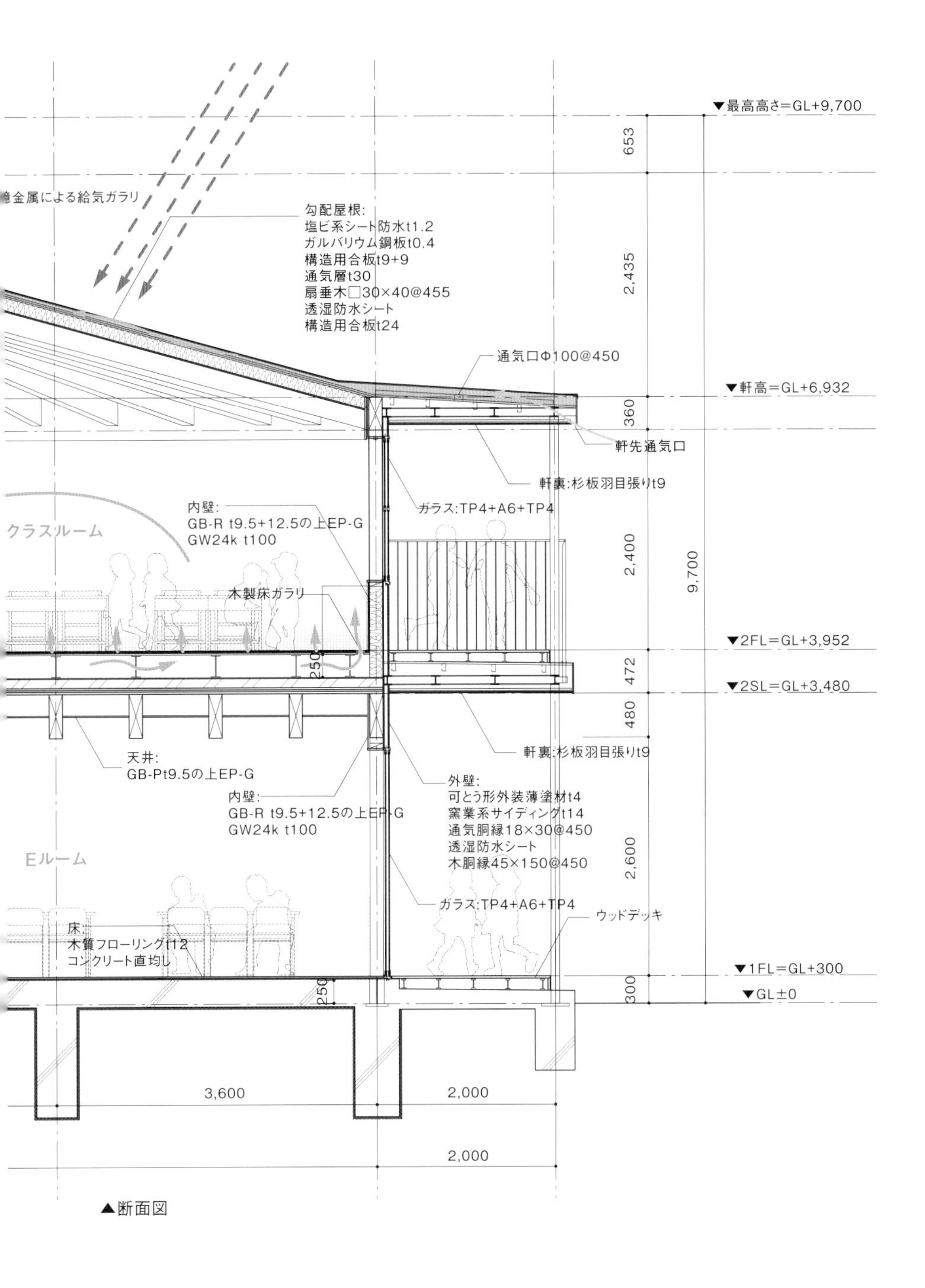

02 太陽エネルギーを取り込む③

向日居　Koujitsukyo

福岡県八女市／2012年4月竣工

太陽を求めて重なる リブ状ユニット

山間の自然豊かな環境の中に建つ平屋の住宅。周り全面をキウイ畑に囲まれた敷地に、11個の小さな屋根を点在させ、その下に家族が生活するためのさまざまな場所をつくり出している。広い敷地に散らばった屋根の下は、緩やかに定義された空間が連鎖し、森の中で木の下に居場所を見つけるように、各々が好きな場所を探して住む空間である。

プランは、11のユニットが少しずつズレながら配置され、全体としては中庭を囲むコの字型平面をしている。夫婦2人と子ども3人、親1人の6人のための住まいは、この中庭を介して、家族の適度な距離感と一体感を同時に生み出している。断面は、片流れの屋根によって南側を低く北側を高くなるようにしており、リビング等の共有空間になるほど開放的に、プライベートな空間になるほど落ち着いた空間になるように計画している。

平屋の主構造である木造ユニットは、25mm厚の杉の単層積層材をリブ状に連ねてできており、板状の柱と方杖、梁を連結したものを303mmピッチに並べて、一体化している。このユニットは本棚・飾り棚も兼ねており、25mmの柱は棚の縦リブとしても機能している。集成材同士は、ホームコネクター工法により接着固定されており、シンプルなジョイントのディテールを実現した。

これらのユニットは、太陽の方に向かって傾く勾配屋根によって日中の太陽熱を集熱しており、リブ柱の間に取られたダクトスペースを介して、床にファンで引き込み蓄熱することで、山間地域での夜間の冷え込み対策としての床暖房にしている。

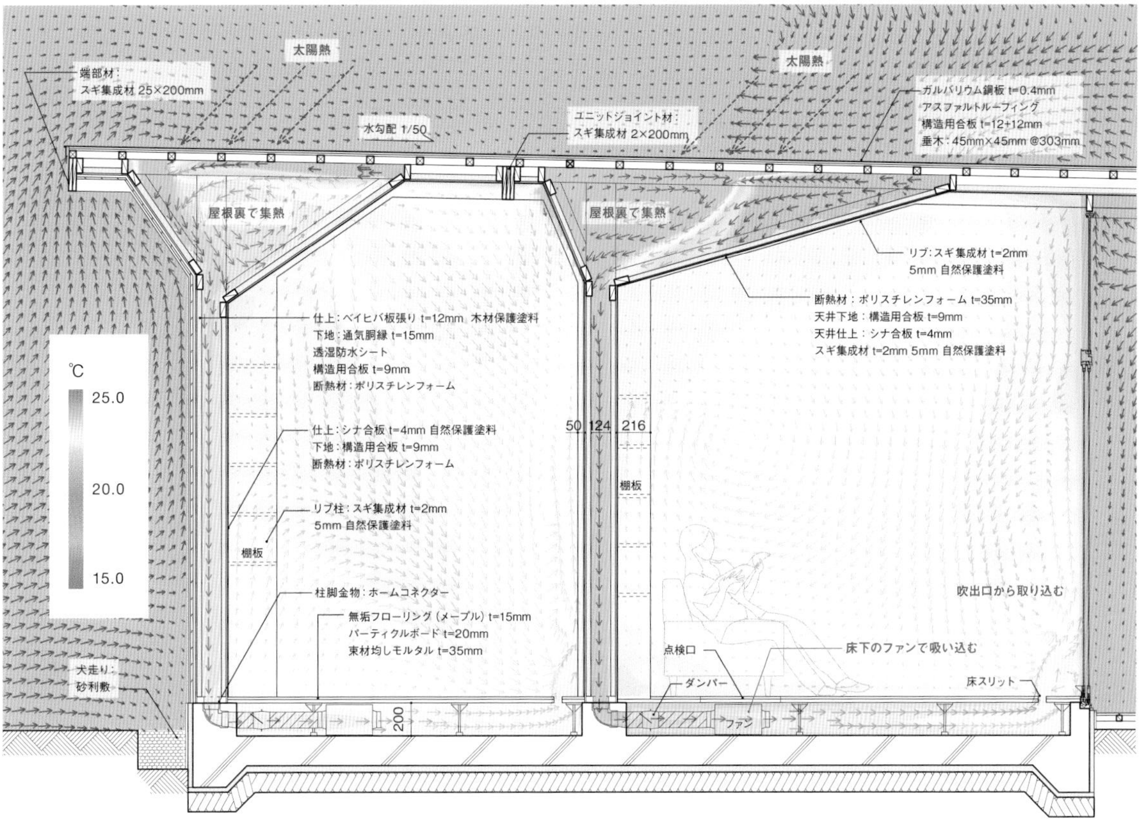

▲断面詳細図とシミュレーション
通常、屋根の直下に設置する断熱ラインを方杖の位置にずらすことで、三角形状の熱だまりをつくり、太陽エネルギーを集める。
その熱を床下のファンで引っ張り、床のコンクリートに蓄熱する。

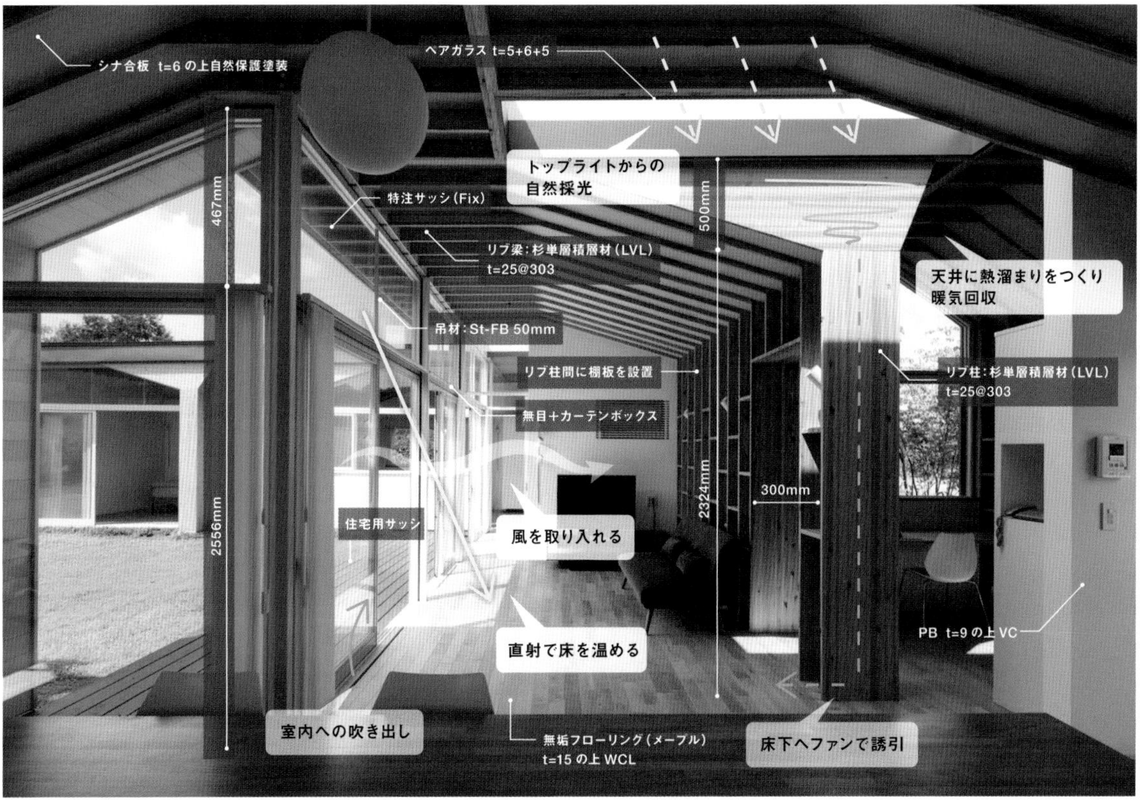

▲ダイニングよりリビング方向を見る

ARI

──ダブルスキンの小屋裏空間を使った太陽熱利用

▲敷地南から建物全体を見る

▲天井を開け、壁を閉めた状態（冬の日中を想定）の広間

設計者：micelle ltd. 片田友樹　所在地：群馬県太田市　竣工年月：2017年11月
構造規模：木造在来構法　地上1階　敷地面積：674.5m²　建築面積：177.3m² 延床面積：159.0m²

屋根裏の空間は温熱環境が特徴的であり、養蚕に使うなど、古くから活用されてきた。ここで紹介するARIは、屋根と天井の間の小屋裏空間をダブルスキン空間と捉え、その天井を開閉することによって、そこに溜まる太陽のエネルギーを冬の室内に取り込んだり、夏は排熱したりと環境調整機能として利用している。気候によっては、透明な屋根による熱損失のケアは必要となるが、自然に開くことによって実現している大変ユニークな試みである。

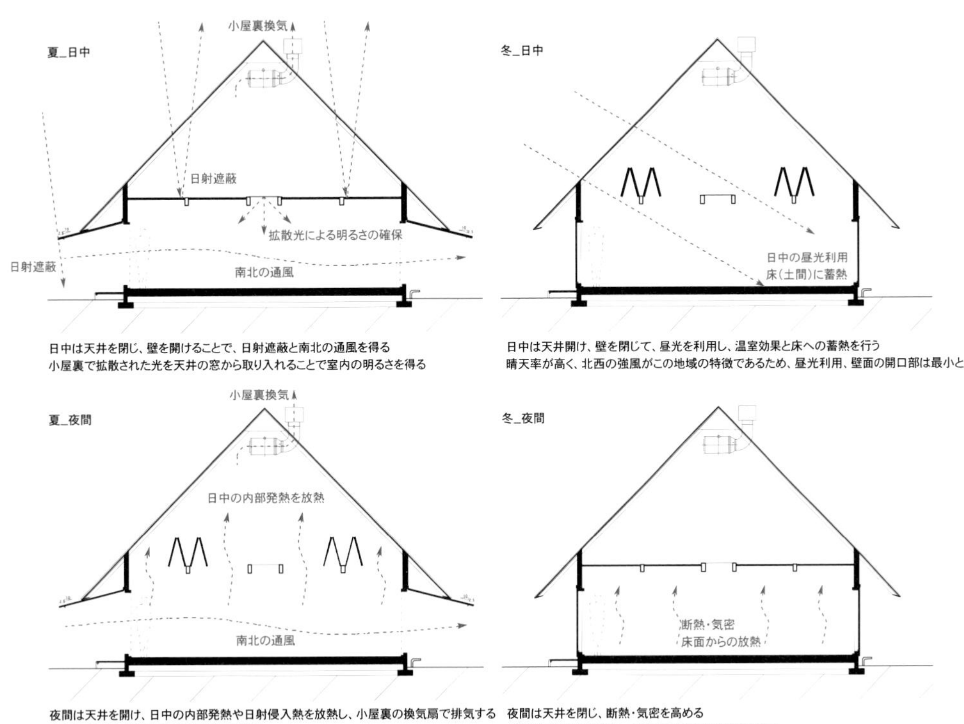

▲夏季と冬季の日中と夜間の状態を示す。建具と天井を開閉し環境を調整するシステム

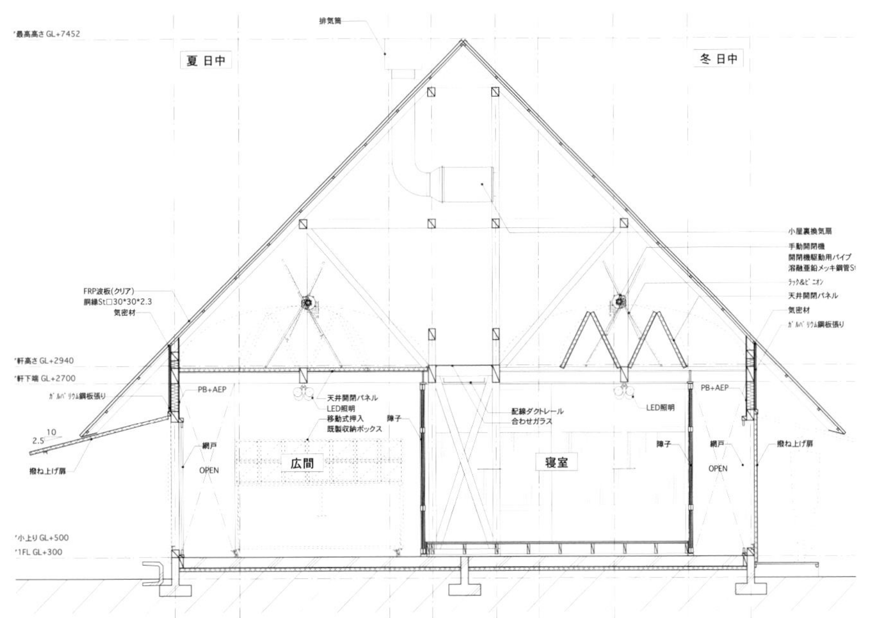

▲断面詳細図。中央にあるのは、天井内部の熱を排出するための排気筒

SIMULATION

ダブルスキン形状を使ってエネルギーを取り込む

冬の太陽光のエネルギーを取り込むため、ガラスのダブルスキンで建物全体を覆い、日没後には日中に二層の壁の合間で温められた空気がファンによって取り込まれるようなモデルの有効性を検討する。分析の結果、シングルスキンモデルは1日を通して室温が低いのに対して、ダブルスキンモデルでは日中の太陽エネルギーが日没後にも居室の室温を維持することに寄与している様子が分かる。

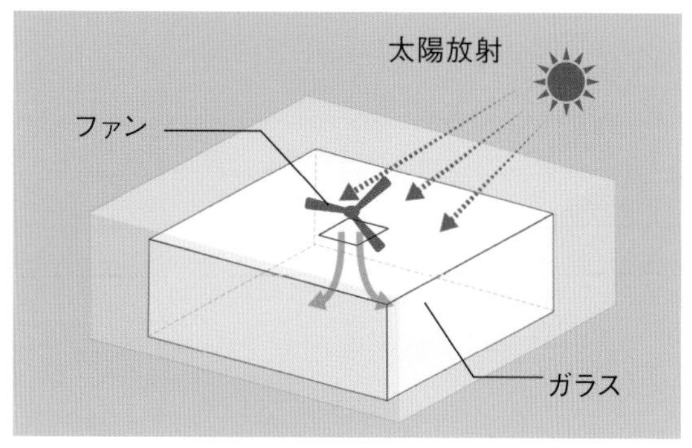

〈FlowDesignerにより検証〉

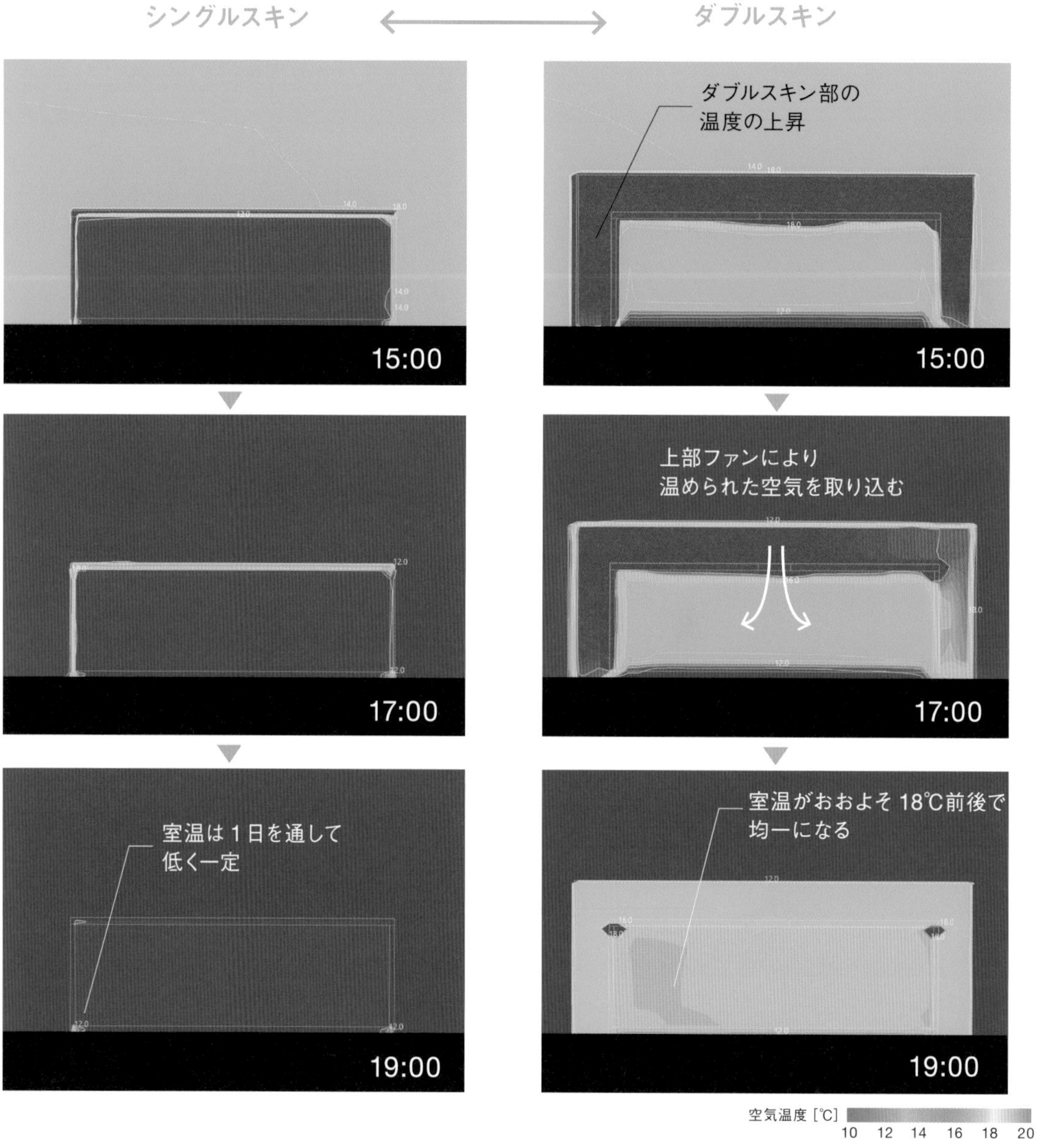

シングルスキン ⟷ ダブルスキン

15:00 / 15:00
ダブルスキン部の温度の上昇

17:00 / 17:00
上部ファンにより温められた空気を取り込む

19:00 / 19:00
室温は1日を通して低く一定
室温がおおよそ18℃前後で均一になる

空気温度［℃］ 10 12 14 16 18 20

03

地中のエネルギーを利用する

太陽からもたらされたエネルギーは、形を変えながら、身の回りのさまざまな場所に存在しているが、地中はそれが届きにくい場所といえる。地面は巨大な熱容量の塊であるため、地中深いほど、太陽エネルギーの変化の影響を受けにくく、年間を通して安定したエネルギーを持っており、地下5mほどの深さになると、年間の温度変化がほとんどなくなる。

地中熱利用にはいくつかの方法があり、たとえば、直接的に建物を一部地下に埋めて利用する方法や、クールチューブなどで空気を媒体にして浅い地中のエネルギーを利用する方法、地下水をくみ上げて建物で直接利用する方法、地中で熱交換して熱だけくみ上げる方法などがある。

これら地中の安定したエネルギーを、家であれば家族が集まる場所、公共の建物であればみんなの目につく場所で、うまく視覚化したり、触ってわかるようにしたりするなど、身体感覚に訴えながら使うと、より効果的にデザインに落とし込むことができる。

また、地下水などは、地域の水循環とも関係しており、その下流域で地下水を使って酒造などが行われていると、上流でのエネルギー利用によって水温が変わってしまい、それらの産業に影響が出ることもあるので、自然の循環物であることに配慮しながら利用することがポイントとなる。

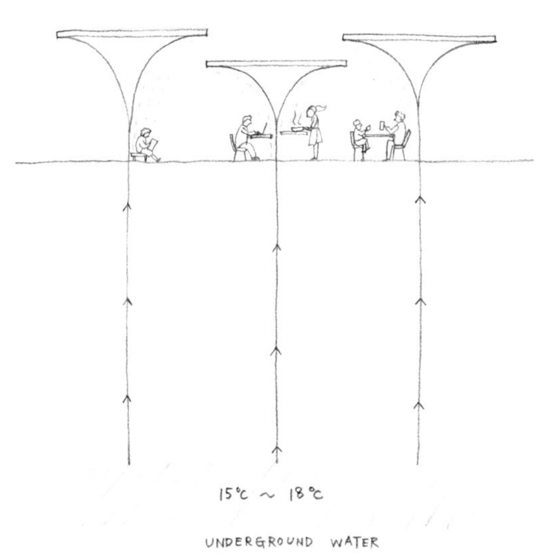

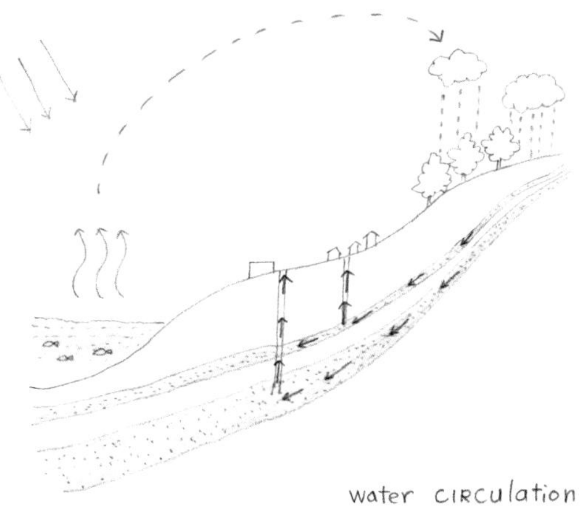

03 地中のエネルギーを利用する

Kokage

千葉県我孫子市／2008年7月竣工

地下水を循環した輻射ユニット

夫婦2人が老後の生活を送るために建てられた木造2階建ての住宅。利根川水系や手賀沼などもともと水資源が豊富な地域であり､その水循環に接続した住宅を考えた。

この住宅では、〈夏を旨とした住まい〉という住まい手の要望を満たし、豊かな庭と室空間の連続感をつくり出すために、自然環境としての「木陰」の快適さを住環境に翻訳することを試みている。

建物は形の異なる10本の樹木状の構造ユニットにより構成され、庭木を延長するように配置されたユニットは、お互いに少しずつずらしながら互い違いに連結されることで、室内外にさまざまな「木陰」を持つ林のような多様な空間をつくり出している。

メインとなる1階部分は、夫婦の共有のスペースとなっており、これらのさまざまな「木陰」の下で、くつろいだり、食事したり、本を読んだりする、庭を延長した風通しの良い半屋外のような豊かな環境となっている。ここは、夫婦が程よい距離を保ちながら、お互いに好きなことをできるような場所である。

そして、これらのユニットは、地下水をポンプによって吸い上げ、それを架橋ポリ管によって躯体内に循環させることでできた輻射冷房のシステムとしても機能しており、「木陰」に入ったときの涼感を空間に加えている。

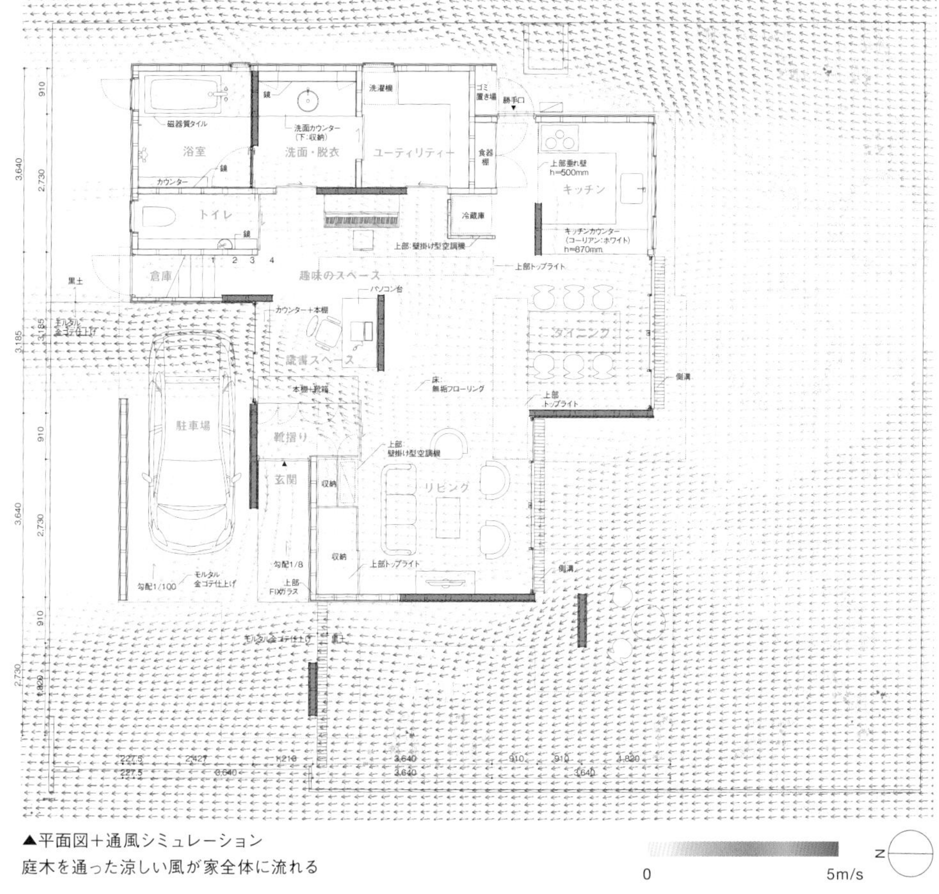

▲平面図＋通風シミュレーション
庭木を通った涼しい風が家全体に流れる

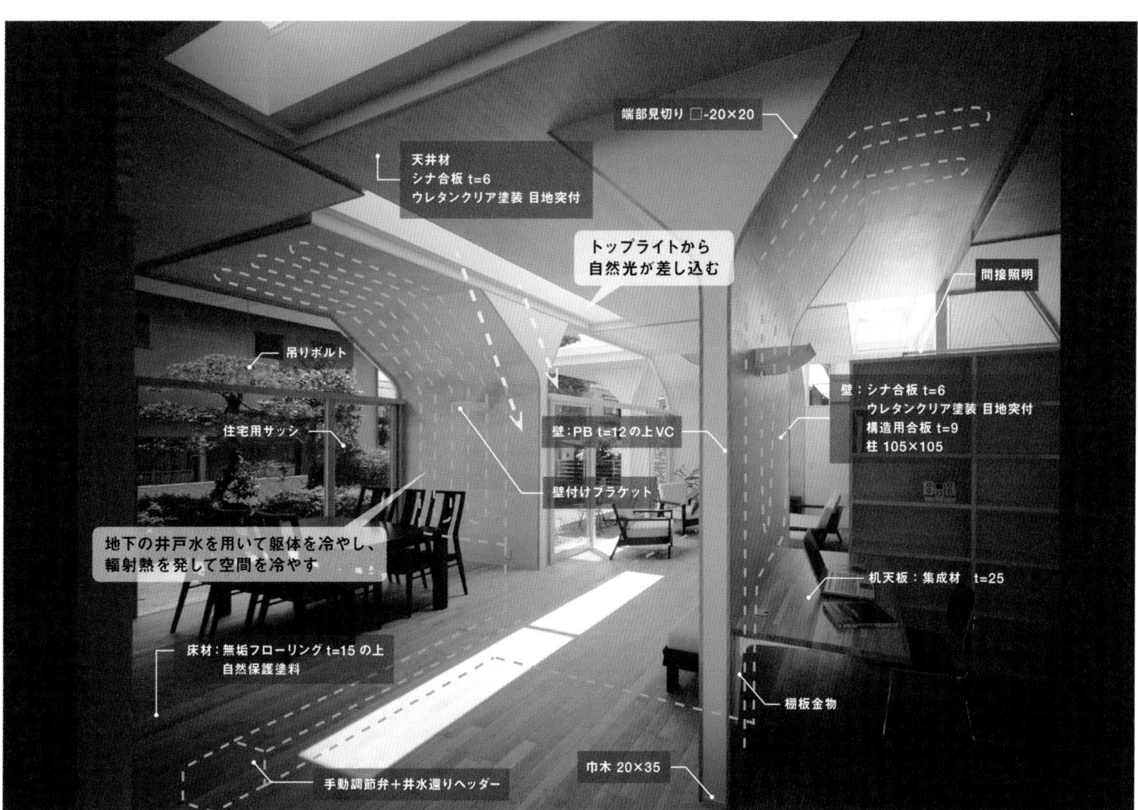

端部見切り □-20×20
天井材
シナ合板 t=6
ウレタンクリア塗装 目地突付
トップライトから
自然光が差し込む
間接照明
吊りボルト
壁：シナ合板 t=6
ウレタンクリア塗装 目地突付
構造用合板 t=9
柱 105×105
住宅用サッシ
壁：PB t=12 の上VC
壁付けブラケット
地下の井戸水を用いて躯体を冷やし、
輻射熱を発して空間を冷やす
机天板：集成材　t=25
床材：無垢フローリング t=15 の上
自然保護塗料
棚板金物
巾木 20×35
手動調節弁＋井水還りヘッダー

▲１階室内より、南東方向を見る

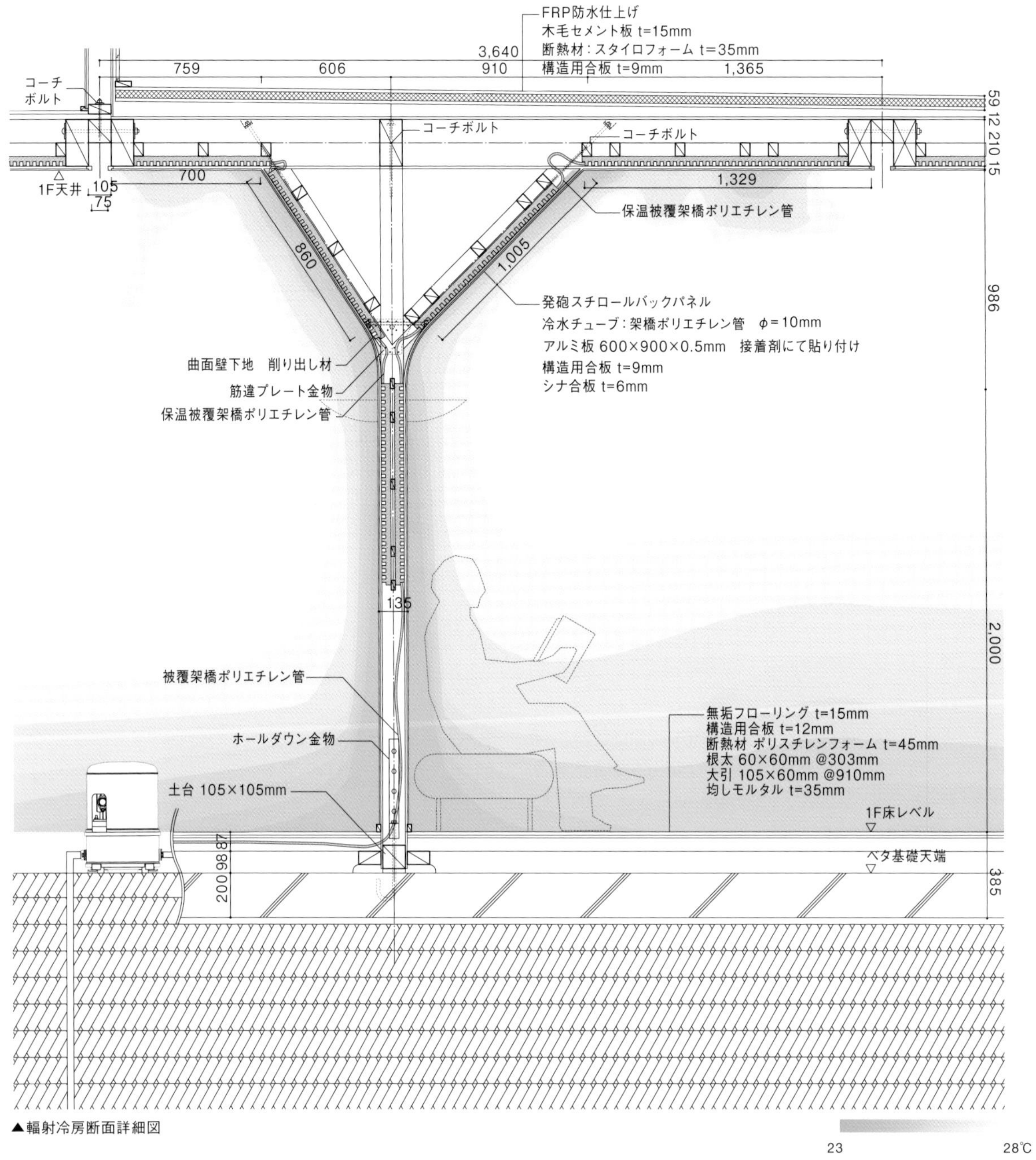

▲輻射冷房断面詳細図

POINT 1

涼しい場を室内につくり出すTREE UNIT

この建物でデザインされた大きさの異なる10のユニットは、15～18℃に冷えた地下水を樹木のように吸い上げ、循環させ躯体を冷やす輻射冷房のシステムとなっている。温度ムラや気流の不快感を起こしやすい空気媒体の空調に対し、輻射による空調は、気流を起こさず身体に優しい。また、窓を開放した状態でも冷房効果が保たれるので、空気が逃げることを気にせずに屋外と室内を一体的に利用することもできる。施工は、既製品の床暖房用アルミシート付きバックパネルを用いて、それを合板の上に打ちつけ、架橋ポリ管を配置した。仕上げの合板が十分に架橋ポリ管に接することや、熱が十分に伝わることに注意を払って施工している。なお、地下水を利用した冷房を考える際は、結露の制御を同時に考える必要がある。結露防止のため、露点に達すると電動弁で水流を止める簡単な制御装置を入れている。

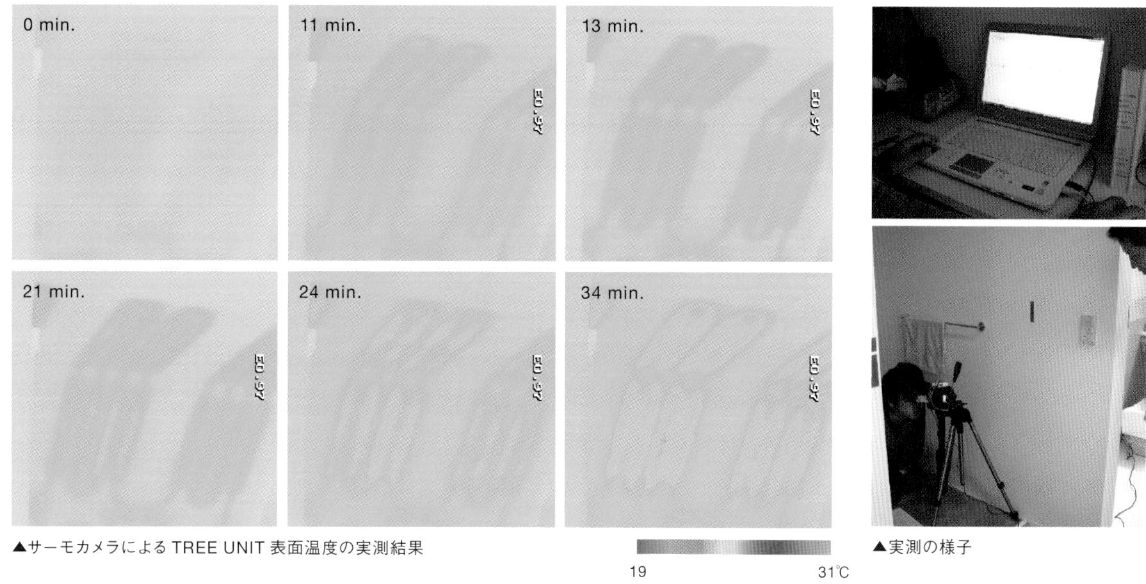

▲サーモカメラによるTREE UNIT表面温度の実測結果

▲実測の様子

POINT 2

簡易な温度制御による結露防止

サーモカメラを用いて、地下水を循環することによる表面温度の変化を調査すると、開始後約30分くらいでユニット壁面の表面に水温が伝わっているのが確認された。また、熱電対を使って、表面温度の変化を調査すると、循環開始後に表面温度が下がるが、設定された温度（露点より少し高い22℃で設定）まで下がると電動弁が閉じ、循環が止まる。それによって温度が上がり（結露防止）、再び温度が25℃くらいになると電動弁が開いて循環が再開し、およそ22～25℃の範囲で推移していくことが確認された。

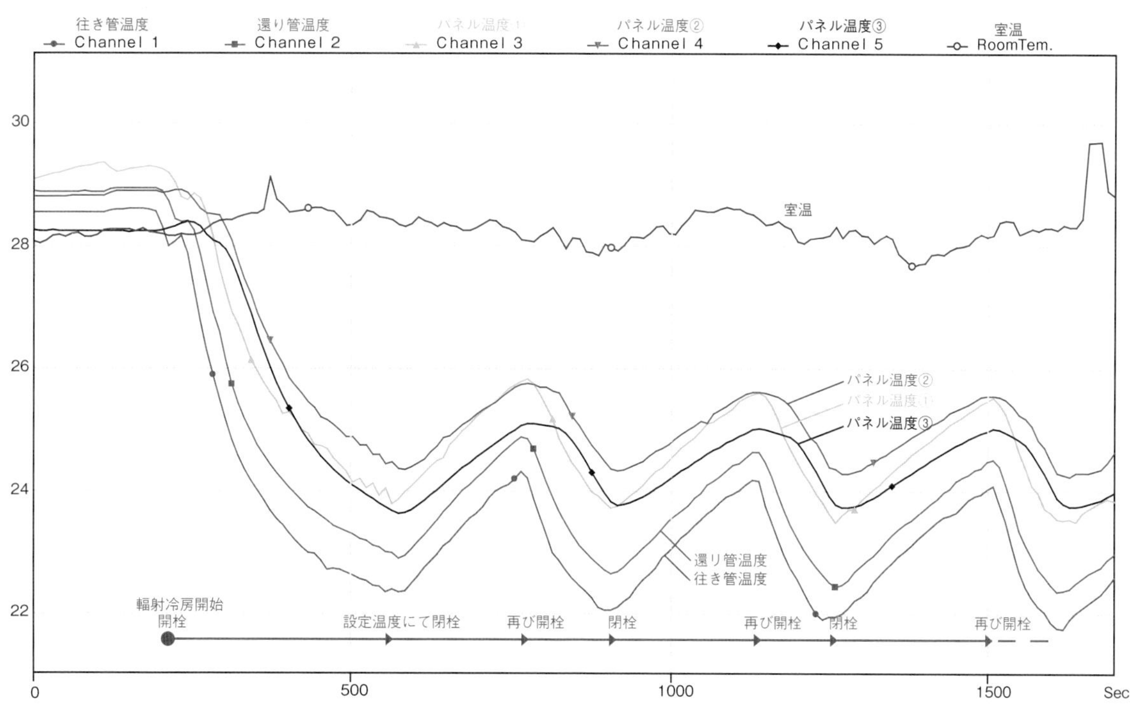

▲熱電対を使った温度変化調査

03 地中のエネルギーを利用する／先進事例紹介

A-ring

——アルミの素材特性を活かす地中熱利用の輻射環境

▲リビング。放熱器であり構造体でもあるアルミリング

▲２階。アルミリングは１階から２階まで通っている

▲西側外観

意匠設計者：山下保博／アトリエ・天工人＋金沢工業大学宮下研究室　所在地：石川県金沢市　竣工年月：2009年８月
構造規模：RC造＋アルミニウム合金造　地下１階、地上２階　敷地面積：178.22m²　建築面積：104.34m²　延床面積：136.62m²

素材の特性を活かすことは、自然に開かれた建物をつくる上で重要な手段の一つであろう。ここで紹介するのは、アルミニウムという素材の熱伝導率の高さに着目している住宅・A-ringである。この建物では、年間を通して温度が安定している地中の熱エネルギーを吸い上げ、それを熱伝導率の高いアルミニウムでできた輻射パネルユニットに循環させて熱を伝えることで、室内の温熱環境調整に利用している。地面の中の潜在エネルギーを利用した好例である。

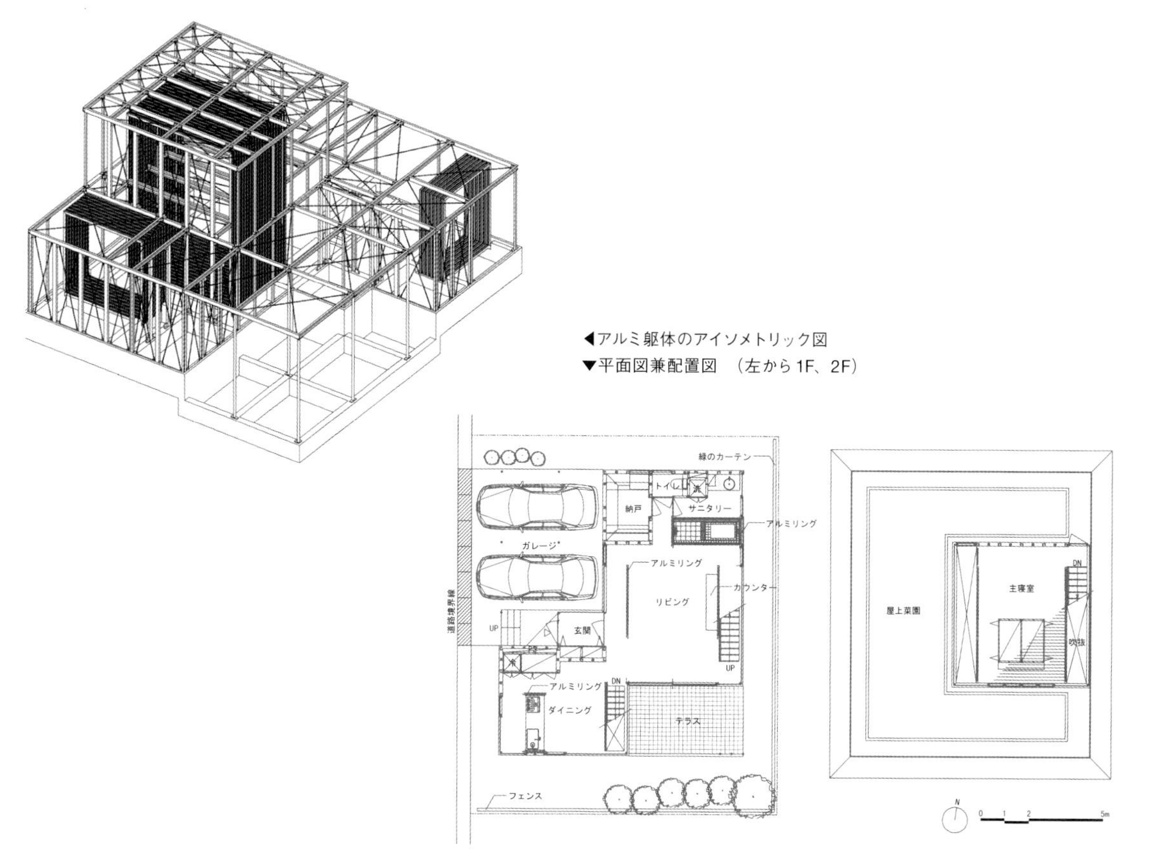

◀アルミ躯体のアイソメトリック図
▼平面図兼配置図　（左から1F、2F）

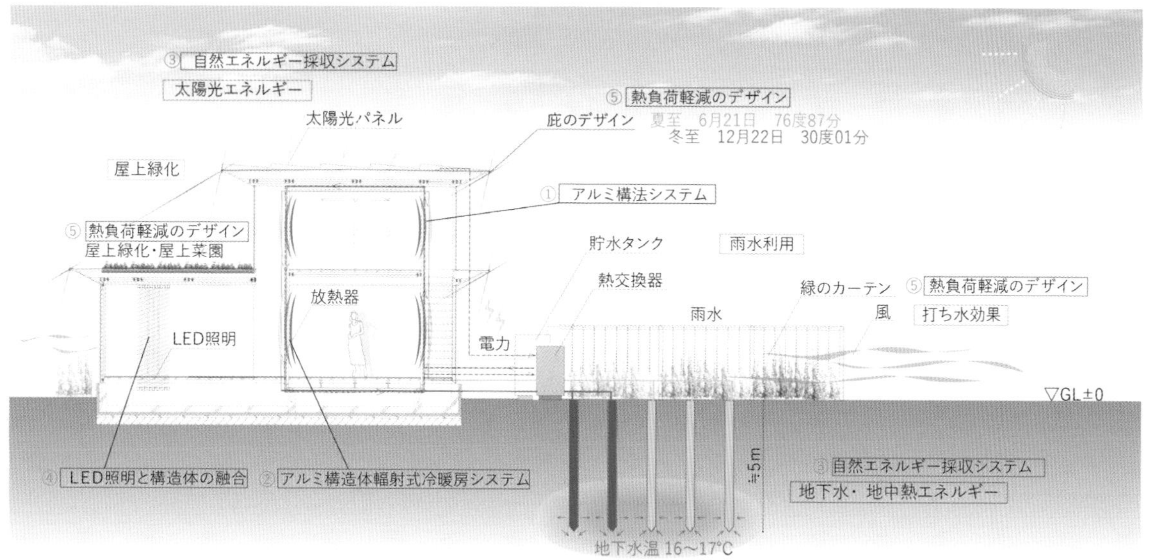

▲ A-ringにおける省CO_2概念図

『平成20年度　国土交通省　住宅・建築物省CO2推進モデル事業』採択

prototype research 03 地中のエネルギーを利用する

SIMULATION

室内の温度分布を最適化する輻射パネルの形

地中の安定した熱エネルギーを上手く利用する方法として、揚水した地下水や、地中深く循環させた不凍液を熱源として輻射パネルの配管に流す方法があるが、ここでは、輻射パネルの位置や形が室内の温度分布に与える影響に関してシミュレーションを行い、比較検討する。分析の結果を見ると、室全体を覆うように壁＋天井にアーチ状にパネルを設けたものが夏冬両方での温度分布がバランス良くなることが分かる。

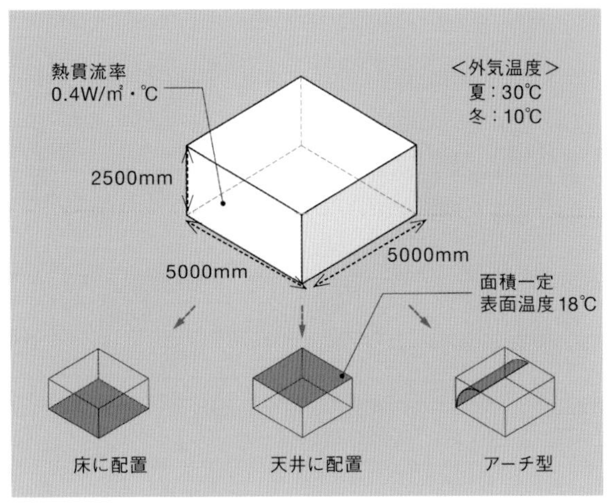

〈FlowDesigner により検証〉

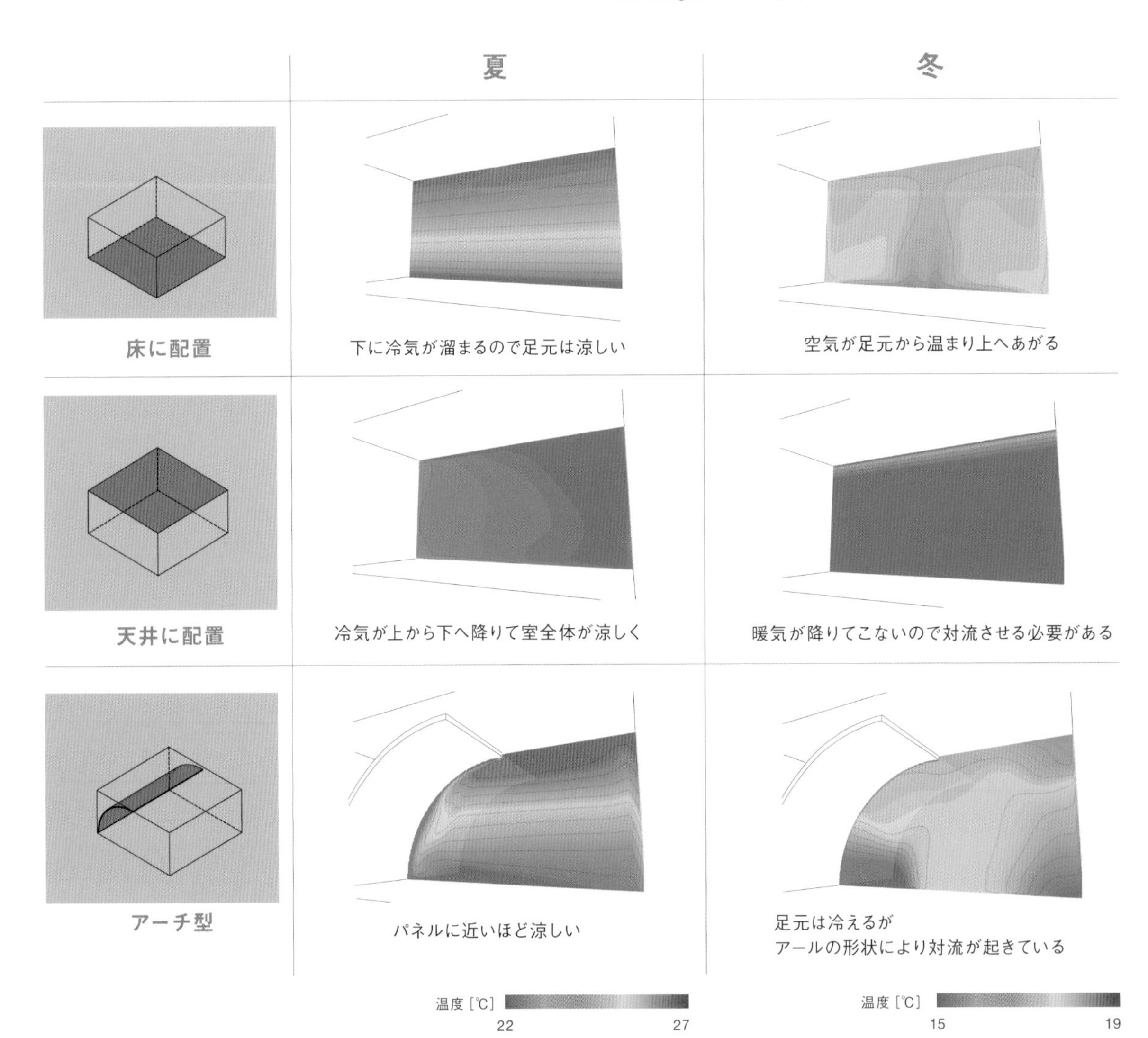

	夏	冬
床に配置	下に冷気が溜まるので足元は涼しい	空気が足元から温まり上へあがる
天井に配置	冷気が上から下へ降りて室全体が涼しく	暖気が降りてこないので対流させる必要がある
アーチ型	パネルに近いほど涼しい	足元は冷えるが アールの形状により対流が起きている

温度［℃］ 22 – 27（夏）

温度［℃］ 15 – 19（冬）

04

風を受け入れる

風にはエネルギーを運ぶ役割があり、それらをうまく建物に取り込むことが重要である。まずは、風がどのような傾向でどちらの方向から吹いてくるのかを理解する。そして、その風が吹いてくる方向にどのようなエネルギーがあるのかを把握する必要がある。たとえば、その風上側に海があれば、そこには、陸上よりも4℃近く涼しい空気があり、その風を取り込むことでクーリングの効果を得ることができる。一方で、風自体にも風速というエネルギーが内在しており、それを捕まえることで、涼を得ることもできる。一般的に体感気温は、気温－(マイナス)風速といわれているが、風速が速すぎても不快であるため、適度な快適域の風速を得ることがポイントとなる。また、風には、新鮮な空気を入れて古い空気を入れ替える効果もあり、CO_2濃度や湿気などの制御には欠かせない。

風は、非常に素直に流れるため、流れていく上で抵抗の少ない方に流れていく。風圧の高いところから低いところに流れるという特徴をつかめば、空気の流れを制御することも可能である。たとえば、ウィンドキャッチャーのようなもので取り込むこともできるし、風圧差を用いて、流れをつくることも可能である。流体を取り込むディテールは、建築の中でも形になって現れやすい。空間を流れる流体をうまくデザインすることが、建築環境デザインには重要になる。

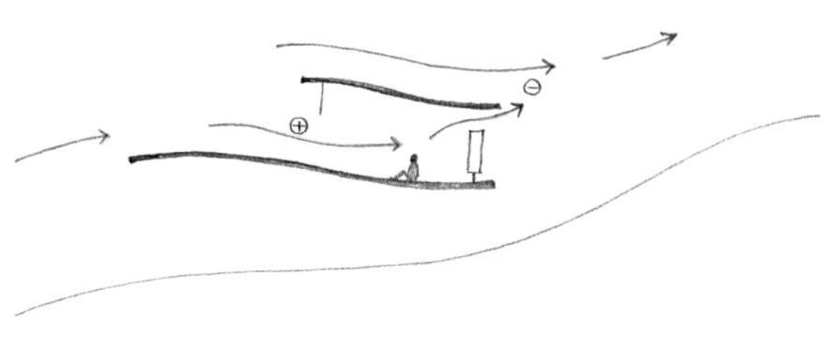

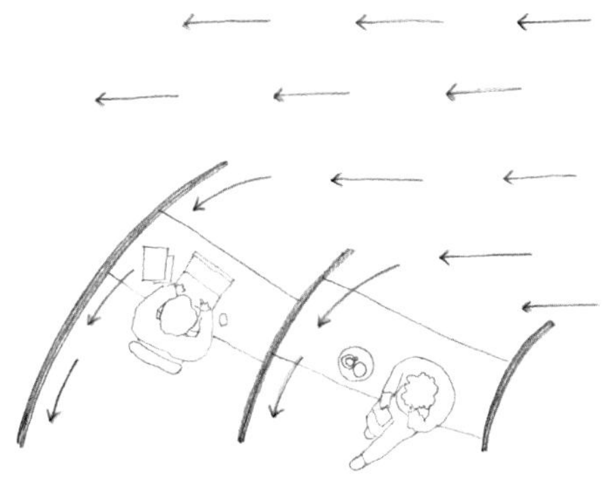

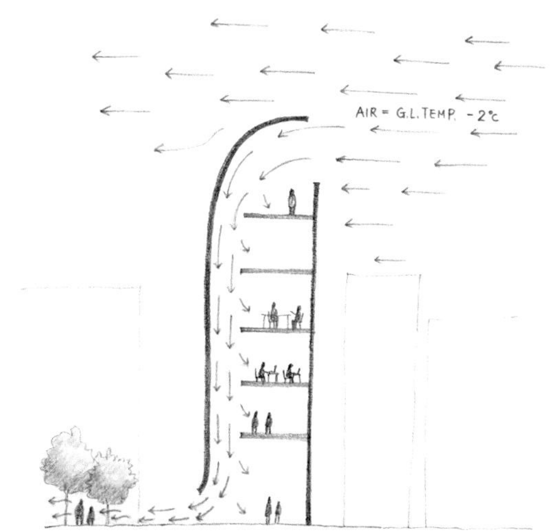

04 風を受け入れる①

風光舎 Fu Ko Sha

東京都江東区／2017年2月竣工

風と光の条件を最適化する

駅からほど近い運河に面した敷地で、エネルギーに配慮された環境共生型の集合住宅が求められた。敷地は幹線道路に近いため、近年、周辺建物の高層化が進み、日照環境が悪くなってきている。この建物では、敷地形状と前面道路、隣接建物、経済性などの関係から、早い段階で東西方向に開口を持つ4層のボリュームが導かれ、各階は中廊下を挟んでワンルームが2部屋ずつ配置されることになり、これを敷地環境に合わせて変形させた。

これらの条件の中で、冬の日射を最大化しながら、夏の日射を最小にするような形状を検討した。特に、冬季には、東側正面の住戸に午前中の1時間しか太陽が当たらないという悪条件に対して、窓の平面角度、部屋割り、窓の出寸法をパラメーターにして最適な形状を考えた。また、夏は海からの南風を最大限取り入れ、冬は北風から防御することを同時に考え、CFD（Computational Fluid Dynamics＝数値流体力学）による解析のもと、ウィンドキャッチャーとなる開口形状と風の通り道をつくり、風速の快適域が最大化するような平面としている。

これら「光」と「風」の2つのパラメーターを最適化するよう、アルゴリズムを組んで検討し、自動生成された2916ものパターンの中から最終形状を導き出した。結果、高層ビルの間から現れるわずかな太陽と南からの風を求めて、その方向に複数の開口が向き、建物の立面がねじれるような群造形を得た。

太陽の方に向かった建物の開口部に、ベンチやデスク等の家具が一体化することで、暖かいエネルギーがつくり出す陽だまりの中で、読書したり、くつろいだりするような住まい手のアクティビティが一体となる風景を獲得している。

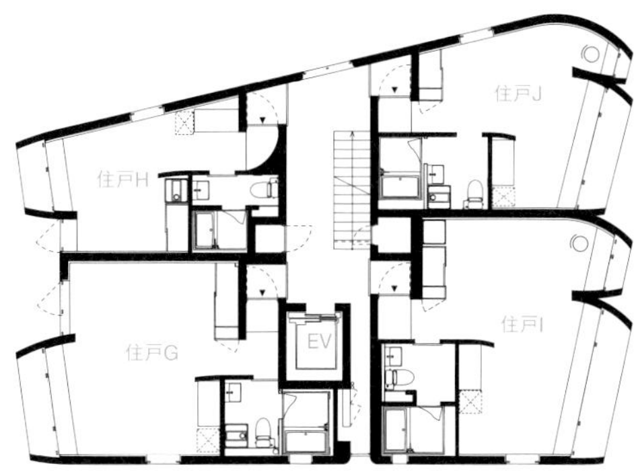

▲３階平面図

▲４階平面図

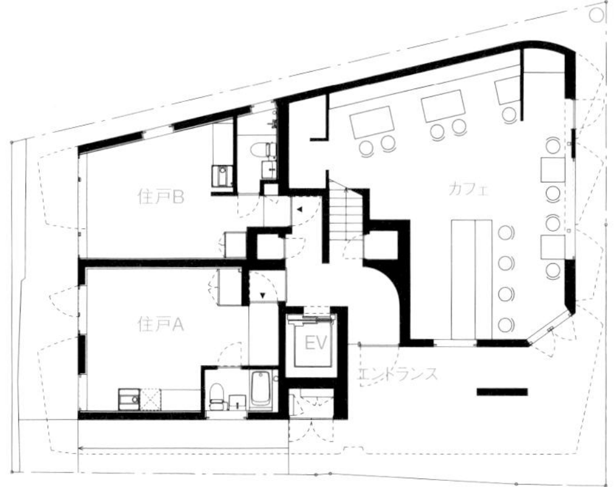

▲１階平面図

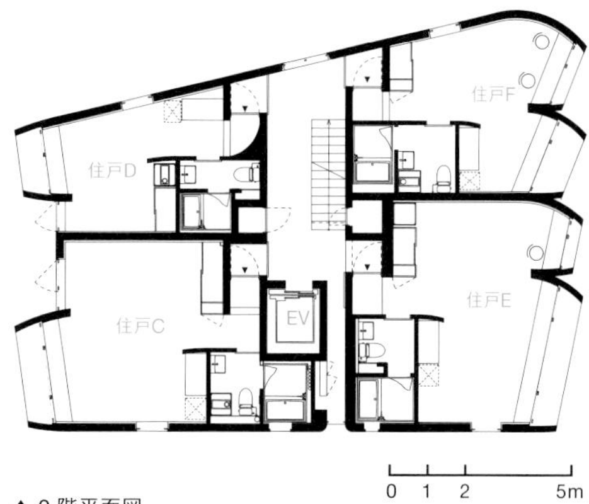

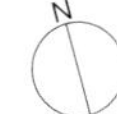

▲２階平面図

▲広域アクソメダイアグラム
南側の幹線道路沿いに建つ背の高いビルの影響で、日陰ができ、冬至には建物正面側に１日で45分しか日が当たらない。

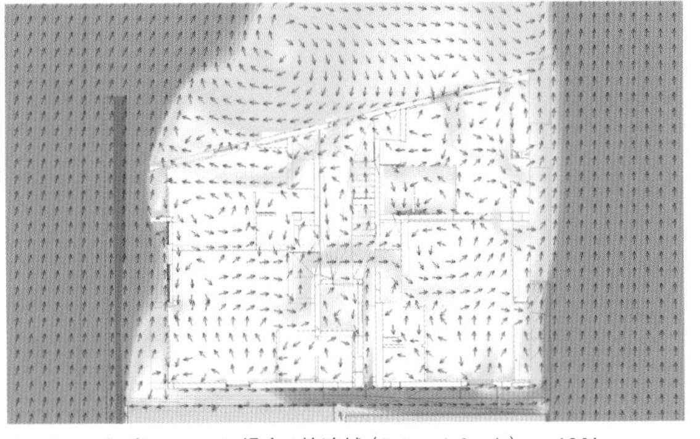
▲フラットなバルコニーの場合：快適域（0.4～1.0m/s）＝19%

68.4%UP

POINT 1

風の通り道をデザインする

通常の集合住宅における風環境は、窓が片側にしかないため、シングルベンチレーションとなりがちで、クロスベンチレーションのような通風の確保が難しい。特に、中廊下型の集合住宅では、中廊下部の通風が確保しにくい傾向にあるため、風の通り道をデザインすることがポイントとなる。この集合住宅では、まず地域の卓越風を調査した。東京東部では低地のため、卓越風の向きがはっきりしており、夏には南風、冬には北風が吹いている。そこで、前面道路に面する開口部を南東方向に向けることで、ウィンドキャッチャーとして機能させ、南風を取り込む。また中廊下空間に面した玄関にポーチと鍵付きの格子戸（網戸）を設け、住戸の鋼製扉を開けて、格子戸を締めることで、室内におけるクロスベンチレーションを実現している。中廊下部にもジャロジー窓によって風の通り道を確保することで、建物全体での風通しを実現し、各階において夏の風の快適域が60%以上改善している。一方、冬には、北風から防御する形の開口部となっており、中廊下部もジャロジー窓を閉じて室内化することで、玄関部からの冷気の貫入を防止している。

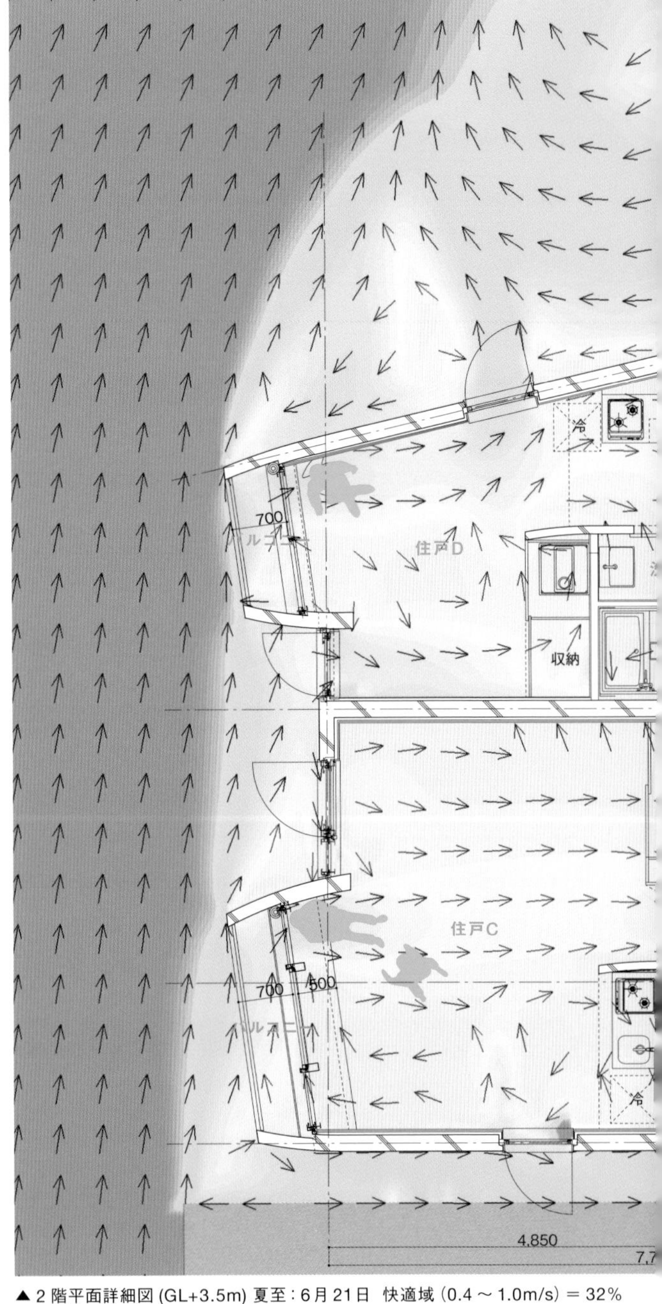

▲2階平面詳細図（GL+3.5m）夏至：6月21日 快適域（0.4～1.0m/s）＝32%

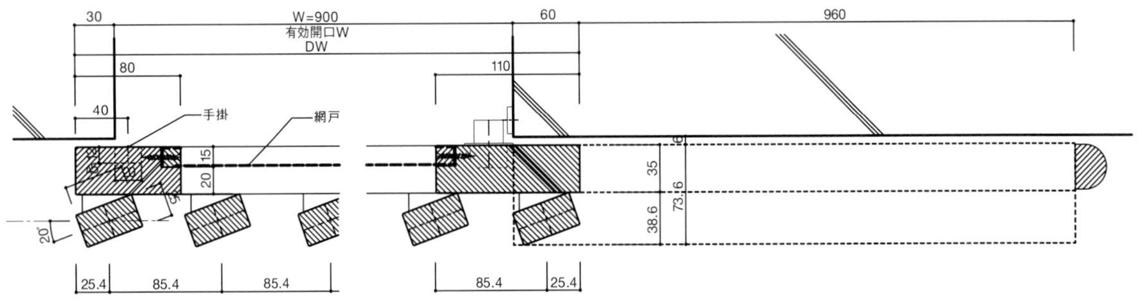

▲格子網戸詳細図

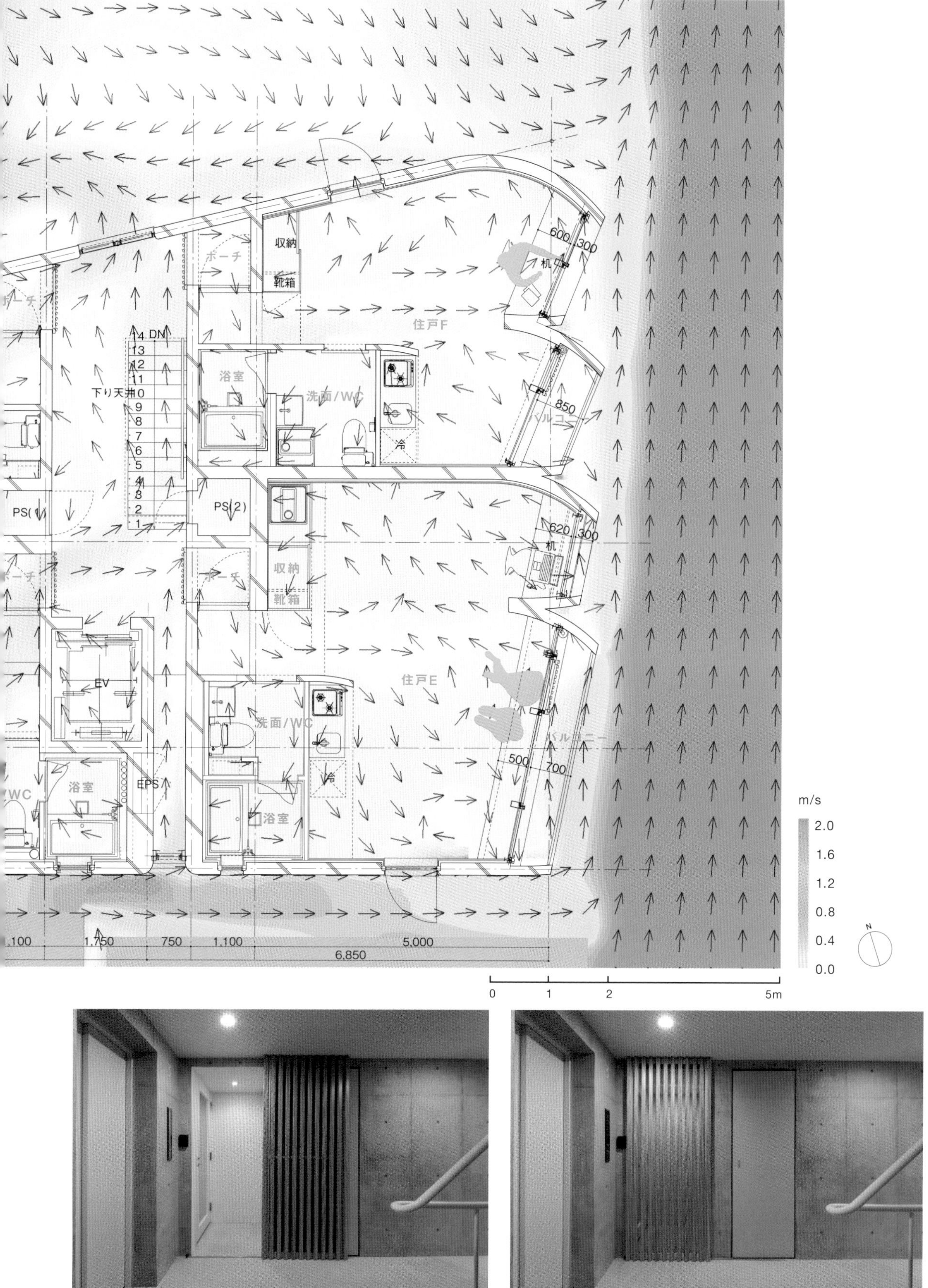
収納
靴箱
ポーチ
机
600
300
住戸F
14 DN
13
12
11
10
9
8
7
6
5
4
3
2
1
下り天井
浴室
洗面/WC
冷
850
バルコニー
PS(1)
PS(2)
620
300
収納
靴箱
ポーチ
机
EV
住戸E
洗面/WC
冷
バルコニー
500
700
浴室
EPS
WC
浴室
m/s
2.0
1.6
1.2
0.8
0.4
0.0
N
1,100
1,750
750
1,100
5,000
6,850
0
1
2
5m

▲格子網戸開閉時

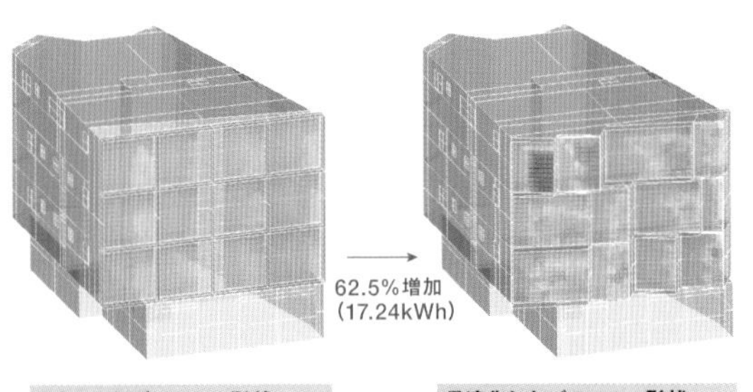

▲日射取得量

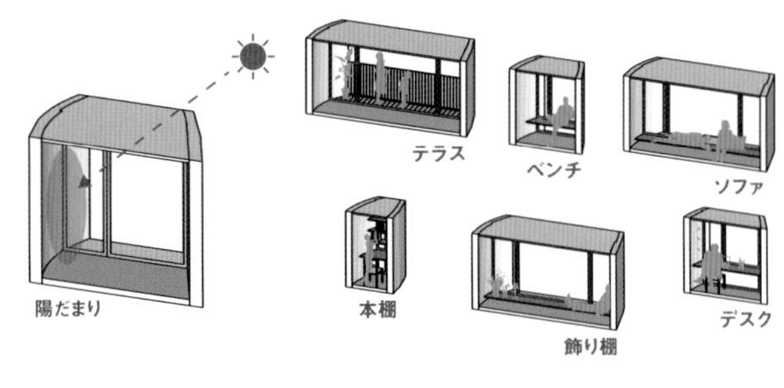

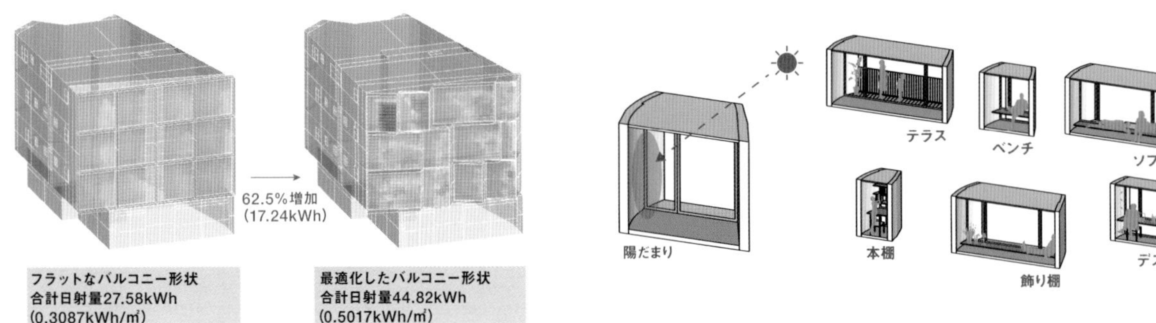

▲バルコニーアクソメ
陽だまりとなる場所に家具を設け、アルコーブ状のスペースとする

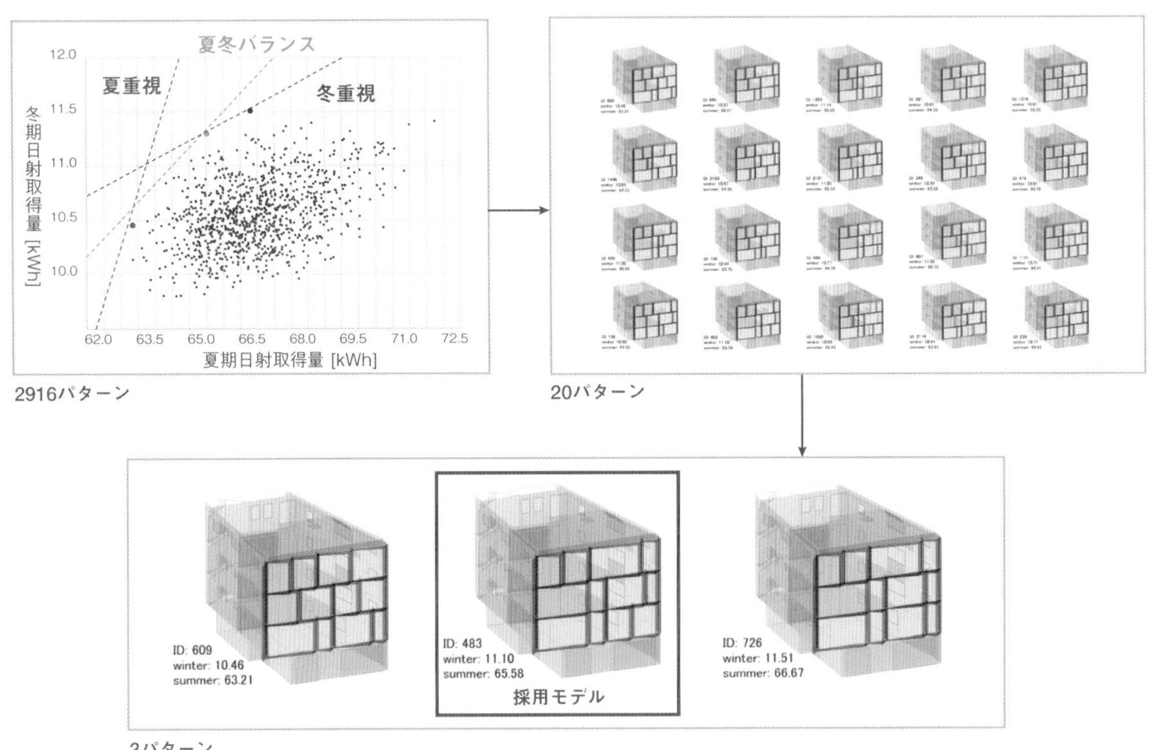

▲開口形状の最適化

POINT 2

日射解析アルゴリズムによるファサードの最適化

アルゴリズムを用いたデザインは、全てをそれで決定するのではなく、大きな傾向を知った上で、他の要素とのバランスの中で形態を決定することが重要となる。この建物では、アルゴリズムを用いて凹凸のあるファサード形状を自動生成するとともに日射解析し、この敷地環境の中での最適化を行った。平面グリッド（部屋割り）、窓の出寸法、および角度のルールを設定し、2916パターンの形状を生成している。冬の日射をより大きく、夏の日射をより小さくすることを目的とし、「夏重視型」「冬重視型」「夏冬バランス型」の3つの評価軸の中で、今回は「夏冬バランス型」を採用し、選定した20程度の優秀モデルの中から、プラン上の使いやすさや構造上の壁の配置などとの相性が良いモデルとして採用モデルを導き出している。結果、フラットなファサードの一般的なモデルに比べて、夏の日射取得量が増えることなく、冬の日射取得量が約52.1%増加するという形状を獲得している。

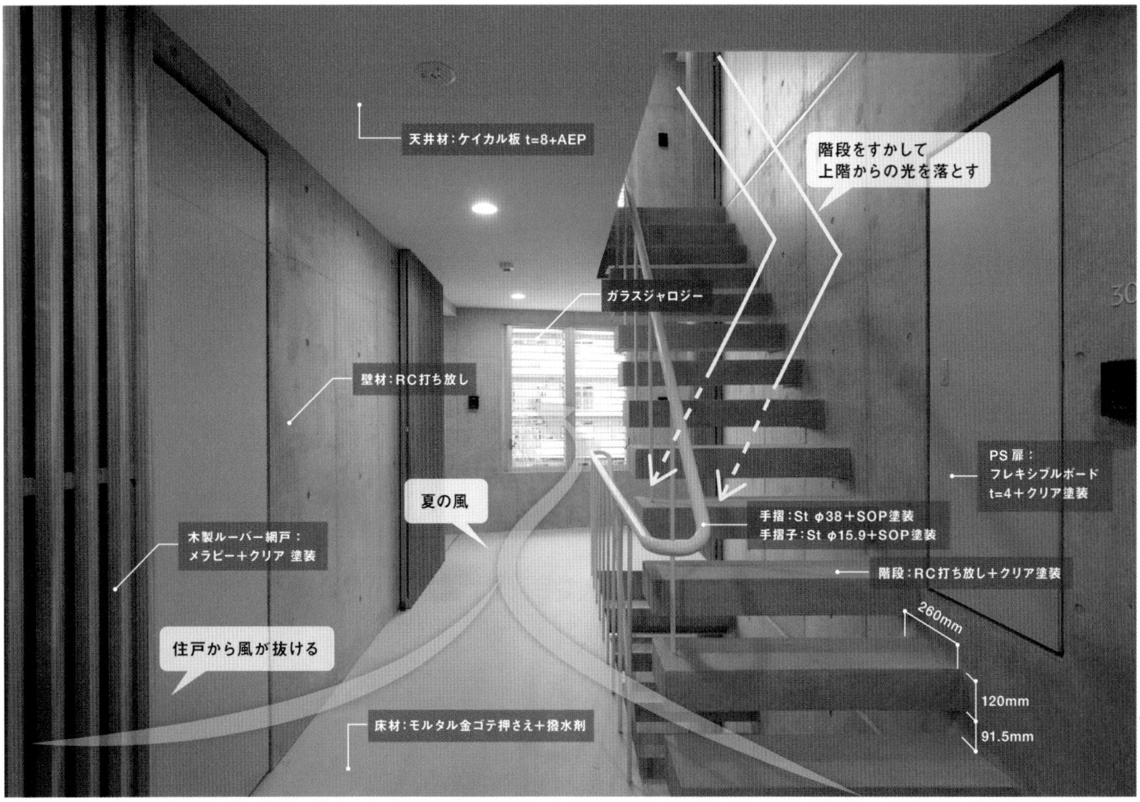

▲共用廊下南側から北側を見る

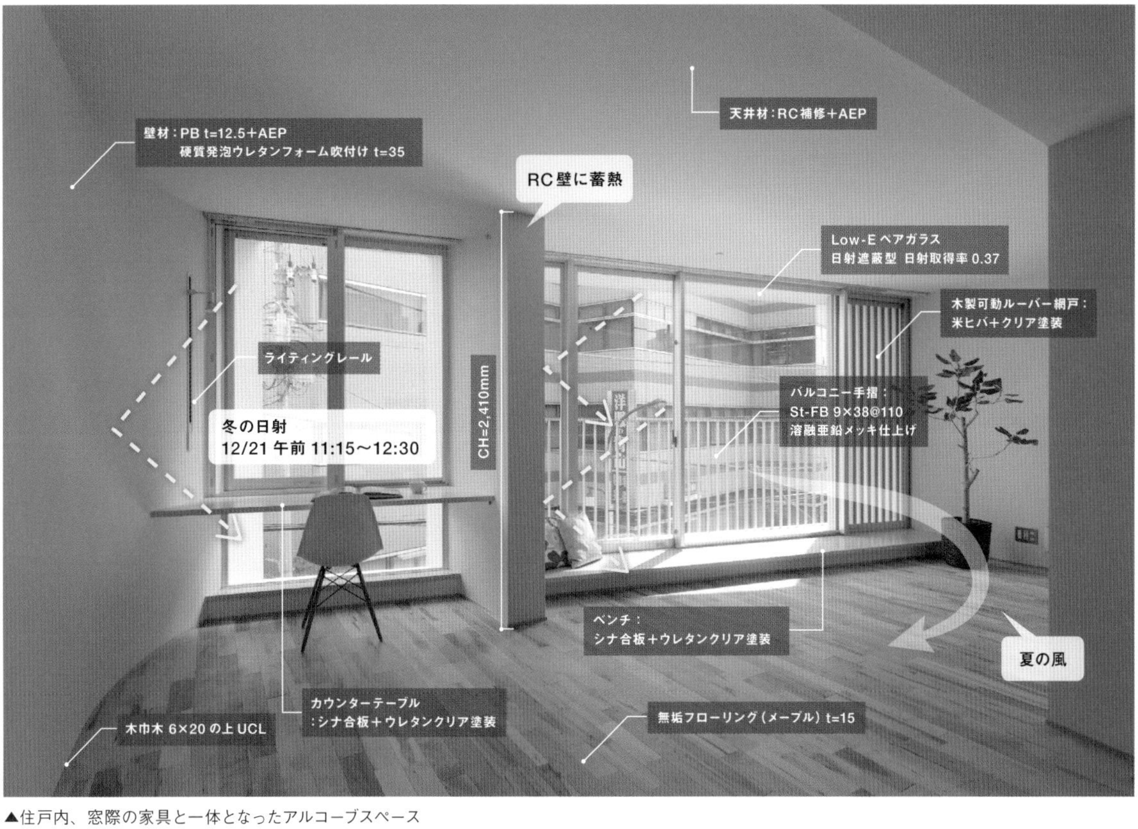

▲住戸内、窓際の家具と一体となったアルコーブスペース

04 風を受け入れる②

松山の住宅 House in Matsuyama

愛媛県松山市／2005年2月竣工

風の流れを生み出す屋根と床

瀬戸内の穏やかな気候と豊かな自然がつくり出す大らかな環境の中で、若い夫婦と3人の幼い子どもの家族5人の生活の場として、大きな1枚のPLATEを用意した。PLATEは、駐車場の屋根機能、隣家からの視線の制御、空への開放感、通風などを考えることで緩やかな曲面となっており、背に山を抱く斜面の風景の中にヒラヒラと浮かびながら、家族を包み込むような柔らかな生活の場をつくっている。そのPLATEには、大きさや機能の異なるさまざまな窪みがあり、家族が集まる場として、PLATEの上でのさまざまなアクティビティや生活のシーンを生み出している。

曲面となっている屋根と床は、風の流れを考えてデザインされており、簡易な風洞実験を行い、開口部の位置、風の通り道、屋根と床の曲率を検討している。実験結果を考慮し、建物南側に風の入口となる窓を追加し、風の道を考え、出口となる北側の高窓状の開口部を設けた。開口部の位置を決める際には、室内で空気が滞留しないように配慮している。曲面屋根の形状は、風の出口付近で負圧をつくって室内の空気を引っ張るように意識して決定された。

▲客間から北方向を見る。空気の流れに沿って天井が曲面になっている

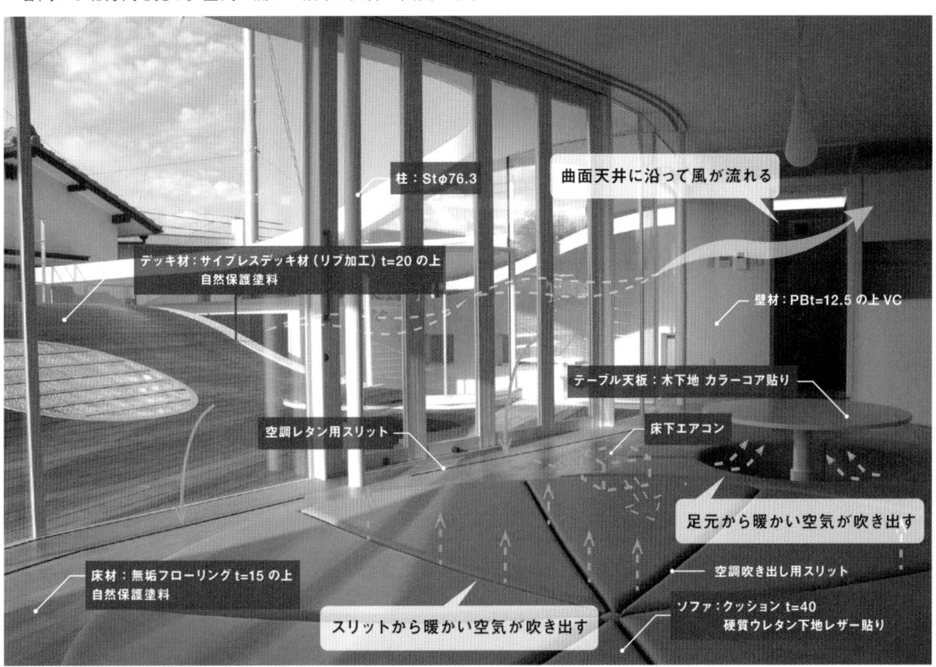

▲リビングから南方向を見る

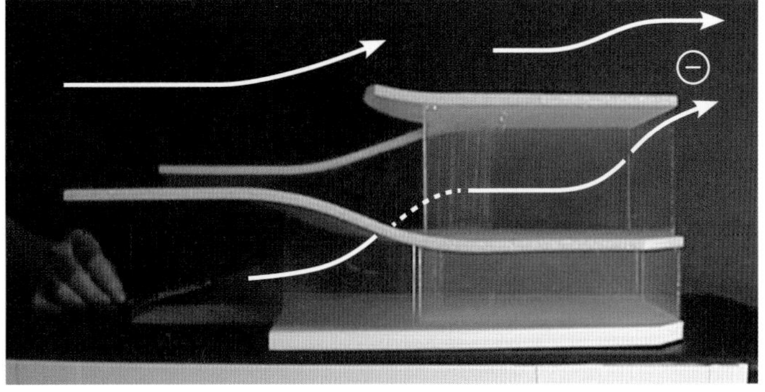
◀簡易風洞実験による検討
曲面屋根によって南からの風が上昇気流となり、北側上部で負圧をつくる。それに導かれるように室内の気流が流れることがわかる。

04 風を受け入れる／先進事例紹介

CapitaGreen

――上空の風を引き込み呼吸する高層建築

▲各フロアに緑化スペースを設け建物の55% が植物で包まれている

▲卓越風を受ける大きなウィンドキャッチャー「FUNNEL（ファンネル）」

▲高層ビルが建ち並ぶ中、地上 242m から冷涼で清潔な空気を取り入れる

設計者：伊東豊雄建築設計事務所、竹中工務店、RSP Architects Planners & Engineers　所在地：138 Market Street, Singapore
竣工年月：2014年12月　構造：RC造 一部SRC造 地上梁S造　規模：地下3階 地上40階 塔屋1階
敷地面積：5,478.5 m^2　延床面積：82,003.07 m^2（駐車場を除く）

風のような流体は、形が見えないため、それを建築のデザインの中に取り込むのは簡単ではない。CapitaGreenは、高層のオフィスビルにおいてそれを実現した先進事例である。シンガポールのような島国において、高密な足元空間とは対照的に、上空の風が強く、空気が清涼であることに着目し、屋上に設けられた特徴的なウィンドキャッチャーによって、風を建物内部に取り込んでいる。ダブルスキンと半屋外のテラスに多くの緑を纏って環境調整する佇まいは、蒸し暑いアジアの気候の中に立ち上がった呼吸する大樹のような建築である。

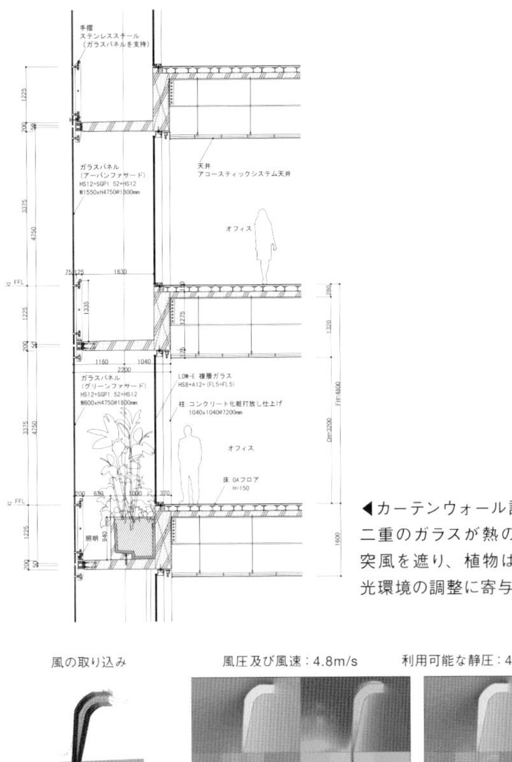

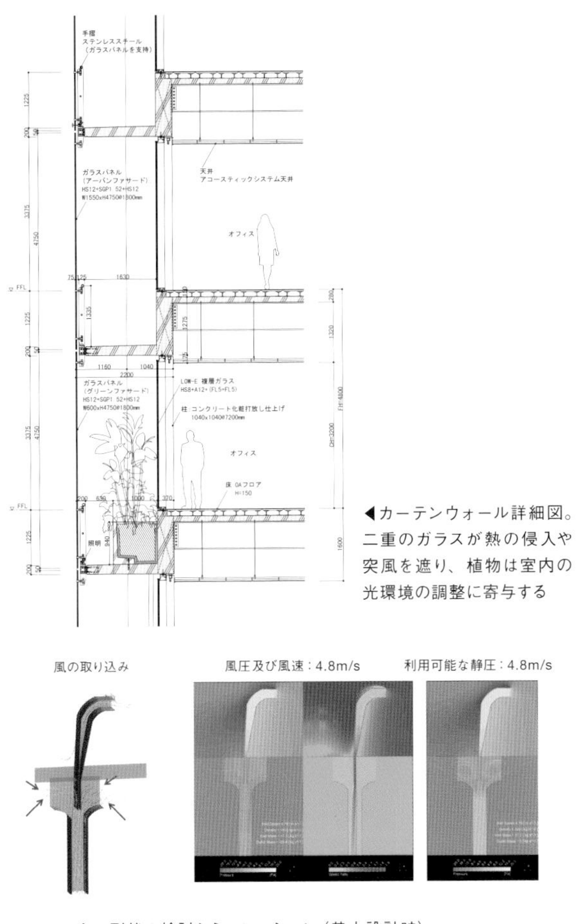

◀カーテンウォール詳細図。二重のガラスが熱の侵入や突風を遮り、植物は室内の光環境の調整に寄与する

▲ファンネル形状の検討シミュレーション（基本設計時）。取り込み口を上下２段に分け、背の高いファンネルから卓越風を取り込むことで生まれる誘引効果を利用し、低いほうからスカイフォレストレベルの新鮮な空気をできるだけ多く取り込む計画

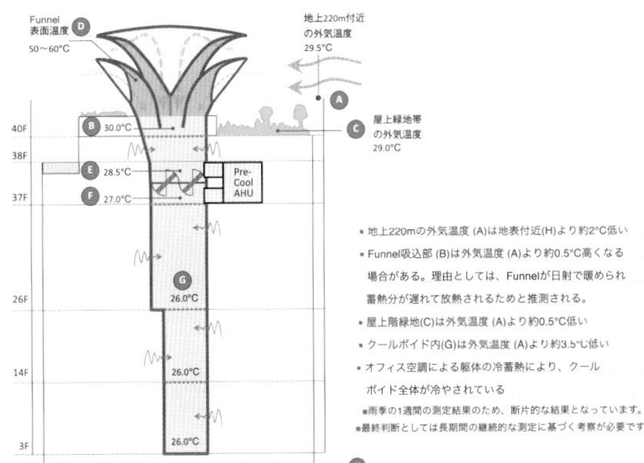

▲ファンネル＋クールボイドの実測結果

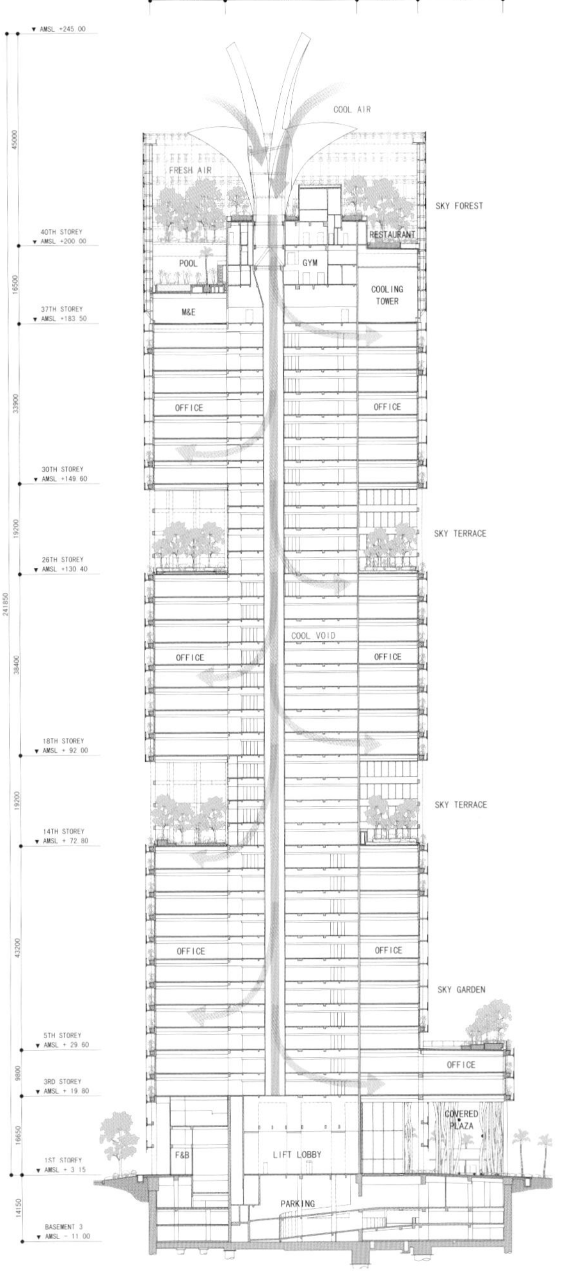

▲断面図。上空から涼しい風を取り入れ、各階に供給する

SIMULATION

風を取り込む ウィンドキャッチャーの形

建物上部からウィンドキャッチャーを通して風を室内に取り込むモデルについて検討する。5m×5m×5mのボックスに対して上面（入口）と1側面（出口）に1m×1mの開口を開け、ウィンドキャッチャーのD（奥行き）、H（高さ）、角度を変化させ比較検討する。分析の結果を見ると、風に対して正対する取り込み口の見付け面積の大きさが、内部の風速に対して最も影響が大きいことが分かる。

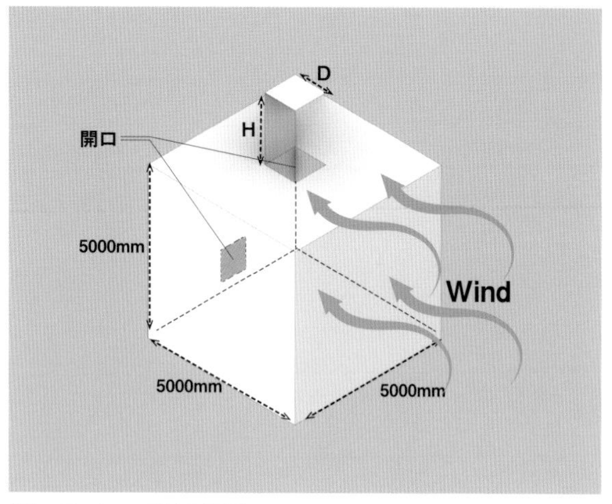

〈FlowDesignerにより検証〉

高さ（H）を変化させる ── 高さ（H）が高くなるにつれて内部風速が増加する。

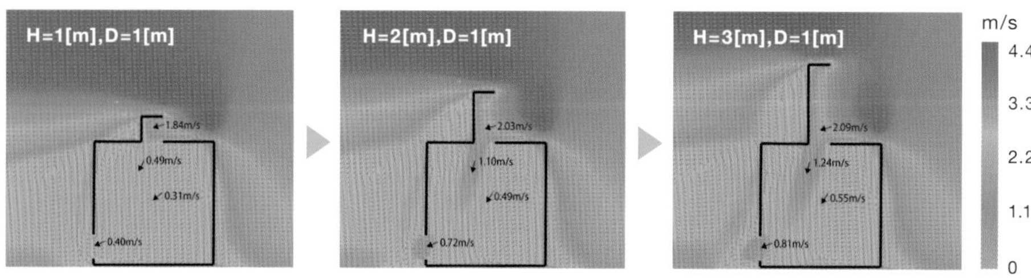

奥行き（D）を変化させる

Dを大きくする ── 高さ（H）が低い場合、奥行き（D）を大きくすると内部風速は減少

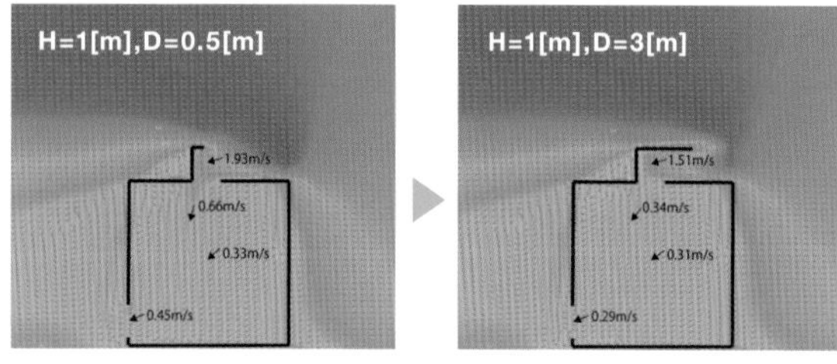

Hを変化させて比べる ── 高さ（H）が2m以上のとき、奥行き（D）に関わらず風速はほぼ一定

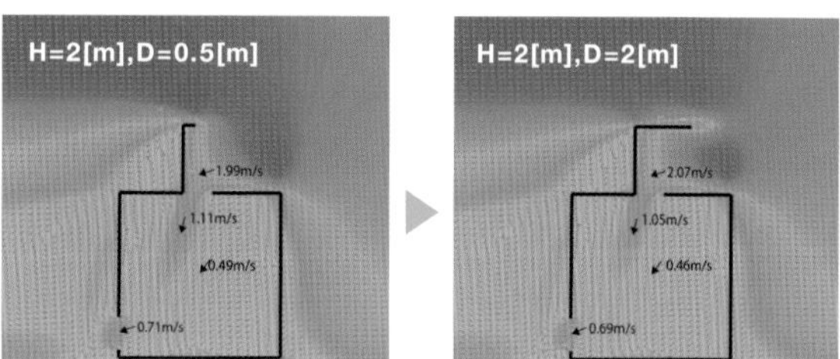

角度を変化させる ── 傾ける角度が大きくなると、内部風速が減少

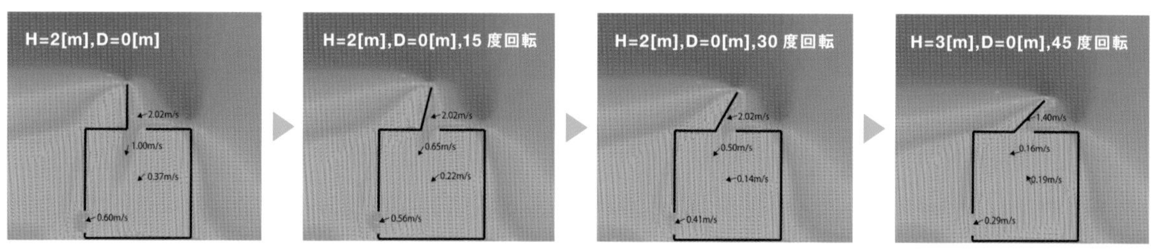

05

自然光を取り込む

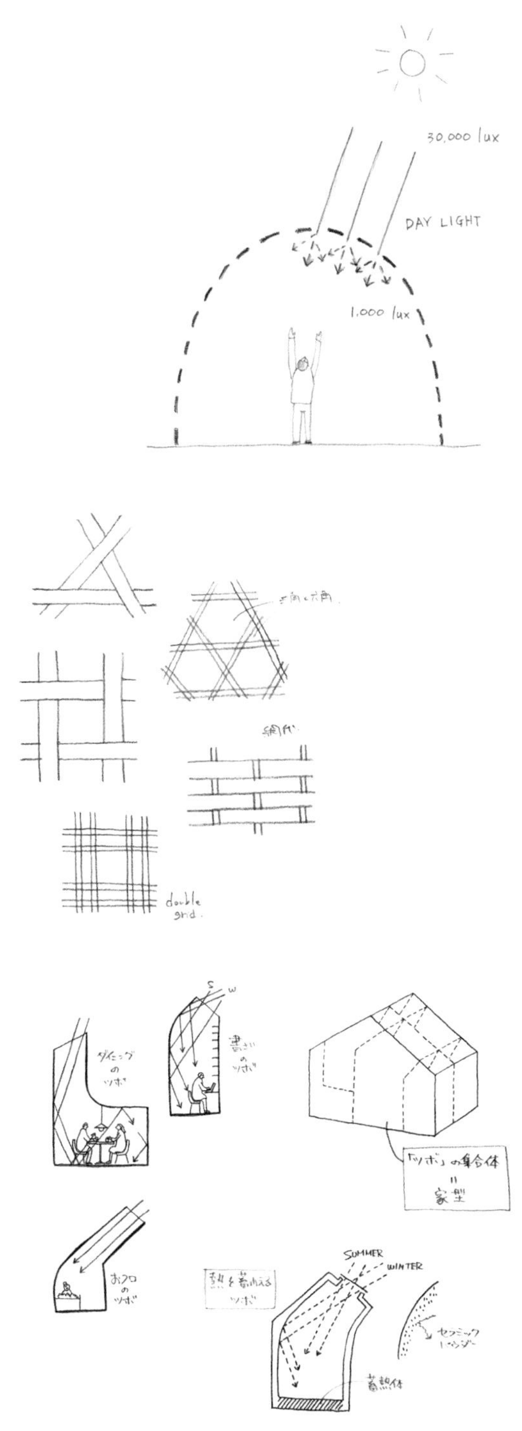

光の取り入れ方は、古くから建築空間の大きなテーマであった。時にそれはドラマチックな空間演出にもなり、時にそれは静寂さをもたらす。私たちの生活を形づくる建築は、太陽の動きと密接に関係してきたといえる。

太陽光線は、熱と光のエネルギーを内包している。建物に取り込まれたエネルギーは物体に当たって熱と光に変換されるが、たとえば、晴天時の全天空照度30000 luxに対して、室内に必要な照度は500 lux程度とわずかなものなので、その残りとなる熱エネルギーをどうコントロールしながら取り込むのかがポイントになる。光をうまく取り入れても、熱が入りすぎるとオーバーヒートし、空調にエネルギーが必要となるからである。

また、光を取り込むときに、部屋を均質に照らすことは難しい。光の粒を砕きながら、直接光だけでなく間接光も含めて、柔らかく部屋全体に拡散することが重要となる。自然光の強さは一定ではなく、時間や季節によって移り変わる。人工的な環境では光環境が均質すぎて、自然のリズムを感じることができない。自然光はムラがあるが、自然の一部としてのムラをうまく制御しながら取り入れることで、より快適な室内環境をつくることができる。

05 自然光を取り込む①

木籠のオフィス Office of Wickerworks

福岡県八女市／2013年4月竣工

自然光に包まれたオフィス空間

リサイクル業を営む会社の新しいオフィス。会社のイメージを拡張する、自然エネルギーとリサイクル素材を利用したオフィス空間を要望され、木の籠に包まれた隙間から柔らかい自然光が差し込む空間の提案をした。

このオフィスでは、建物の屋根と外壁に透光性素材を用いて採光し、それを網代状の籠で拡散させている。吹抜けの執務空間は、日中、人工照明に頼らず、柔らかい自然光のみで照度を保つことができる。外壁には空気層を持った断熱性能のあるポリカーボネートの中空材を、屋根には透明折板に透光性の断熱材を使うことで、採光しながら、建物内部への熱的な負荷を低減している。網代編みは地元の伝統工芸である竹細工をモチーフとし、素材は、工場で眠っていた地場産の杉の古材をリサイクルしたもので、薄くスライスして板状にし、それを職人さんが網代状に編み込むことによって籠状の空間をつくっている。

工場が立ち並ぶ風景の中で、外観はスケール感や素材感を合わせながらシンプルにつくり、中に入ると快適な木籠の空間が広がっているという関係としている。半透明の外壁材を使うことで、夜になると中の籠が浮かび上がり、行灯のように美しい風景をつくり出す。この地域には電照菊のビニールハウスが点在しており、それらと呼応するような美しい夜景となっている。

POINT 1

人工照明に頼らない光環境

一般にオフィスでは照度の均斉度が求められるため人工照明に頼りがちになり、消費エネルギーの約40％が照明エネルギーになる。一方この建物では、屋根と壁の全面を透光性素材と木箱で構成することで、時間や天気や季節によって変化する自然光を、執務空間に最適な拡散光に変換して取り入れ、夏至の晴天時で床面500～700lux、曇天時でも300～500luxを確保し、自然光だけで過ごせる執務空間を実現している。

網代越しの自然光は刻一刻と色や明るさが微妙に変化し、太陽が雲にかかると少しその影響を受け、また雲を抜けると再び明るさが増すなど、均質で自然から隔離されがちなオフィスに、屋外の天候と呼応しながら緩やかに変化する独特の光環境が生まれている。

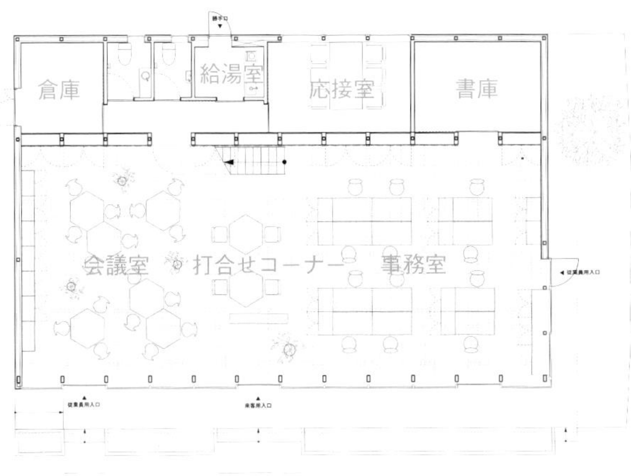

▲1階平面図

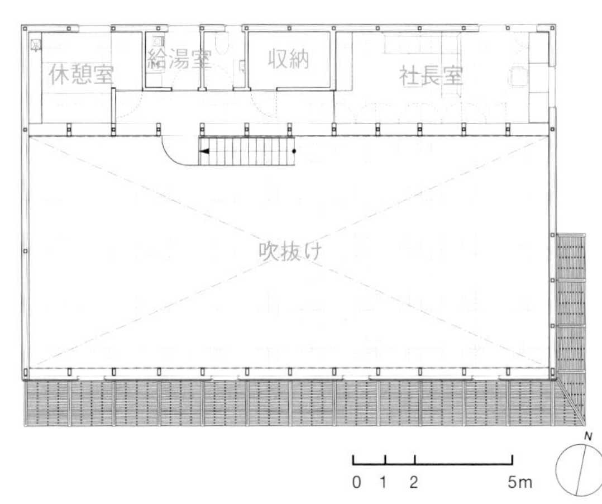

▲2階平面図

▲広域の日射環境解析。周辺に建物があまりなく、日照時間も長いため、日照条件に恵まれている

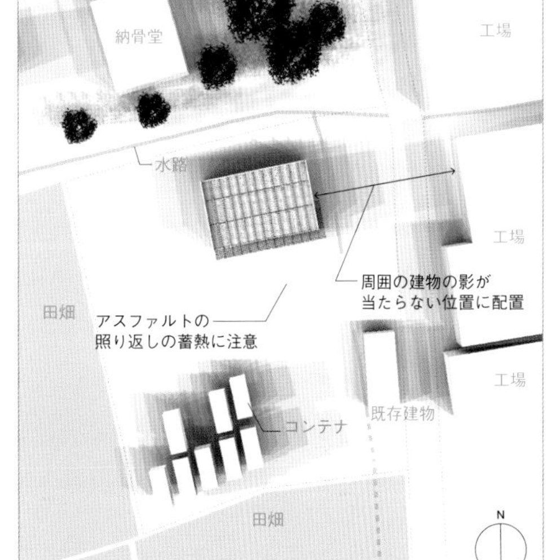

▲日影のシミュレーション。建物に周辺の影が落ちないことを確認する

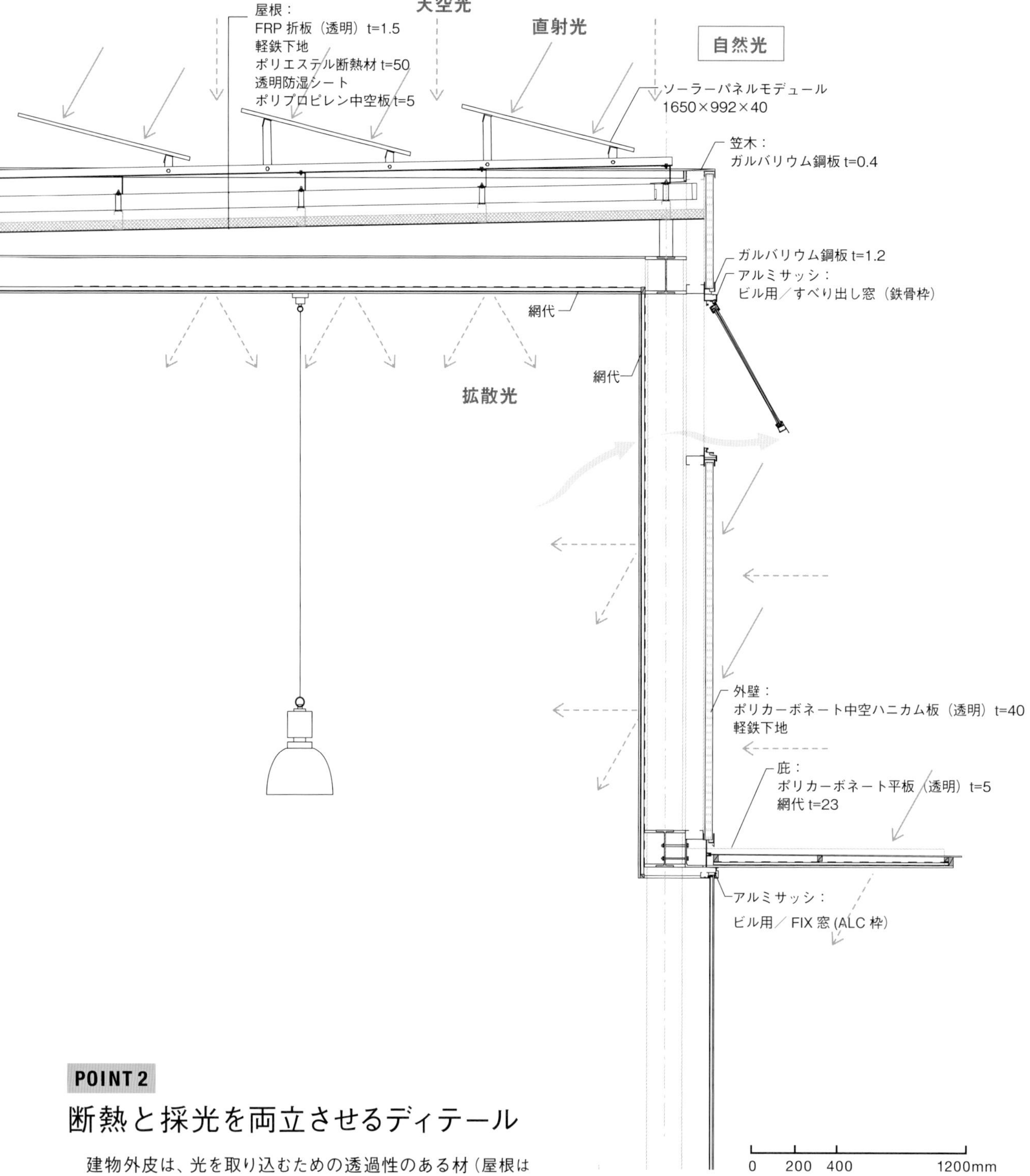

▲断面詳細図

POINT 2

断熱と採光を両立させるディテール

建物外皮は、光を取り込むための透過性のある材（屋根は透明のポリカーボネート折板、南側外壁は3層中空のポリカーボネート）で仕上げている。一方で、太陽から建物に降り注ぐエネルギーのうち、室内照度で必要とするものは1割にも満たないため、それ以外のエネルギーが熱となって室内に入らないよう、透光性のあるポリエステル断熱材で断熱している。また、屋根の構造体や下地などによりできる不均質な影を落とさないように、網代状の籠で光を拡散している。

▲網代施工のようす

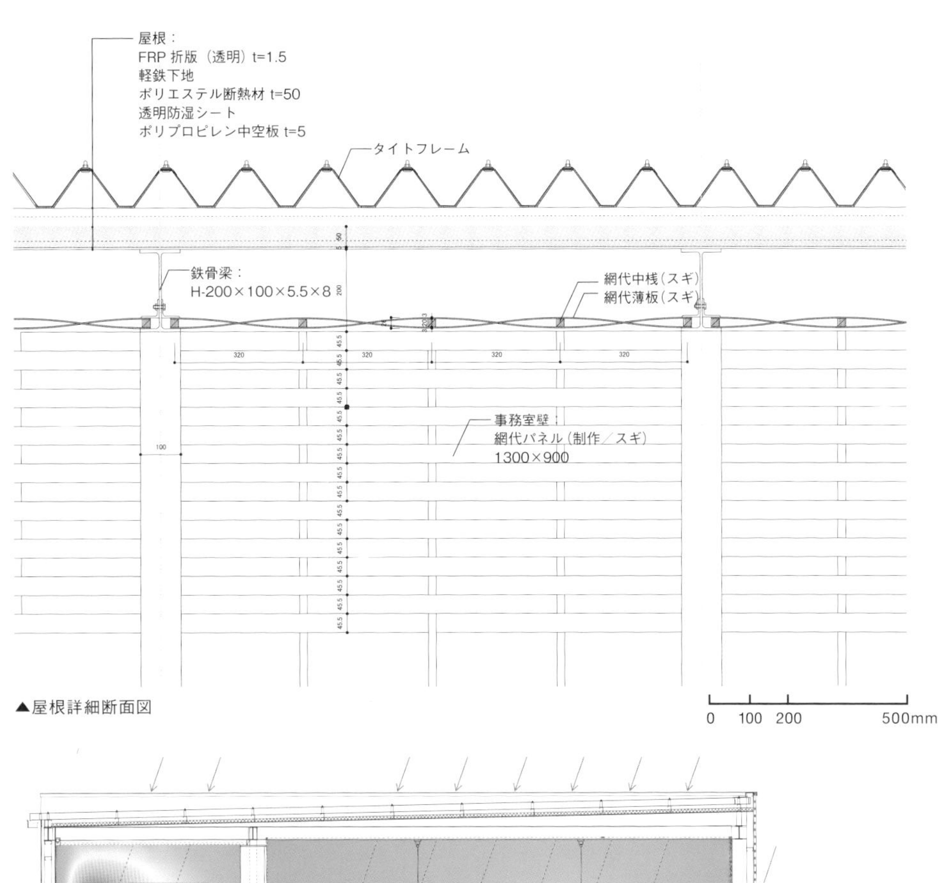

▲屋根詳細断面図

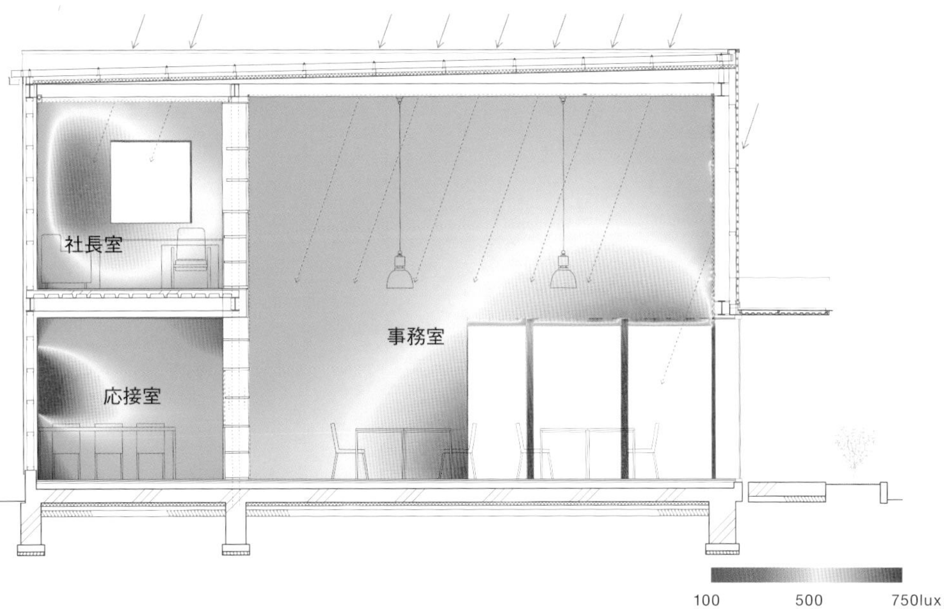

▶断面図＋照度解析。断面の照度分布を見ると、開口部以外の場所でも全体的に照度の高いゾーンが分布している（夏至〈6月21日〉12:00の照度分布）

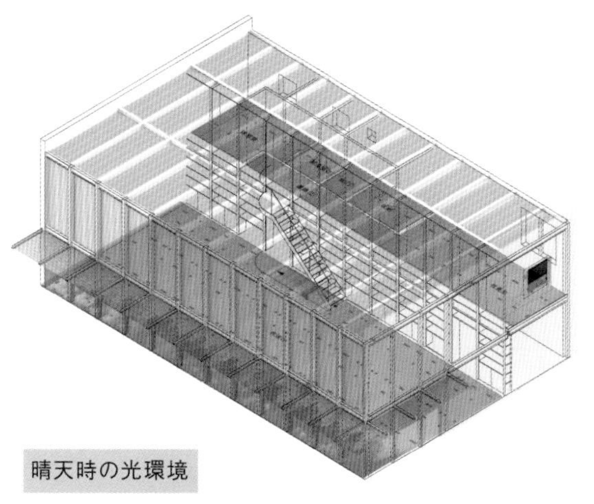

晴天時の光環境

750〜1000luxの均質な光環境になる。
自然光のみで過ごせる。

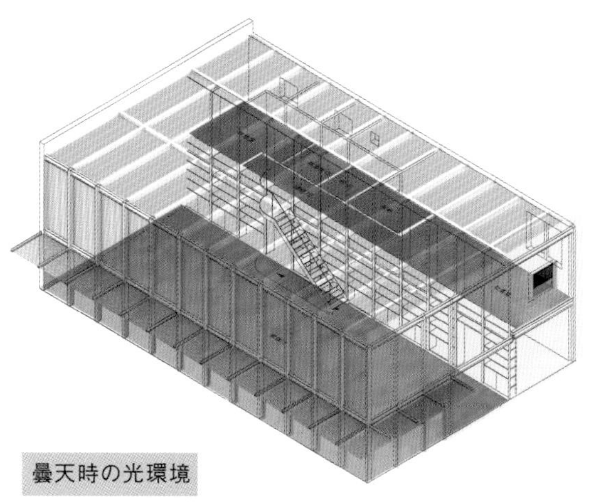

曇天時の光環境

250〜500luxの均質な光環境になる。
タスクライトなどの補助照明程度で十分過ごせる。

▲光環境（6/21 12:00における照度分布）

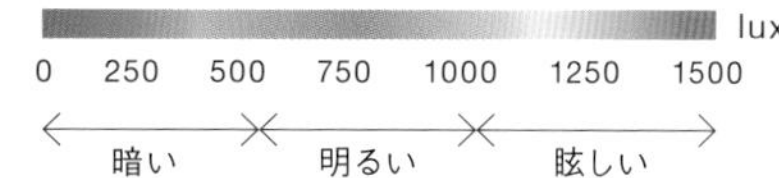

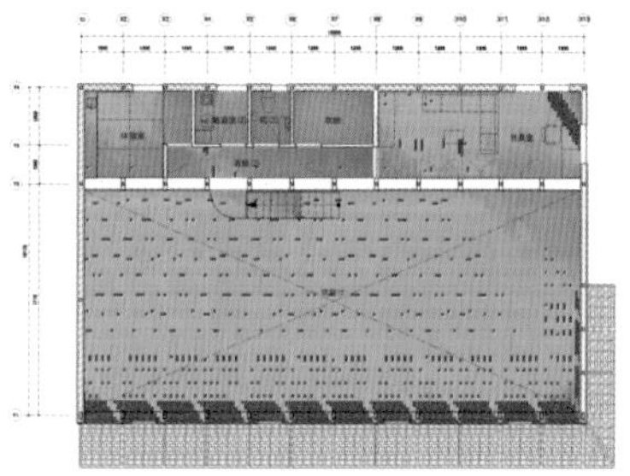

冬至10:00

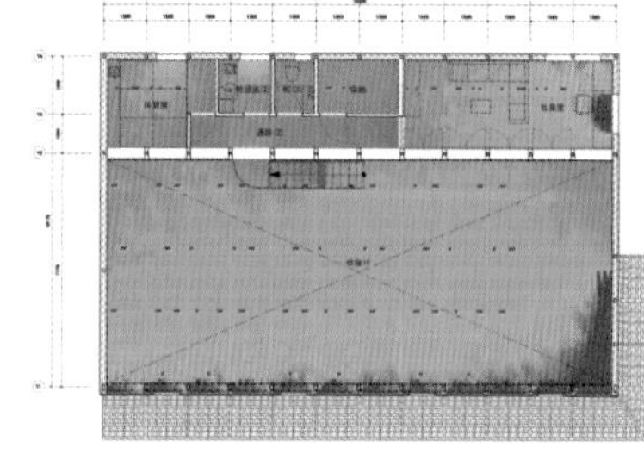

夏至10:00

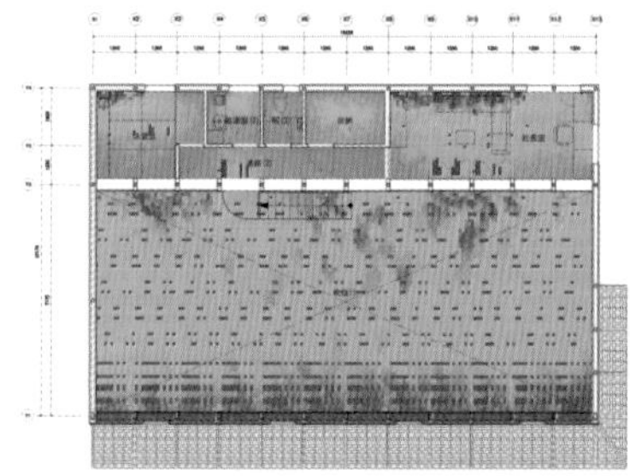

冬至12:00

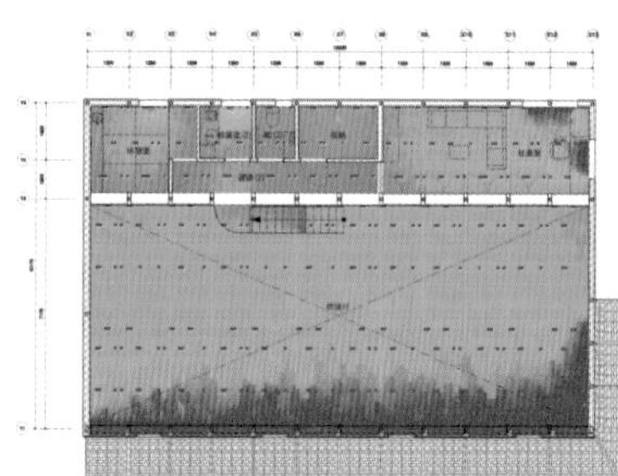

夏至12:00

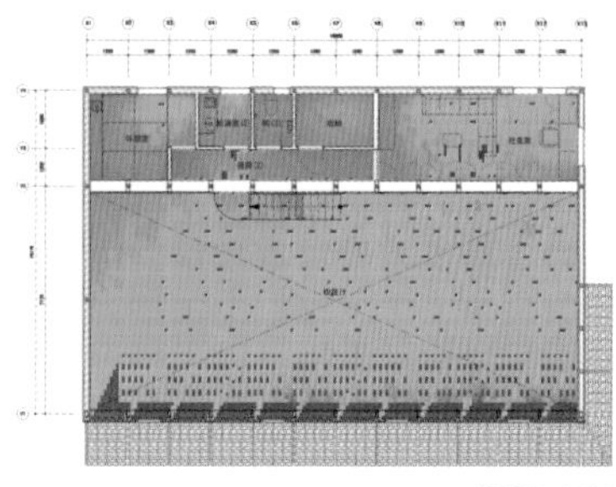

冬至14:00

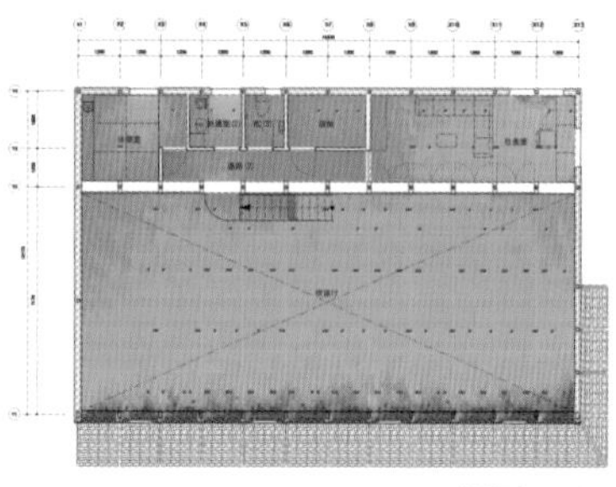

夏至14:00

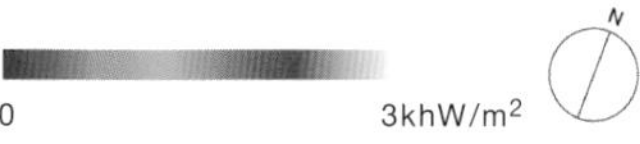

POINT3

照度シミュレーションにより年間の光の入り方を確認する

設計時に確認した照度シミュレーションでは、晴天時はもちろん、曇天時でも照度が300〜500lux取れるように配慮しながら、編み込みの密度や透光性断熱材の厚みを決定している。また、光環境は時間や季節に応じて変化するため、それがどのように推移するのか、確認を行っている（左図）。網代部の安定した光の入り方に対して、南側のガラス開口部からの光が時間によってはかなり入ってくることがわかり、ブラインドを設けて制御している。

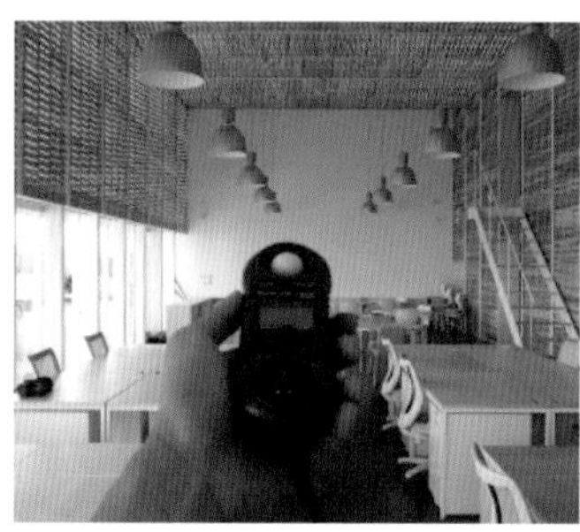

▲実測時のようす

排熱
笠木：ガルバリウム鋼板 t=0.4 曲げ加工
高所用換気窓
3層中空ポリカーボネート板 t=40
(ルメウォール／タキロン)
LGS下地
庇：ポリカーボネート平板（透明）t=5
網代パネル（製作／杉）1300×900
柱：St □ 200×100 SOP
St PL t=9 SOP 仕上げ
アルミサッシ：FL8+A6+FL8

▲南側外観

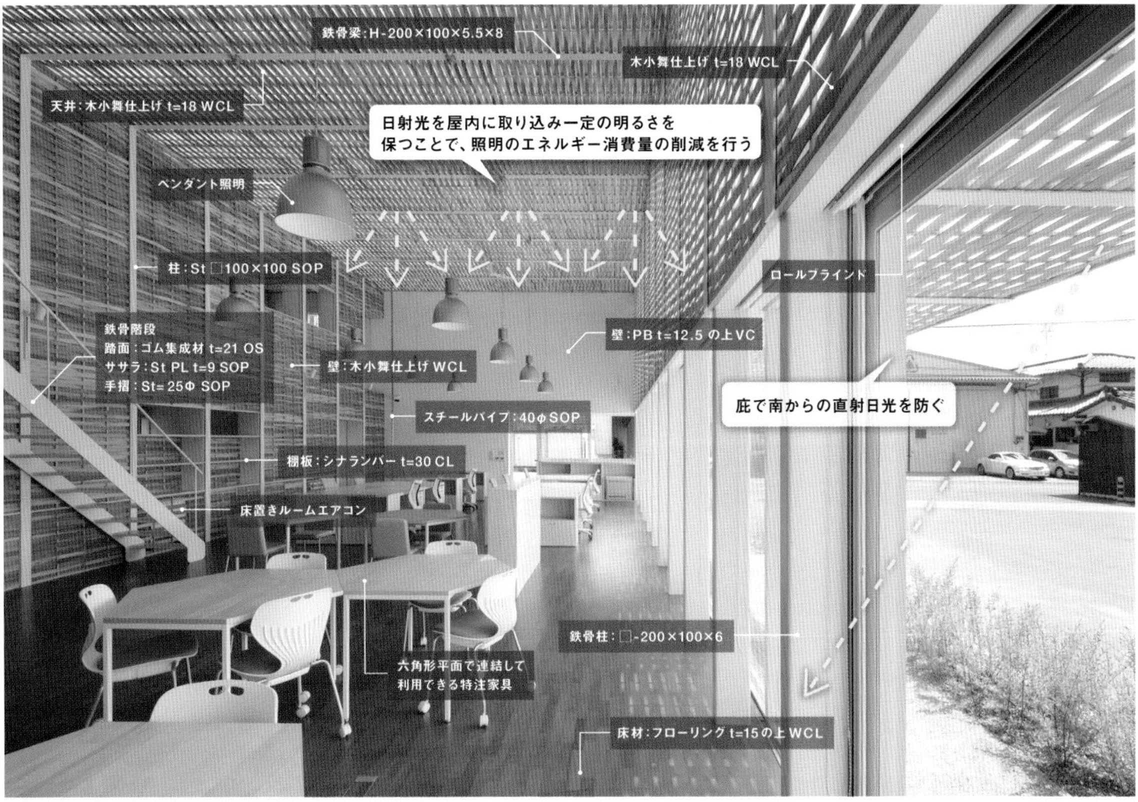

鉄骨梁：H-200×100×5.5×8
木小舞仕上げ t=18 WCL
天井：木小舞仕上げ t=18 WCL
日射光を屋内に取り込み一定の明るさを
保つことで、照明のエネルギー消費量の削減を行う
ペンダント照明
柱：St □100×100 SOP
ロールブラインド
鉄骨階段
踏面：ゴム集成材 t=21 OS
ササラ：St PL t=9 SOP
手摺：St= 25Φ SOP
壁：PB t=12.5 の上VC
壁：木小舞仕上げ WCL
庇で南からの直射日光を防ぐ
スチールパイプ：40φ SOP
棚板：シナランバー t=30 CL
床置きルームエアコン
鉄骨柱：□-200×100×6
六角形平面で連結して
利用できる特注家具
床材：フローリング t=15の上WCL

▲1階執務スペース

05 自然光を取り込む②

光壺の家 Light Well House

東京都世田谷区／2013年12月竣工

太陽の光と熱を取り込む壺状空間

木造密集住宅地の狭小地に建つアートキュレーターのための小さな住宅。アートを楽しみながら、夫婦2人で暮らす家が求められた。周囲が隣家で建て込んでいる立地から、家の開口部を横方向に大きく開くことが難しいため、空に向かって開いた住まいを考えることとなった。

建物外観はシンプルな家型をしながら、内部の複雑な構成を包含している。建物内は、それぞれがトップライトを持つ7つの異なる形の部屋を隣接充填した構成となっており、機能に合わせて上部からさまざまな間接光を取り込んでいる。それらの部屋は、南側に傾斜した吹抜けを持つ壺のような形状をした空間となっており、上部から取り込んだ光は、部屋の大きさや高さなどのプロポーションの違いに応じて、光の反射による表情を変え、時々刻々と変化しながら、家全体を多様な自然光で満たし、白い壁にかけられた絵画などを美しく照らし出す。

また、この壺状の空間は、冬には太陽熱のエネルギーを取り込む環境調整の壺ともなっており、白い壁によって反射した日中の熱を床に蓄熱し、夜間の床の冷え込みを防ぐ役割を持っている。都市部の限られた自然環境をうまく活かすことで、さまざまな光・熱環境を横断しながら楽しんで暮らす家である。

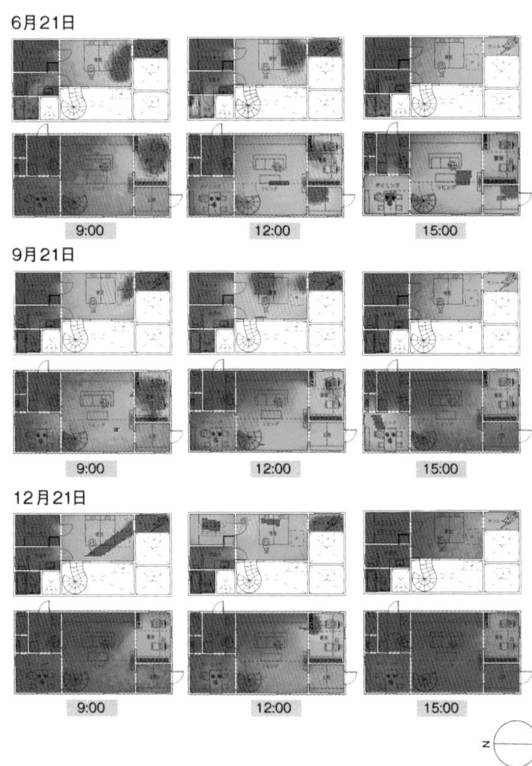

▲平面図（上から2階、1階）＋室内日射シミュレーション
冬は1階の日照量が落ちるため、蓄熱材を用いて日中のエネルギーを夕方以降に移す

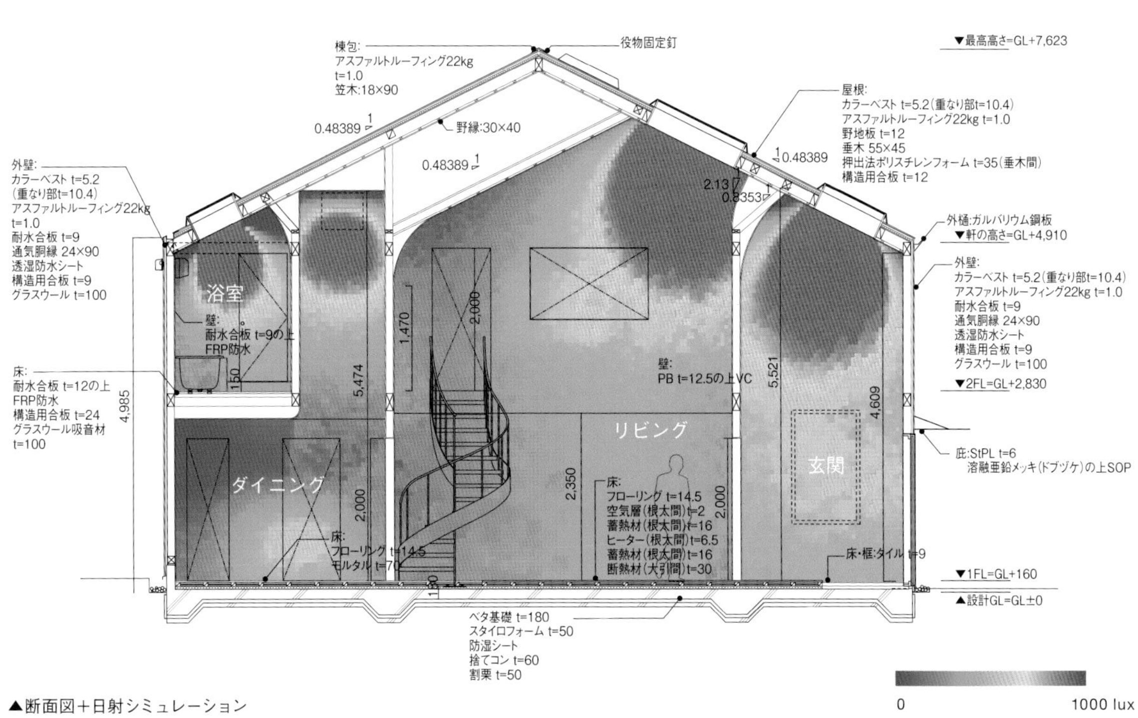

▲断面図＋日射シミュレーション

05 自然光を取り込む／先進事例紹介

ROKI Global Innovation Center
——自然光の下で働く大空間のオフィス環境

▲4階オフィスより屋内南側を見る。自然光に包まれるオフィス空間

▲南側から池越しに研究開発棟を見る

▲南東側から見る夕景外観

設計者：小堀哲夫建築設計事務所　所在地：静岡県浜松市　竣工年：2013年　構造：鉄筋コンクリート造、一部鉄骨鉄筋コンクリート造
敷地面積：67,510.55m²　建築面積：約5,000m²（既設本社棟約1,500m²）延床面積：約9,000m²（既設本社棟約4,500m²）

人工照明の下で働いているのと自然光の下で働くのでは、人体の感じ方が全く変わってくる。人の技術は、いつでもどこでも同じような環境を実現する一方で自然のリズムまでもシャットアウトしてしまう。ここで紹介する研究施設・ROKI Global Innovation Centerでは、自社で生産しているフィルターを自然光のコントロールに使い、大きなガラス屋根からの日射を制御しながら、自然光のオフィス環境を実現している。天気によって少し明るくなったり、雲に入って薄暗くなったりする光のリズムは、人に活き活きとした感覚を呼び戻してくれる。

①庇による日射負荷低減

深い庇により夏の日射を遮り、冬の日射はアルミルーバーすだれによりやわらかい光を取り入れる。

②ルーバーによる日射負荷低減

夏の日射は完全に防ぎ、冬の日射はフィルトレーションされ取込む。

③グラデーションオフィス

好みの場所を選んで働くフリーアドレスオフィスとして、日射・温度・明るさ・風を人が選び許容されることで空調エネルギーが低減される。
半外部/熱的バッファーゾーンとして自然空調を行う。（ＳＥＴ＊による評価により許容温度を広げる）
それにより一部“半外部オフィス空間”がうまれる。

④スキップフロアによる一体空間

階高を2.75mとし階段を多く設置することでＥＶの使用を抑制する。

⑤光のフィルトレーション

LED照明・自然光・熱のフィルトレーションにより多様なオフィス空間をうみだす。

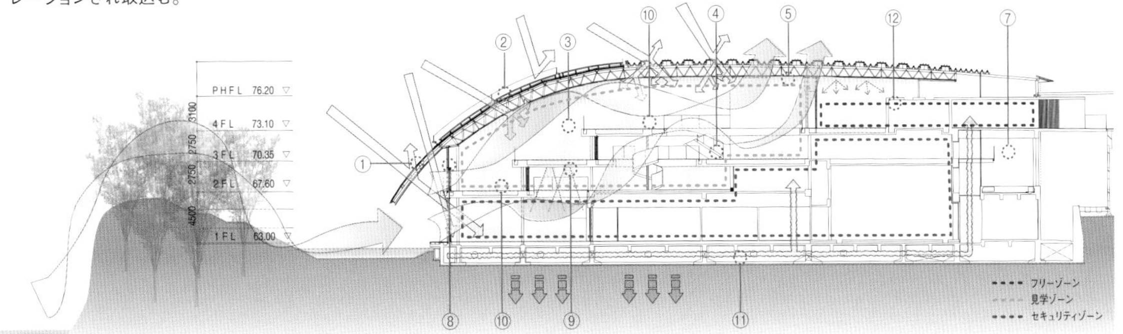

⑥環境測定と配置検討

天竜川、森、池により夏1.5℃冷却された外気を取込む。

⑦高効率空調
モジュールチラー
大温度差送水
変流量制御

年間を通しエネルギー効率を向上させる。

⑧フルオープンサッシとエコモニター

エンジニアの判断で自然換気を行う。エンジニア自身が選択することで省CO_2への参加意識を高める。

⑨LED器具の開発

新たに開発するＬＥＤ照明は次世代の発光効率を見据えたグレアのない優しい照明となる。

⑩自然採光による無照明オフィス

天井からの自然光とROKIフィルターの拡散により、雨天時以外は人工照明が不要となる。

⑪クール・ウォームピットによる地中熱利用

夏0.7℃温度降下、冬0.5℃温度上昇となる。

⑫セキュリティゾーンの形成

研究開発施設としての機密レベルによりゾーンを分離する計画としている。

タスクアンビエント空調

床輻射空調及び床吹出空調による居住域のみを空調することで、省CO_2とする。吹出口は個人で開閉可能であり好みに応じた環境を選べる。

タスクアンビエント照明

基準照度を抑えることで省エネを図るとともに執務者は好みに応じたタスクライトを点灯させる。

▲断面環境説明図

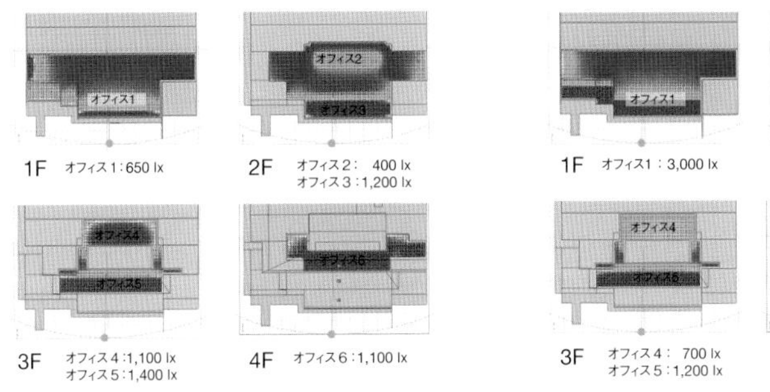

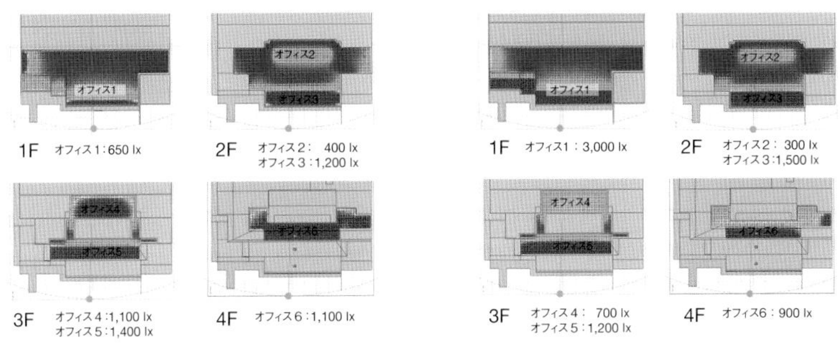

▲照度分布シミュレーション。左：夏期は最も日射を遮断する　右：冬期は最も日射が入射する

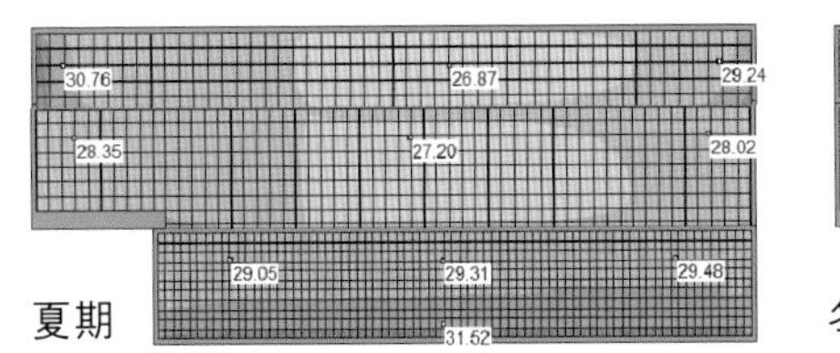

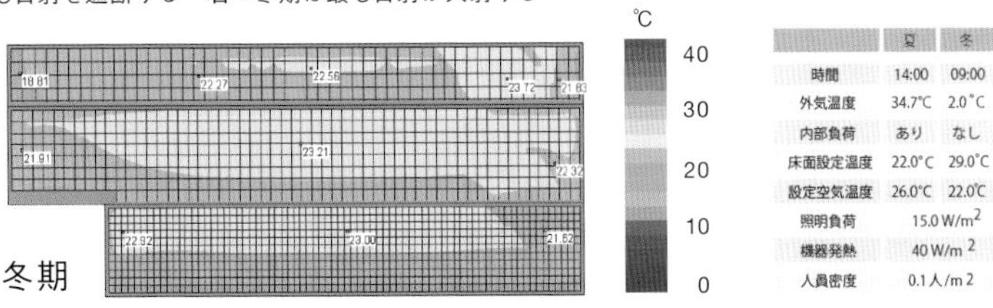

	夏	冬
時間	14:00	09:00
外気温度	34.7℃	2.0°C
内部負荷	あり	なし
床面設定温度	22.0°C	29.0°C
設定空気温度	26.0°C	22.0℃
照明負荷	15.0 W/m^2	
機器発熱	40 W/m^2	
人員密度	0.1人/m2	

▲平均放射温度分布図

SIMULATION

快適な照度分布をつくる トップライトの形

自然光を建築内に取り入れる方法の１つとしてトップライト方式があるが、トップライトによる採光はその形状によって、室内に様々な違いが生じる。ここでは、同一面積のトップライトの透過率・大きさ・配置に対する室内の照度分布や均斉度の関係を分析する。分析の結果、大きなトップライトを1か所に設けた方が室内の平均照度は高いが均斉度は低く、逆に小さなトップライトを分散配置し、透過率を落とした方が平均照度は低く、均斉度は高くなることが分かる。

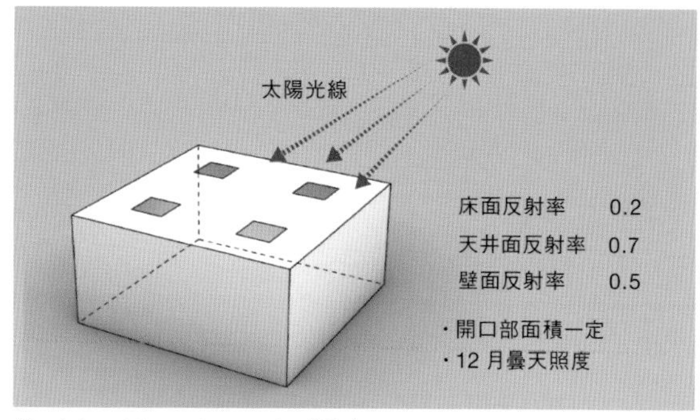

〈Ladybug&Honeybee により検証〉

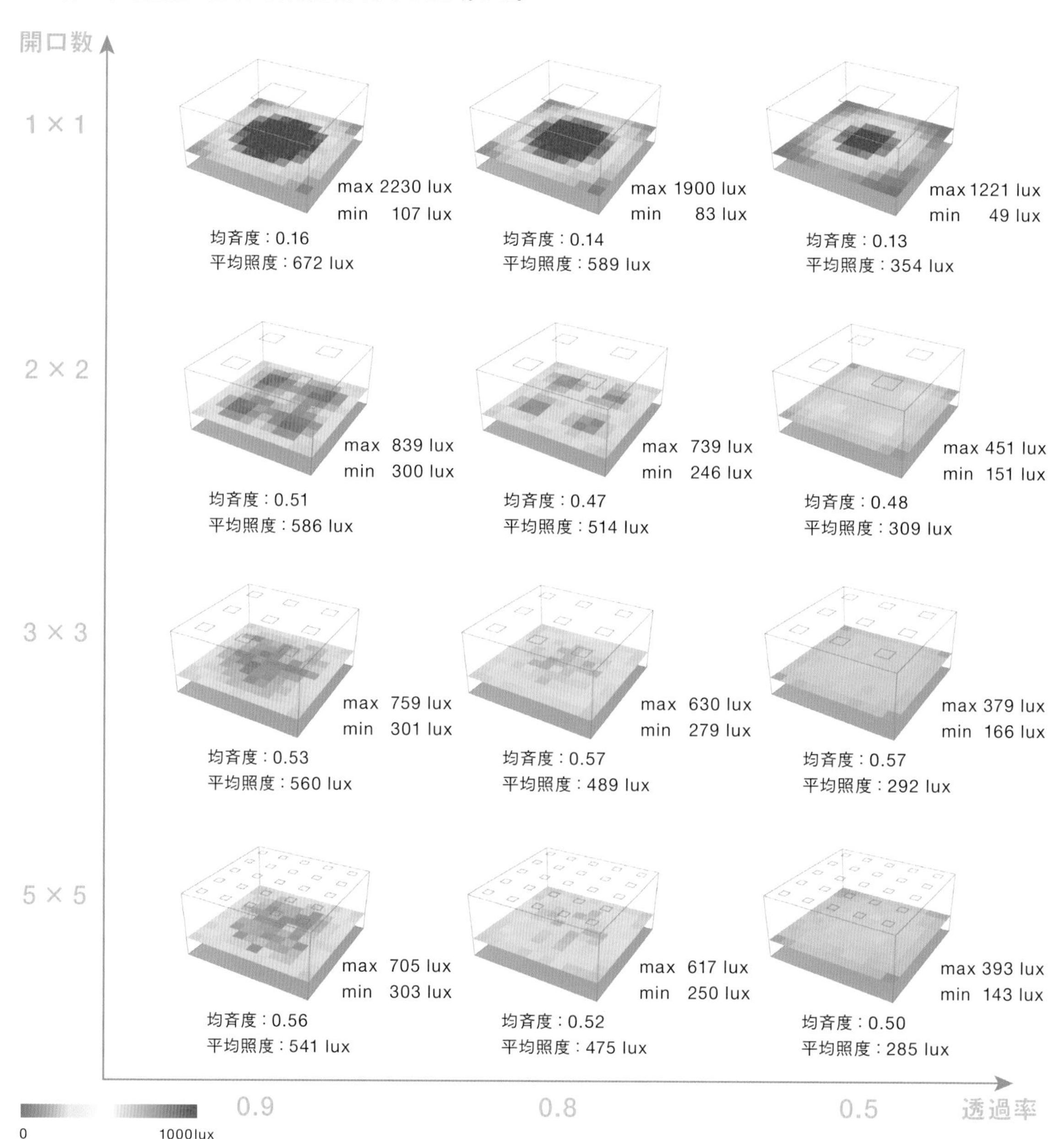

開口数 ＼ 透過率	0.9	0.8	0.5
1×1	max 2230 lux min 107 lux 均斉度：0.16 平均照度：672 lux	max 1900 lux min 83 lux 均斉度：0.14 平均照度：589 lux	max 1221 lux min 49 lux 均斉度：0.13 平均照度：354 lux
2×2	max 839 lux min 300 lux 均斉度：0.51 平均照度：586 lux	max 739 lux min 246 lux 均斉度：0.47 平均照度：514 lux	max 451 lux min 151 lux 均斉度：0.48 平均照度：309 lux
3×3	max 759 lux min 301 lux 均斉度：0.53 平均照度：560 lux	max 630 lux min 279 lux 均斉度：0.57 平均照度：489 lux	max 379 lux min 166 lux 均斉度：0.57 平均照度：292 lux
5×5	max 705 lux min 303 lux 均斉度：0.56 平均照度：541 lux	max 617 lux min 250 lux 均斉度：0.52 平均照度：475 lux	max 393 lux min 143 lux 均斉度：0.50 平均照度：285 lux

0　1000lux

インタビュー②

エンジニアとの協働から生まれる建築デザイン

小堀哲夫（日本、小堀哲夫建築設計事務所）

▲NICCAイノベーションセンター

精力的に環境技術と融合した建築デザインを発表し、多くの受賞をしている小堀哲夫さん。その背景には、彼の建築に対する思想と環境エンジニアとの協働がある。デザインと環境エンジニアリングとの横断とそのバランスの秘訣について伺った。（2022年3月7日、オンラインにて収録）

PROFILE 小堀哲夫：建築家・法政大学教授
1971年、岐阜県生まれ。1997年、法政大学大学院工学研究科 建設工学専攻修士課程修了後、久米設計に入社。2008年、株式会社小堀哲夫建築設計事務所設立。2017年「ROKI Global Innovation Center －ROGIC－」で日本建築学会賞、JIA日本建築大賞を同年にダブル受賞。2019年に「NICCA INNOVATION CENTER」で二度目のJIA日本建築大賞を受賞する。2020年～法政大学デザイン工学部建築学科教授。

▲小堀哲夫氏

「どこにテントを張りたいか」から考える

末光：今回のインタビューでは、「自然光を取り込む」ということをテーマにお話ししたいと思います。まず、ROKI Global Innovation Center（以下、ROKI）[→p.68]についてですが、この作品はとても印象的で、建築家としての小堀さんの思想とクライアント側の共感や要望がきっとあったのだと思います。このプロジェクトの経緯などからお聞かせください。

小堀：要望としては、イノベーションセンターとして、人間のポテンシャルが最大化されるような場所を作ってほしいということで、最初は規模やイメージもあまりない状態でした。土地が持つポテンシャルは、建築に与える影響が大きいということから、以前に設計した本社ビル以上にそれが重要ではないかと考えました。そうしていると、施主から「土地の奥に水のきらめきのような池があるから、一緒に見に行かないか」と誘われました。施主と2人で森をかき分けて進んでいくと、池がぽっかりあったのですね。

末光：この池は新規で作られたものではなく元からあったものなのですね。

小堀：そうなんです。形は多少手を加えていますが、元々存在したものなんです。その池を見るために移動した場所がちょうど高台のところに位置していて、見下ろすような視線だったんです。奥には山が見えて、山に囲まれた盆地状の敷地の全貌が見えました。一番低いところに池があって、敷地がひな壇状になっていました。実はここが宅地造成をした場所で、調整池が一番下にあって、宅地造成のプロジェクトが頓挫してぽっかり空いていた場所なのです。

末光：池と段々の形状のイメージはすでにそこにあったのですね。それは土地から何かインスパイアされたということでしょうか？

小堀：土地からインスパイアされましたね。そのとき、「なんて上から見た景色は気持ちいいんだろう」「なんて光ってすごいんだろう」と感じました。水に反射する光がすごくきれいだったんです。それに加えて、敷地は浜松市なのですが、心地良い風が吹いてくるんです。我々はそれを「風の谷」と呼んでいます。プロジェクトを進める前に1年間環境調査をお願いしたところ、扇状地である浜松平野（下図）の頂上の位置にある敷地に海の風が流れてきているとわかりました。これだけ気持ちのいい風と光と眺望があって、ひな壇状の地形もあるので「これはいいね」とそのときに話していた内容をスケッチにまとめて施主に見せると「土地を購入しよう」という流れになりました。最初のイメージがそのままできてしまった感じですね。

末光：それはすごくいいですね。やはり、私も同様に建築を考える上で、土地の観察が一番大切だと思っています。敷地に立ったときに、直感的に浮かんだ建築の原形のイメージのようなものがあったということですか。

小堀：僕は敷地に立ったときに、自分なら「どこにテントを張りたいだろう」と考えていました。「テントを張りたい」と思える場所が、実は地形を読み解く自分の感覚だと思うのです。ただし、研究所なので直射日光を入れてはいけない場所もあるため、洞窟的な場所と、日当たりのいい場所と、日当たりのいい場所によって陰になる場所の3つを断面的に作成して、そこに外部空間の変化を感じられるようなテント幕を作ろうというのが最初のコンセプトでした。

末光：テントというのは何か小堀さんの原風景のようなものと関係していそうですね。

小堀：そうです。僕は山登りが好きなのですが、テントを通して自然環境の変化を非常に感じられて、布1枚あるだけですごく安心感があったり、明暗など自然の変化そのものを感じられる。これが人間の感性を拡張させてインスパイアさせるという実体験があったので、それを提案しました。さらに、施主は濾過フィルターを作っている会社なので、施主の作るフィルターで屋根を作りませんかということも提案して、実現しました。

末光：学生と事前の打ち合わせで「小堀さんは山登りが趣味らしいから、そことの関係性も聞きたいね」などの意見もありました。まさにこの作品がそうなのでしょうか。

小堀：そうですね。僕は本当に山登りが好きで、槍ヶ岳の北鎌尾根という尾根に冬に登るのが好きなんです。極限の環境が外にはあるけど、布1枚の中には快適な環

▲浜松市の天竜川扇状地（出典：国土地理院地図（電子国土 Web））

▲槍ヶ岳での登山（中央が小堀氏）

境がある。生きるか死ぬかという環境とすごく快適な環境との間にはそんなに大げさな仕組みがなくても、布1枚で成立させていく素晴らしさというのを常に感じていたんですね。建築というものは自然との境として存在するときに、完全に閉じてしまうのではなくて、少し変化は感じさせながらも緩やかな形で接続していく方が人間の本来のインスピレーションが最大化されていくんじゃないかと山を登っていると感じます。自然そのものも建築だなと感じるし、今までの自然での経験の延長線上にこの建築があると感じています。

外部環境への許容度を高める

末光：この建築は小堀さんにとって原点的なところもあるのですね。こういう外部環境を取り入れるとムラが発生すると思うのですが、実際にそこで働かれている方に、そのムラもポジティブに捉えてほしいと考えていらっしゃったのですか。

小堀：働いている人たちはこれだけオープンなオフィスなので、最初、働く場所を見つけなさいと言われたときに戸惑っていました。「決められた方が楽」という意見もありました。しかし、何年か後に訪れると「あの人はいつもあそこにいるよね」などの意見も出てきました。暖かい場所を好む人や、真っ暗な場所を好む人もいます。オープン過ぎても良くなくて、ムラという存在がすごく大事なんだと感じました。もう1つ面白かったのは、この建築は全面光天井なのですが、照明はほとんど使っていません。夜になってだんだん暗くなっていくと、意外と暗くても成立している印象を持ちました。明るいと2500lux程度になるし、暗いと100lux以下になりますが、あるグラデーションで変化する環境において、光というものは人間の目がうまく追従していくことで、そんなに明るくしなくても成立してしまうんだと感じました。

末光：普段オフィスで人工照明の中にいると、天候の移り変わりなどは非常にわかりにくいものですが、この建築だと雲の移り変わりや時間帯で暗くなったりして、自然のリズムが感じられるのは新鮮だなと思いますし、そうした方が人間の心や体の健康としても良さそうに思えます。

小堀：僕はそう主張しています。エビデンスはありませんけどね。ただ、ここでは折半屋根を半分使っていて、雨の音がすごく聞こえるのです。雨が降ったり、雲が通ったりなど、カーテンウォールで全面ガラスにしたビル以上に感じるのは、逆説的ですが、ある程度閉じているからなのかなと思います。視覚に伴わない変化です。窓の外を見て今日は曇りだと判断するのではなく、音や急

▲ ROKI Global Innovation Center 外観

激な変化などがリアルタイムで映し出されるので、外にいるということを感じられる「半屋外」空間ですね。

末光：「半屋外」というのは1つのキーワードですね。

小堀：半外部空間について、早稲田大学の研究[*1]があり、それは駅やアトリウムなどあまり空調されていない空間でなぜ人間はそこまで不満に思わないのかという研究なのですが、最終的にどの段階で人間は不快に思うのかというグラフを作られていました。僕はそれを読んで、「自然の中に近い」という感覚を持つと、人間の許容度は大きくなるというふうに解釈しました。そうすると、自然や半外部空間、空調の効いていないアトリウムだと思わせることが大事ですね。逆に、閉鎖的でクーラーが設置されているという部屋の方が人間の不満が出てきていることがわかりました。寒さもそうです。人間はテラス席などに座った時点で、その環境を許容しているんです。

ROKIでは、窓を開けると自動で換気装置も空調機もストップします。奥の方の部屋は空調が効いていますけどね。換気は風の谷からクールチューブで取っているので、そのようなことも考えて、外気温が31度の場合でも、空調機はあまり使わないようにしたところ、中間期の気温が約3.5か月から5.5か月まで増えることがわかりました。

末光：実際にこのテラス席に座ると、風などの自然要素から「ここは外部だ」と思わせるような雰囲気があるのでしょうか。

小堀：そうですね。まず1つは窓を開けても風は流れなくて、トップライトを開けないと風が流れません。そのトップライトの開閉ボタンがテラス席にあって、その隣には温度や湿度など様々な条件を踏まえて、「今が開け時です」という段階から「今は開けないでください」まで4段階評価でコンピュータが判断したデータを表示したモニターがあります。

また、植栽を室内に入れたので、窓とトップライトを開けると、0.3m/s程度の微風ではありますが、風で植栽が揺れるんです。風って意外と物が動くことで感じるんだと気づいて、風の通り道に植栽を置いて、植栽の動きを目視することで、風が流れていることを感じられるようにしました。光や風を肌感覚で感じることが重要なんです。

新たな挑戦に踏み込む エンジニアリング

末光：エンジニアとのやりとりも特徴がありそうですが、かなり初期の段階からやりとりをされていたのでしょうか。

小堀：Arupにスケッチやコンセプトの情報を送ったところ、エンジニアとして、「窓を開けるのは難しいね」という意見をもらいました。そこで、早稲田大学の田辺新一先生からのアドバイスも踏まえた上でArupと設計を進めていきました。

Arupとしては開口率とトップライトを気にしていました。これほどあると、日射熱取得量も多いし、窓を開ければ空調のコントロールも難しい、などの課題点もやはり出てきましたね。その中で、施主に今回の設計の概念を丁寧に説明して、施主にもすごく共感していただけたこともありますし、光の存在に関しては、理解をしてくれましたね。

末光：この事例の中間領域というかグレーゾーンのようなものは、設計者も施主もエンジニアも踏み込むには勇気のいるものだと思いますし、使う側も異なる環境で戸惑うと思います。しかし、今の日本のものづくりや社会のあり方は、そういうところに飛び込まずにありもので済ませてしまおうという考え方になる。それを超えていくとこの建築のような自然と融合した素晴らしい空間が生まれるのだなと思いました。そのもう一歩を踏み込むためには何が必要なのでしょうか。

小堀：僕もそこは常に考えていますね。おっしゃる通り、難しいなといつも思います。例えば都市にしても、建築にしても、プランにしても、常に名前や法律が存在します。例えば「これは道路です」「これは敷地内です」など、何か機能と意味を求められて、余白の部分は存在しないんです。しかしそのような場所は、建築においても地球においても必要なのです。例えば、川の土手沿いになぜ人は集まって活動をするのだろうかという話を施主としたりします。その場所は、自分のものであり、他の人のものでもある、「アジール」といういわば聖域のようなもの。僕はavailableな場所と呼んでいますが、そのような場所が建築や都市にも必要で、そこが“空いている”ということも大事なんじゃないかと思います。そのような場所

[*1] 野口真史 ほか「半屋外空間における熱的快適性実測調査 その4：物理環境および快適要素申告結果」『日本建築学会大会（北陸）学術講演梗概集』2002年6月、pp.389-390

▲NICCAイノベーションセンター

の必要性は毎回説いていますが、すごく合理的な企業やエビデンスを求めるような企業になればなるほど、そこにどういった価値を持たせるの?といった話になると難しくて、いつもそこは悩みますね。

日差しを許容しながら「光を冷やす」オフィス

末光:もう1つの作品「NICCAイノベーションセンター(以下、NICCA)」について伺います。NICCAはROKIほど開口率は高くないですが、気候の違いがROKIとの違いを生んでいると思います。おそらくROKIで感じられたことをこのプロジェクトに反映されたのだと思いますが、その辺りのことについて教えてください。

小堀:このプロジェクトはROKIを見た日華化学の社長に依頼をされたものですが、僕がROKIのような半外部空間などを取り入れた提案を第1回のワークショップで初めて見せたところ、散々な目に会いましたね。「北陸の環境を知らないでしょ。みんな外に出ないよ」と返事をいただきました。寒いし、雪は降るし、ROKIの成功体験が通じなかったのです。そこで環境調査をしたところ、冬の日照時間がとても少ないんです。ちょうどその頃に北欧の旅を事務所のスタッフとしていて、デンマークのBIGのアトリエにも行きましたが、そこでは直射日光をたくさん取り入れていたんです。現地の人に聞くと、「貴重な直射日光こそ、私たちに幸せを与えるのよ」と言われました。「オフィスに直射日光は入れない」って習ったのにと思いましたね。それでNICCAにその話をしたところ、「日差しをいれるのはいいですね。私たちはテラスよりサンルームなんです」と言われました。ワークショップでも「我々はサンルーム的な場所であり、日差しを許容するようなオフィスを作りたい」という意見になりました。

末光:とてもよくわかります。確かに北陸では日光は貴重なものですね。

小堀:ROKIのときに部屋の上の方で熱溜まりができて、徐々にその熱が降りてくることを心配していました。それはNICCAでも同様に当てはまって、悩んでいました。たまたま福井市の一乗谷に朝倉氏遺跡という有名な史跡があるんですが、そこにたくさんの井戸があったんです。「こんなに井戸があるんですね」とお話ししたところ、「福井は『ふくよかな井戸』という意味もあると言います。日華化学の工業用水の98%は井戸水でまかなっていますよ」と言われました。そこで、水で光の熱を冷やすのはどうだろうと考えて、「TABS空調」的に光が当たるコンクリートスラブで熱回収したらどうだろうというアイデアを思いついたのです。そこでまた田辺先生のところに行きました。Arupとしては、TABS空調の実例が日本にまだあまりないことや、熱回収の計算が課題だと考えているようでした。ただ、田辺先生には「面白いからやったら？」という返答をいただいて、挑戦してみようとなりました。

末光：自然採光は、やはり熱をどう処理するのかが重要なポイントになりますね。

小堀：壁や天井のひし形のコンクリートスラブの中に水を通していて、そこで熱を回収しています。僕らは「還元井戸」と呼んでいます。日光による発熱を井戸水で除去して、地球に返すという流れを作りました。また、直射の角度を利用して、デスクに直射日光は入らずに壁にだけ光の帯ができるような形にして、光の筋が日時計のように見えてくるような空間を作りました。

ただ、竣工後に近年最大規模の積雪と猛暑が連続して来たんです。そのときに、想定よりオフィスが暑いと電話がきました。35度以上の猛暑日が4日続いた日です。TABS空調は熱の立ち上がりが遅く、朝の7時に電源をオンにするのでは熱の処理が追いつかないんです。だからオンとオフを切り替える時間を早めたところ、今は緩和したようです。「光を冷やす」という概念はあながち間違いではなかったと思いますね。

末光：ROKIのときといい、NICCAといい、敷地のポテンシャルをうまく探され、また出会われていますよね。

小堀：土地と建築はやはりつながるものなので、変わらないものの諸条件として、いろいろ探りたいなと思いますよね。確かに長い目で見れば環境は変わっていくんでしょうけど、変わらないものとして、この土地に何が眠っているのだろうと意識しています。

末光：そういった土地を見る目みたいなものが、山登りで鍛えられているんですかね。今日は小堀建築の根っこの部分を聞けた気がします。

小堀：そう言われるとうれしいですね。

▲一乗谷で見られるたくさんの井戸

06

半地下をデザインする

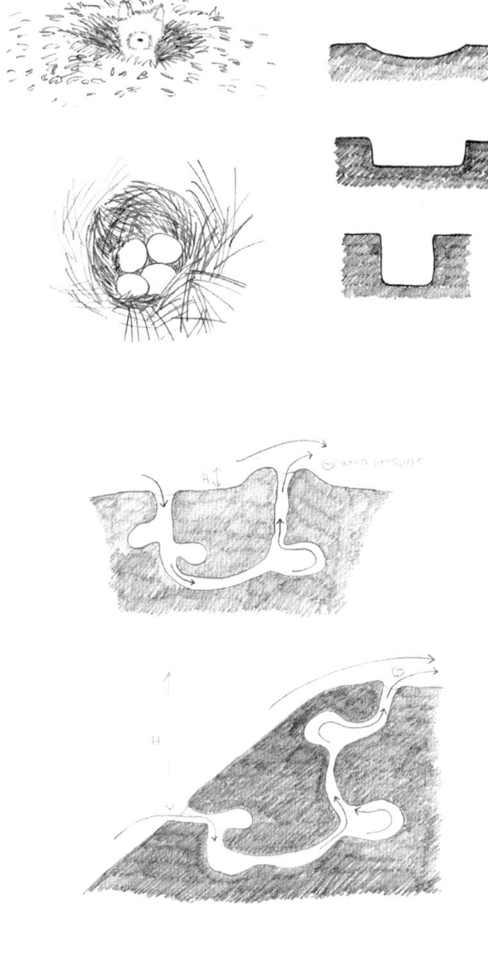

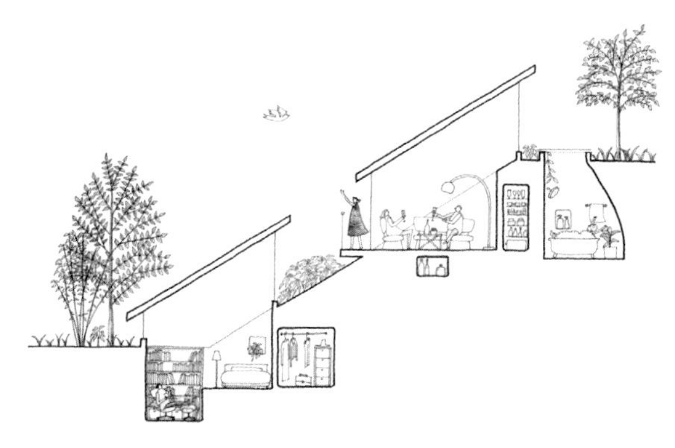

大地は、大きな熱容量を持つため、建物の表面積のうち大地に接している割合を増やすことで、安定した熱環境を得やすくなり、日本のように木造建築の多い地域では特に、その室内空間に重心を与えることにもなる。

一方で、熱容量の大きくなった空間は、暖まりにくく、冷えにくいという特徴を持つ。日射取得をうまく組み合わせることで、そこに日中の熱エネルギーを蓄えることもできるし、逆にそれをうまく行わないと、冬にいくら暖房しても一向に暖まらないということにもなりうる。

また、大地とつながるということは、土地の構造的な安定性、湿気、生態系などさまざまな要因ともつながることになる。うまく制御すれば、非常に快適な環境を得られるが、関係性をきちんとデザインしなければ、生の自然のダイナミズムに振り回され、不快な環境となる。土地のポテンシャルをよく読み込んだ上で、止水性、構造的対処などと組み合わせて考えることが重要となる。

06 半地下をデザインする①

地中の棲処 House of Cave

福岡県福岡市／2010年4月竣工

大地の安定した熱環境を自然の冷房に活かす半地下の住宅

都市中心部の丘の中腹の斜面地に建てられた家族5人のための住まい。恵まれた眺望を活かした住宅を考えた。この建物は、斜面地の土留めを兼ねて構造体を半地下状に埋め込むことでできており、掘った空間がそのまま居室となっている。斜面に掘られた3つの居室は、地中の階段でつながっており、家族のそれぞれが斜面地のお気に入りの場所に棲むというイメージの住宅である。

リビングやライブラリなど、エントランスから庭に至る経路は、全て床を土間仕上げとし、土足で歩くような半屋外の設えになっており、外部と一体となった関係をつくっている。この経路は同時に風の通り道としても計画されており、南から斜面を登ってくる風を地下に埋まった廊下に通すことで冷却効果を持ち、クールチューブを空間化している。

地面からの掘り込みの深さは、部屋の特性に合わせて変えており、プライバシーの高い主寝室はベッドに座ったときに目線が切れる1200mmの深さに、子ども部屋はテーブルの高さに合わせた650mmの深さに、浴室は完全に埋めてトップライトから空が望めるように、リビングは大地と同じレベルで開放感を持つように計画された。ライブラリの棚や洗面台、テレビ台などの家具は建物と同じコンクリートでつくられており、地面と建物と家具が一体となっている。

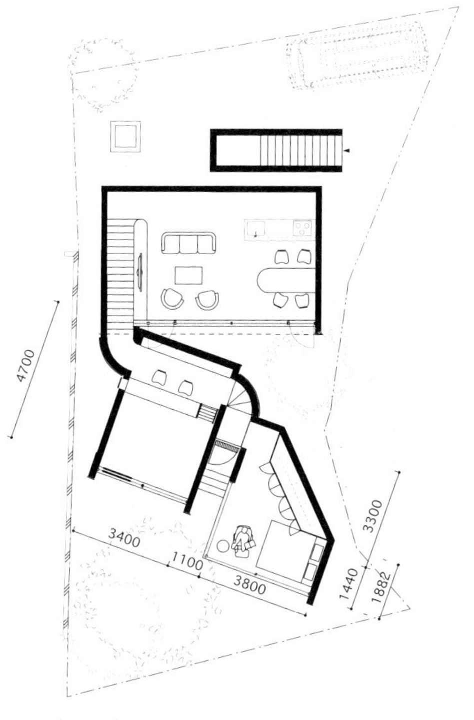

▲平面図（地上階）

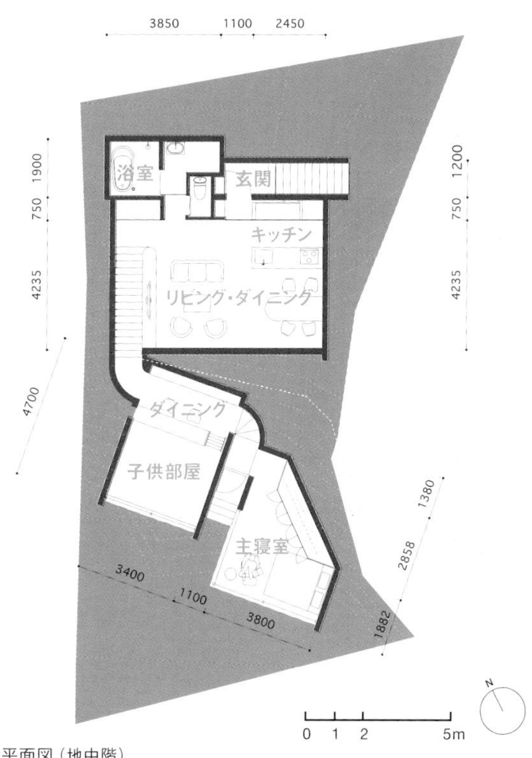

▲平面図（地中階）

▲リビングルームから半地下の階段を見る

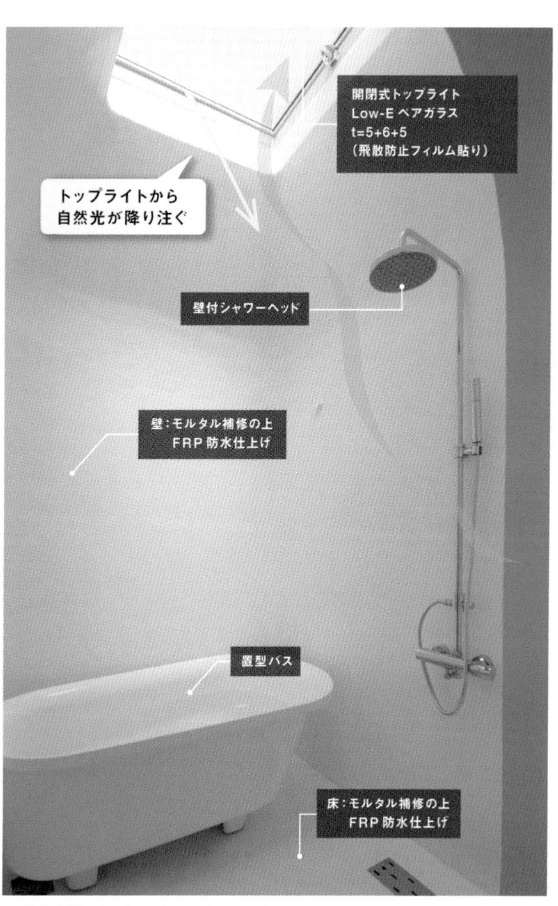

▲完全な地下になっているバスルーム

1900
750
4235
モルタルt=30mm＋土系左官仕上t=5
断熱材:ポリスチレンフォームt=35mm
水性プライマー
塗膜系防水パラテックス工法
LOW-E ペアガラス
t=5+6+5
(飛散防止フィルム貼り)
280
300
既存地形ライン▽
鉄骨柱：■-60×50 (SS400)
天井:モルタル補修の上
セラミック粉混入水性塗料仕上
横矢板
防水保護材
スタイロフォームt=20
水性プライマーAS
塗膜系防水パラテックス工法
浴室
リビング・ダイニング
壁：モルタル補修の上、
FRP防水仕上
壁:モルタル補修の上セラミック粉混入水性塗料仕上
3000
3045
2300
収納
床仕上:モルタル金ゴテ仕上げt=30mmの上セラミック粉混入水性塗料仕上
900
200
床：モルタル補修の上、
FRP防水仕上
300
300
225
200
RCスラブt=300mm
断熱材:ポリスチレンフォームt=35mm
捨てコンクリートt=60mm
割栗t=60mm
壁：モルタル補修の上水性塗料仕上
床:モルタル金ゴテ仕上げt=30mmの上
セラミック粉混入水性塗料仕上
0 5m/s
0 1 2 5m

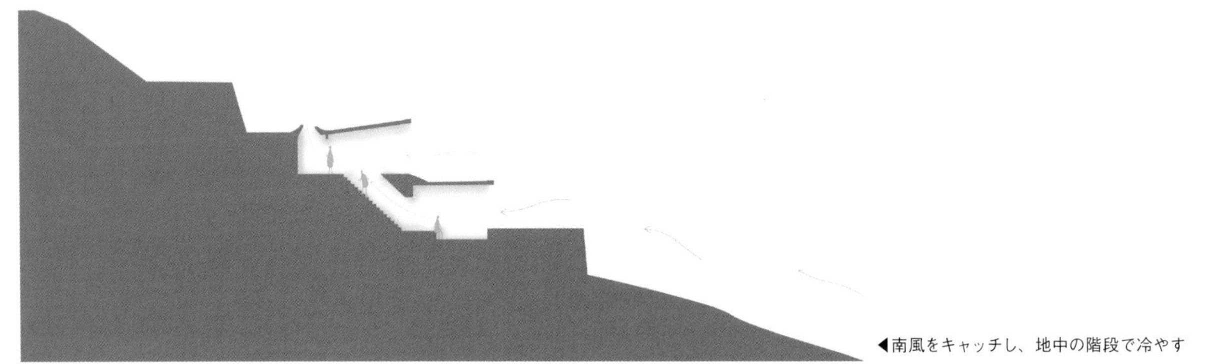

◀南風をキャッチし、地中の階段で冷やす

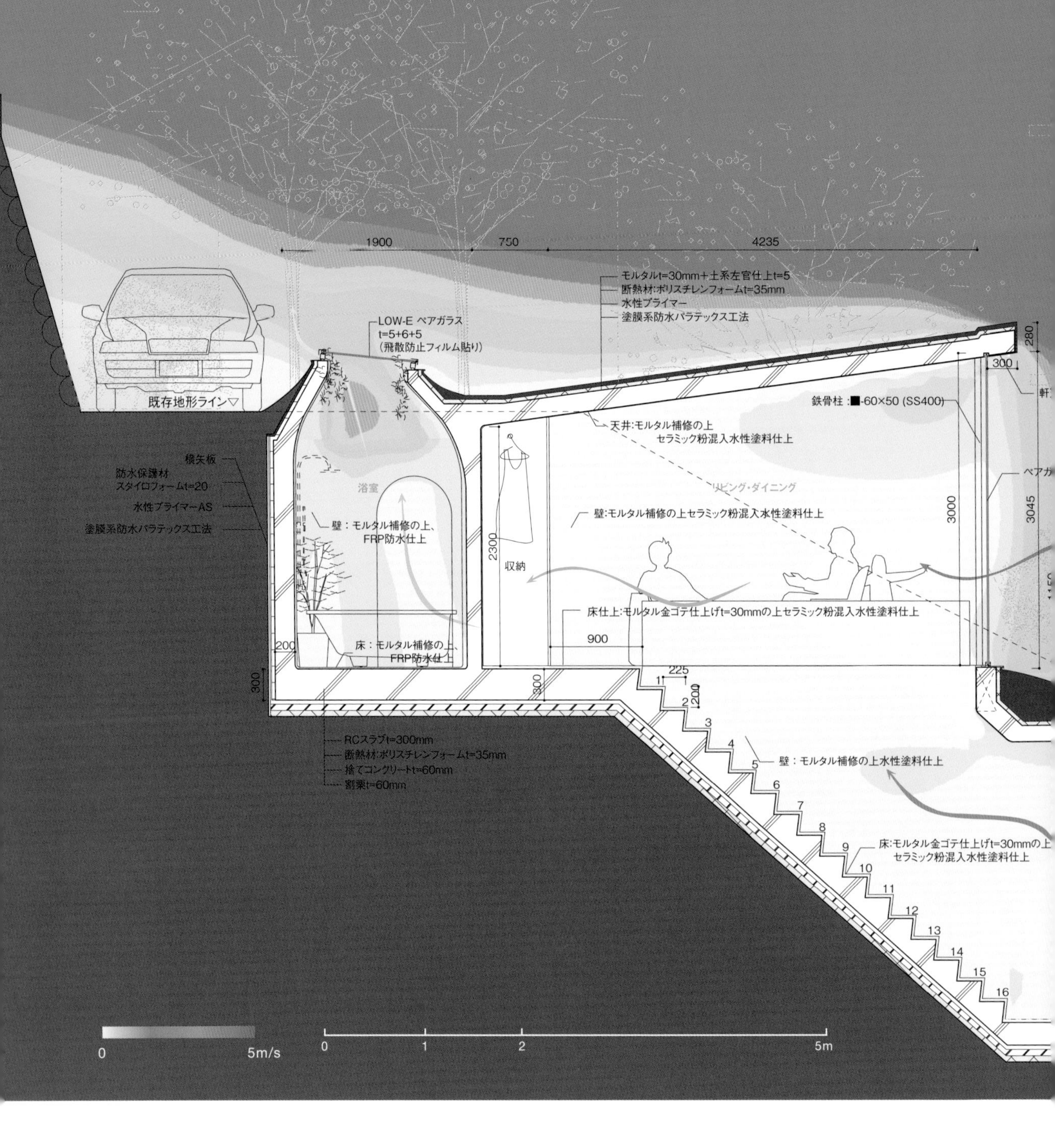

POINT

クールチューブを空間化する

自然の力を使って、涼しい場をデザインするにあたって、建物内部の風の道とクールエネルギーを組み合わせることがポイントとなる。この建物では、建物南側の勝手口から玄関にかけて通風のルートを取っており、斜面から上がってくる南風を建物に取り込んでいる。地中温度の年間推移を見ると、地下3mでは夏と冬の温度差が5℃程度と非常に安定した温度になっている。地中に埋まった階段スペースを通風のルートと兼ねることで、流れていく空気を地中の温度で冷やし、自然の冷房のような効果を実現している。

風を通す際には、出口のデザインが重要である。ここでは、浴室上部のトップライトを開閉式にし、その部分を地面から盛り上げることで負圧をつくり風の流れを誘引している。

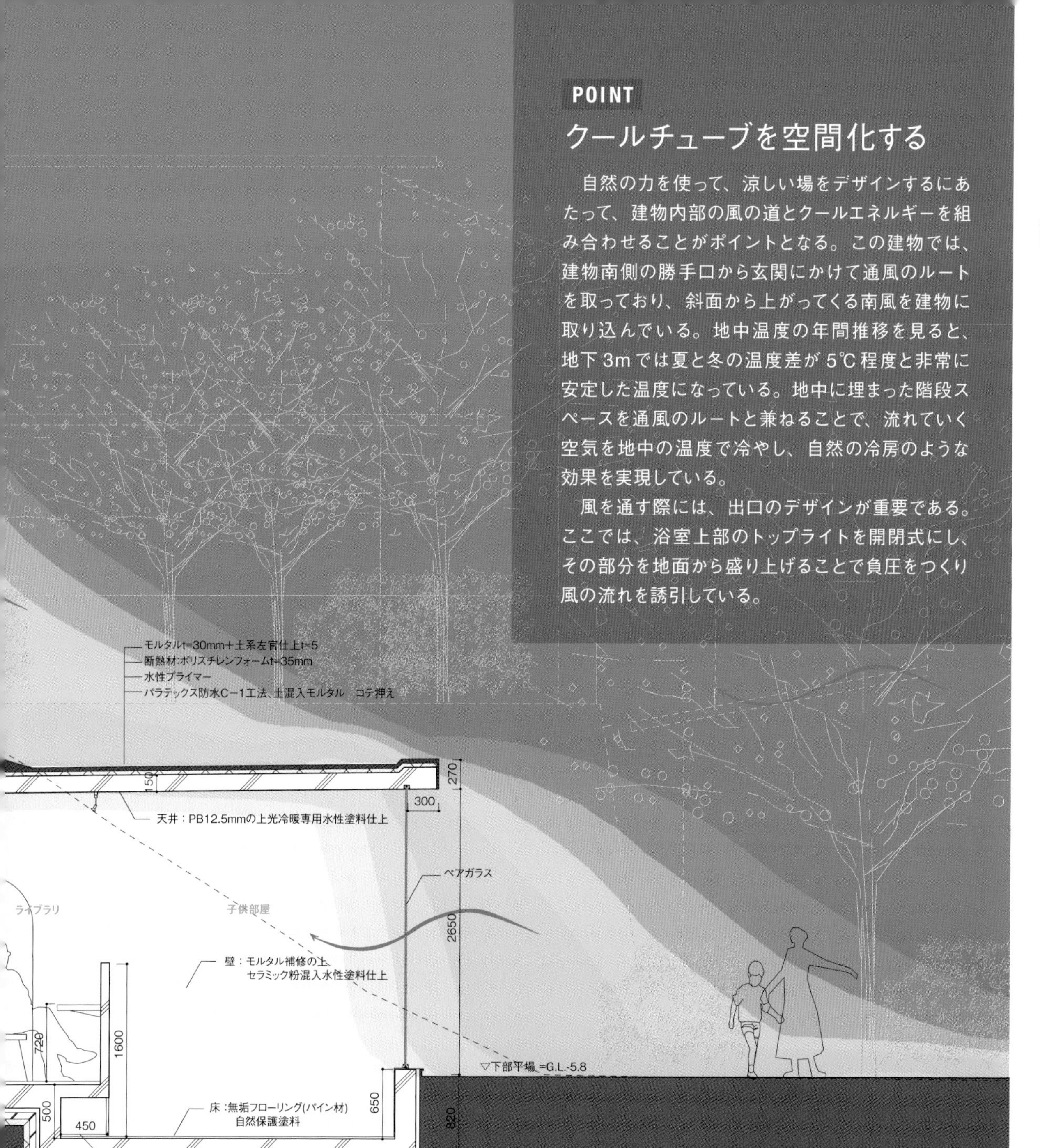

モルタルt=30mm＋土系左官仕上t=5
断熱材:ポリスチレンフォームt=35mm
水性プライマー
パラテックス防水C−1工法、土混入モルタル　コテ押え
150
270
300
天井：PB12.5mmの上光冷暖専用水性塗料仕上
ペアガラス
ライブラリ
子供部屋
2650
壁：モルタル補修の上、
セラミック粉混入水性塗料仕上
720
1600
▽下部平場 =G.L.-5.8
500
450
650
820
床：無垢フローリング(パイン材)
自然保護塗料
下部収納棚

▲断面図＋風解析

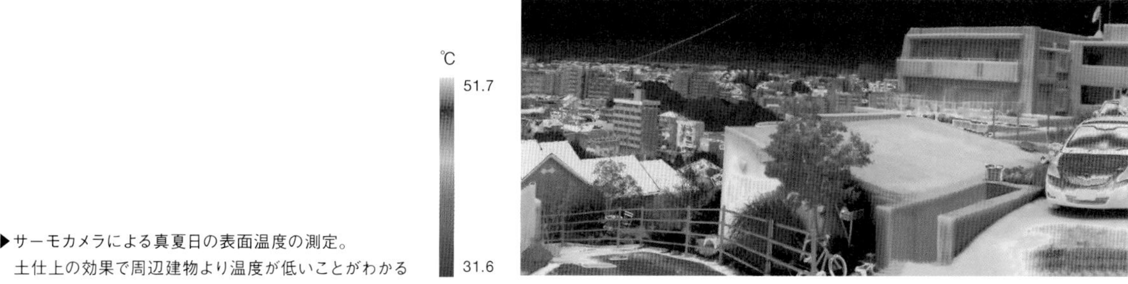

▶サーモカメラによる真夏日の表面温度の測定。
土仕上の効果で周辺建物より温度が低いことがわかる

06 半地下をデザインする②

Kubomi

東京都調布市／2010年8月竣工

地面を暖めてつくる空気のお風呂

郊外住宅地の北西角の小さな土地に建つ住宅。自然をそぎ落とされた都市の中で、大地をひとつの自然と捉え、大地と一体となった「窪み」状の空間をつくっている。深さ70cmのL型の「窪み」はリビング・ダイニングのスペースとして、深さ120cmの丸型の「窪み」は小さな音楽スタジオのスペースとなっている。茂みの中にある動物の巣のように、生け垣の茂みに囲まれた、2つの「窪み」状の空間は、家族や友人が集まり楽しむ場となる。

大地は熱エネルギーを蓄えるひとつの大きな蓄熱体と捉えることができ、熱源を地中に埋め込み、夜間に地面自体を暖めることで、日中に「窪み」状の空間に熱が伝わり、暖かい空気のお風呂のような環境をつくり出す。掘り込まれた基礎と地面の間には断熱をしないことで、夏はヒンヤリとした涼しい環境になっている。

引込線
時間帯別電力量
一般伝統分電盤
電灯の幹線
コントローラ
継電型制御盤
夜間電力配線
サーマ・スラブ用
分電盤
電磁
開閉器
タイムスイッチ
深夜電力量計
S
S
センサー１
床スラブ内に設置
センサー２
床スラブ内に設置

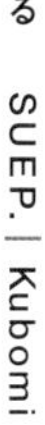

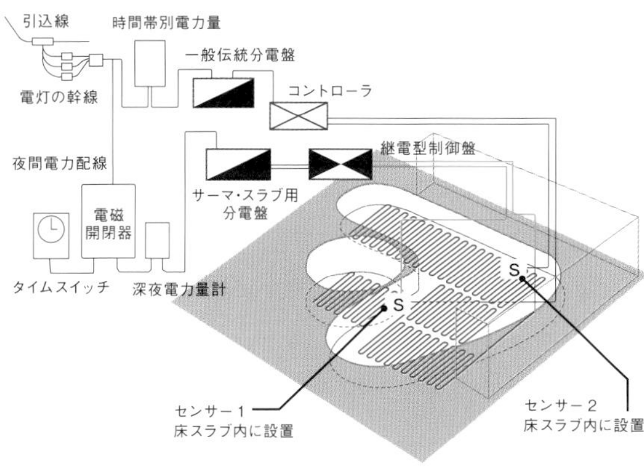

▲サーマ・スラブ
地中に埋設された電熱線により、大地自体を暖めるシステム

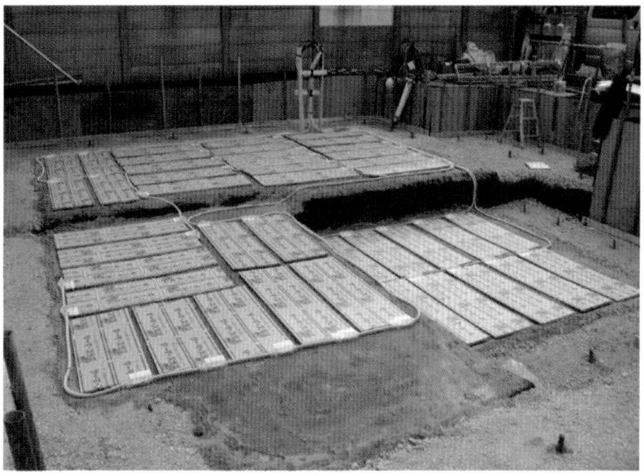

▲サーマ・スラブ敷込

天板、壁、基礎：
コンクリート打放し（一発打ち）
ベタ基礎 t=180
防湿シート
捨てコンクリート t=50
割栗 t=100
山砂 t=100
サーマ・スラブ 電熱パネル
山砂 t=30

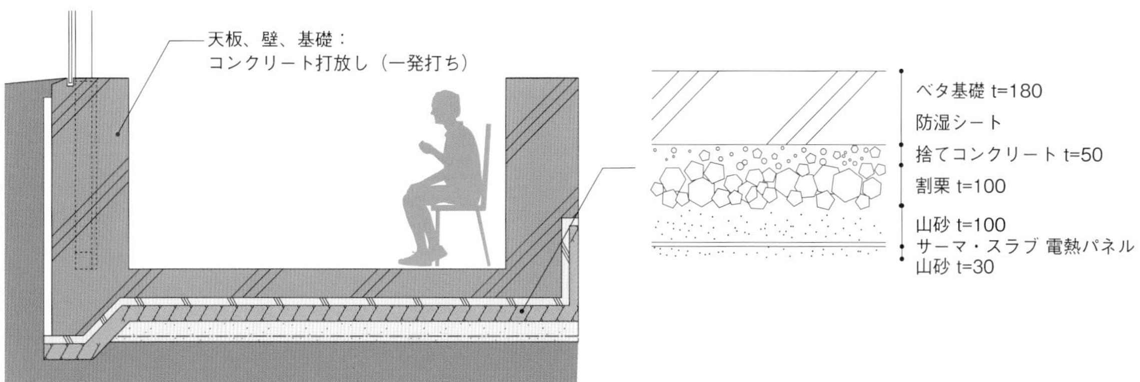

▲１階床断面詳細図。熱容量の大きい大地を夜間に暖めて、その余熱で日中の温熱環境を保つ

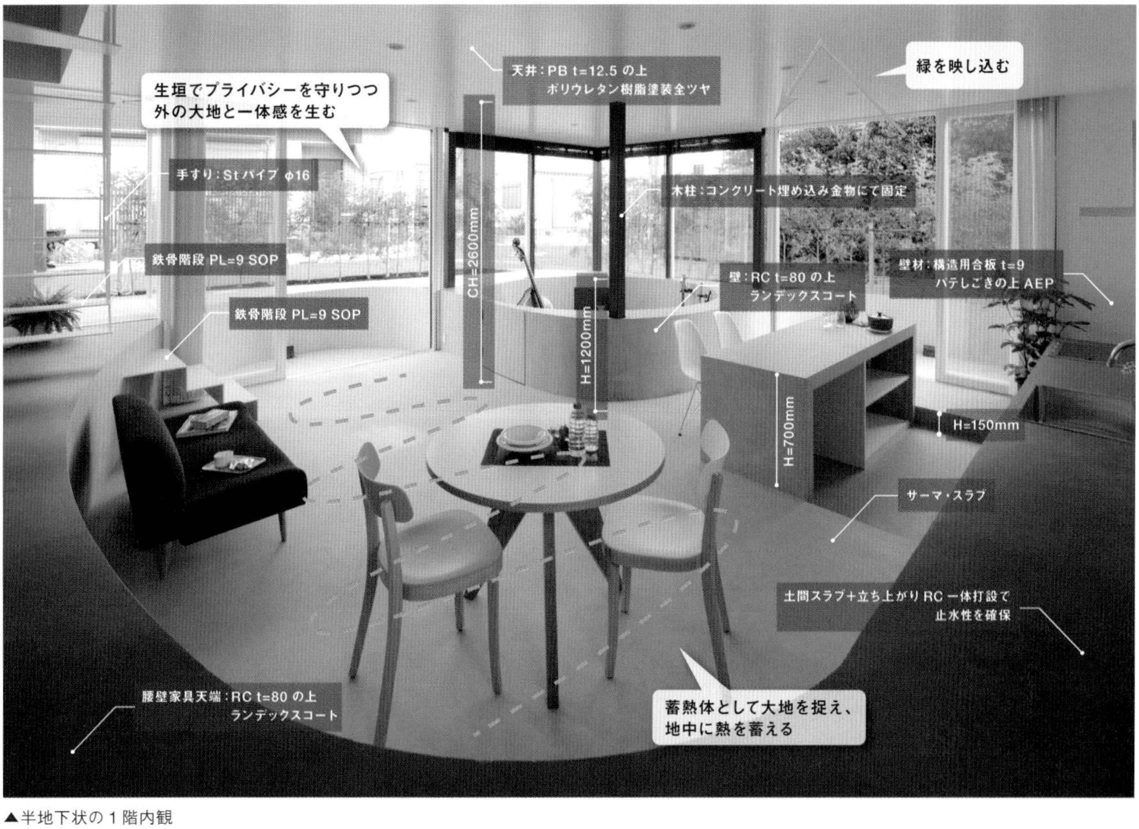

天井：PB t=12.5 の上
ポリウレタン樹脂塗装全ツヤ
緑を映し込む
生垣でプライバシーを守りつつ
外の大地と一体感を生む
手すり：St パイプ φ16
木柱：コンクリート埋め込み金物にて固定
鉄骨階段 PL=9 SOP
鉄骨階段 PL=9 SOP
CH=2600mm
壁：RC t=80 の上
ランデックスコート
壁材：構造用合板 t=9
パテしごきの上 AEP
H=1200mm
H=700mm
H=150mm
サーマ・スラブ
土間スラブ＋立ち上がり RC 一体打設で
止水性を確保
腰壁家具天端：RC t=80 の上
ランデックスコート
蓄熱体として大地を捉え、
地中に熱を蓄える

▲半地下状の１階内観

06 半地下をデザインする／先進事例紹介

クローバーハウス

——大地の中に埋め込まれた半地下のひだ状空間

▲掘削してできた半地下空間に屋根をかけてできる場。上部高窓から採光をとっている

▲浴室側からダイニングを覗く

▲南からエントランスを見る

設計者：宮本佳明　所在地：兵庫県西宮市　竣工年：2006 年 10 月
構造規模：鉄板造、S 造、RC 造　地下 1 階、地上 1 階　敷地面積：117.44m^2
建築面積：46.95m^2 延床面積：76.19m^2（地階床面積：56.01m^2、1 階床面積：20.18m^2）

建築は土地に根ざすものであるため、それを建てる時に、必ず大地と向き合うことになる。それが一番特徴的に現れるのが基礎の部分である。上部構造は建築的であるが、下部構造はある意味土木的な世界とも言えるだろう。ここで紹介するクローバーハウスは、敷地の高低差を活かしながらつくられた結果、居室のほとんどの空間は半地下になっている。土と向き合うことでできたこの力強い空間は、その大地の安定した熱の恩恵を受け、ヒンヤリとした涼しい環境となっている。

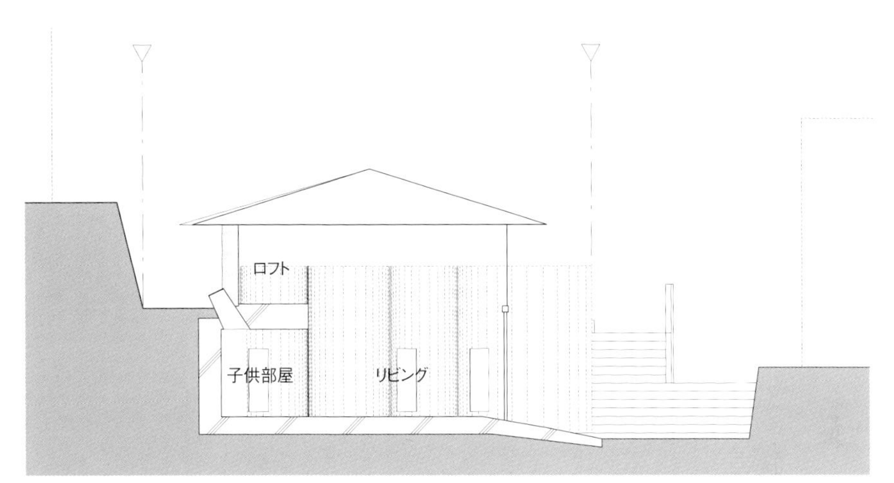

▲断面図兼配置図

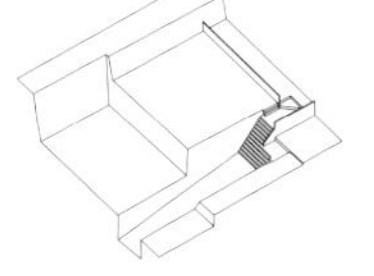
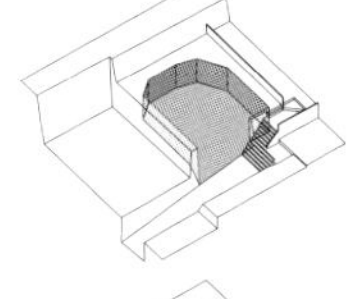
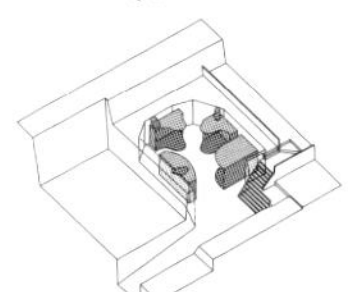
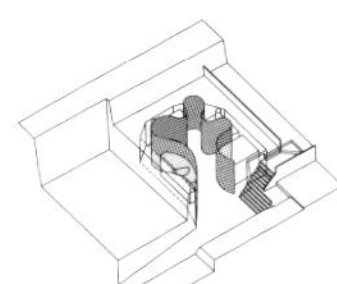
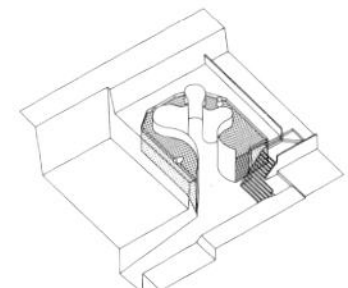
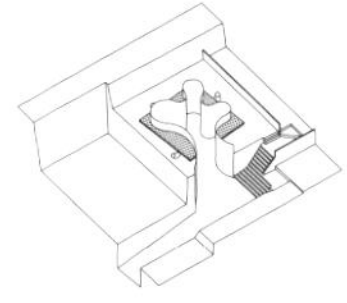
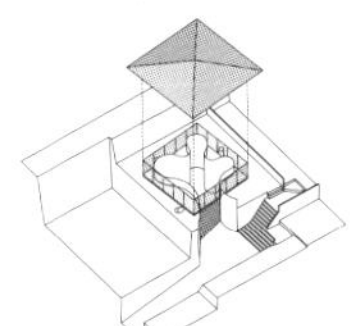
▲ダイアグラム

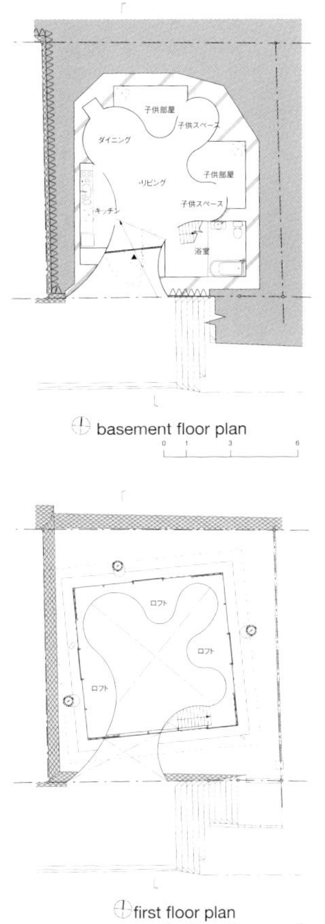

▲平面図兼配置図

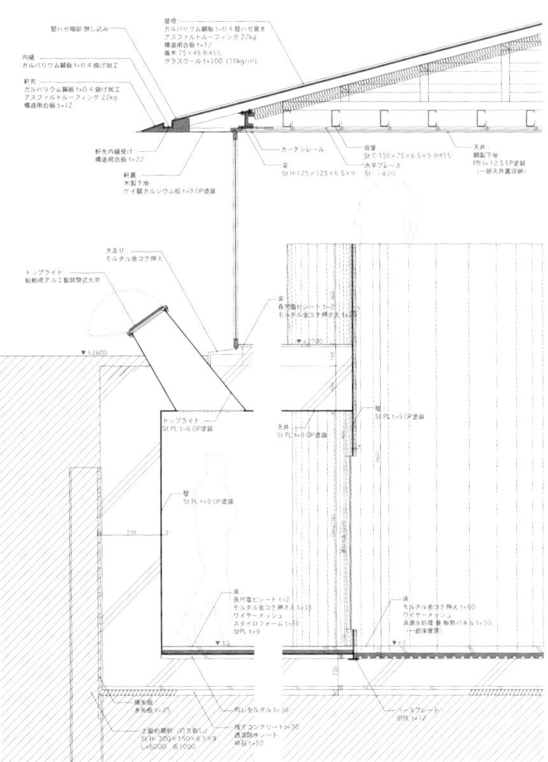
▲断面詳細図

SIMULATION

地中温度の特性を享受する半地下の形

地中の温度は、夏は外気温より冷たく、冬は外気温より暖かい性質を持っている。深さ10m以深の地中温度は季節によらず年中一定である。ここでは建物が地中に埋まる深さを変化させ、それぞれのモデルの室温に対してどれだけ地中の恒温性の影響があるのかシミュレーションで比較検討する。分析の結果、地下に埋まれば埋まるほど温度は安定するが、完全に地下にせずとも地中の恒温性の恩恵は十分に得られることが分かる。半地下というモデルではこの恩恵を受けつつ、通気や光を取り入れる開口を設けることもできる。

トップライト
1.5m×1.5m
建物
5m×5m×3.2m
深さを変化
地面
初期温度
18℃
Wind=1.0m/s

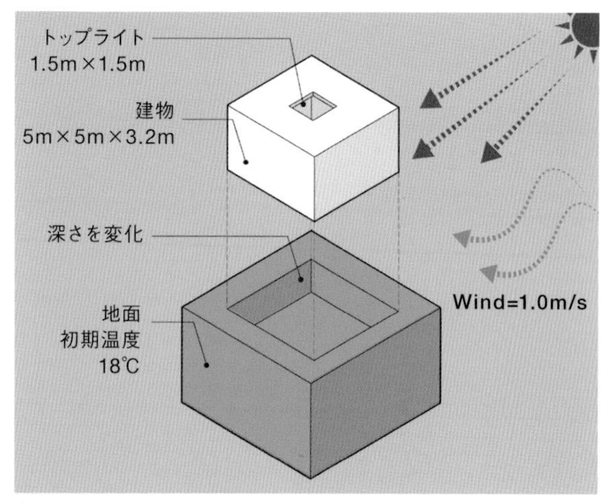

〈FlowDesignerにより検証〉
東京の8月1日の気温を参考に1日分の経時解析

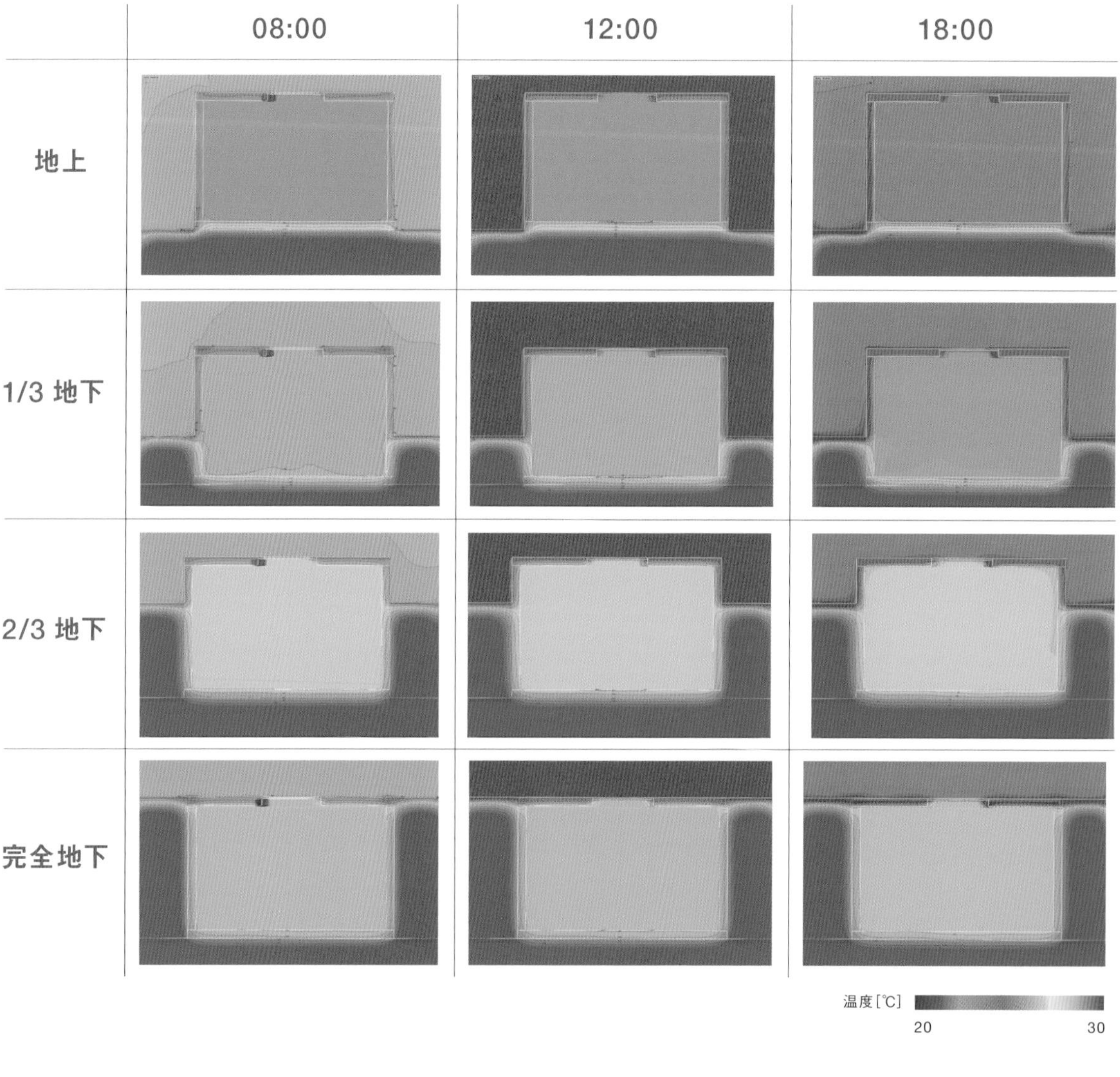

08:00
12:00
18:00
地上
1/3 地下
2/3 地下
完全地下
温度[℃]
20
30

07

樹木と共存する

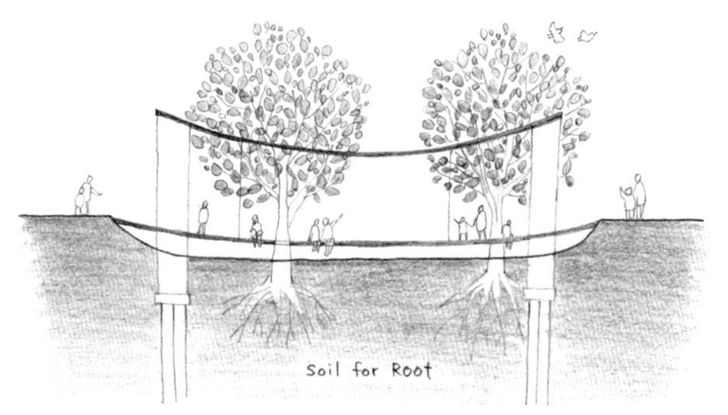

樹木は、太古の昔から人類と共生してきた。そのため私たちは、樹木のそばで暮らすことにある種の快適性を感じ、安心感を持つ。樹木は、夏に葉を茂らせてその下に日陰をつくり、冬には落葉して陽射しを取り込むことで、そばにいる人に快適な温熱環境をもたらす。これは樹木が人のためを考えてそうしているのではなく、樹木自体がエネルギーを得るために身につけた変化が、結果的に人にとって快適な温熱環境をつくっているというお互いにwin-winな関係となっているのが興味深い。

この共生する関係を持続するために、樹木にとっての快適性も考えてあげる必要がある。樹木にとって必要な自然光を確保し、根を広げるための大地を設け、必要な水分を与え、十分な風通しを確保する、など。樹木のためにも快適で、人のためにも快適な環境を同時にデザインすることが、樹木を活かした環境建築のポイントになる。

07 樹木と共存する①

九州芸文館アネックス1

Hammock Gallery

福岡県筑後市／2013年4月竣工（日本設計と共同設計）

ハンモックのように浮かせ、木漏れ日の環境を享受する

有明海に流れ込む矢部川流域の公園内に建つ小さなギャラリー。建設にあたり寄贈された、たくさんの楠の巨木と共存するような建物を考えた。まず敷地の外周に巨木を配置して、それらの樹木を避けるように屋根と床を挿入した。木の合間を縫うよう伸びた建物の床は、周囲とシームレスにつながった通路となっており、わずかに撓んだスロープ状の通路を先に進むと、ギャラリー内部へと辿り着く。周囲の大きな楠と、床と同様に撓んだ屋根によって日光は緩やかに遮られ、人々はその中でゆっくりと作品を鑑賞したり、休憩したりする。また、床の外周部分はちょうど縁側のようになっており、腰掛けると、人々の視線は自然に周囲の樹木へと向かう。

また、樹木に寄り添った建物は、環境的にも、木陰と通風により涼しいエネルギーを享受できる。この10mを超える巨樹の根の面積を確保するため、基礎を最小にし、建物を地面から浮かばせた。杭から立ち上がった12本の壁柱より吊り下げられた屋根と床は、150mmの鉄板コンクリートの極薄スラブでできており、重力に従ってカテナリー曲面状にわずかに撓む、合理的で美しい佇まいとなっている。

ハンモックのような構造的な緊張感と浮遊感。森の木漏れ日の中でゆっくりと寝転がって本を読むような、ハンモックの感覚的な快適性を持つ場である。

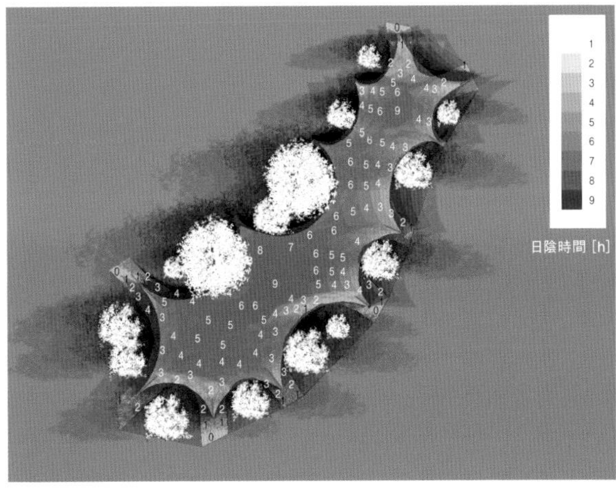

▲夏は木陰によって日射から守られる

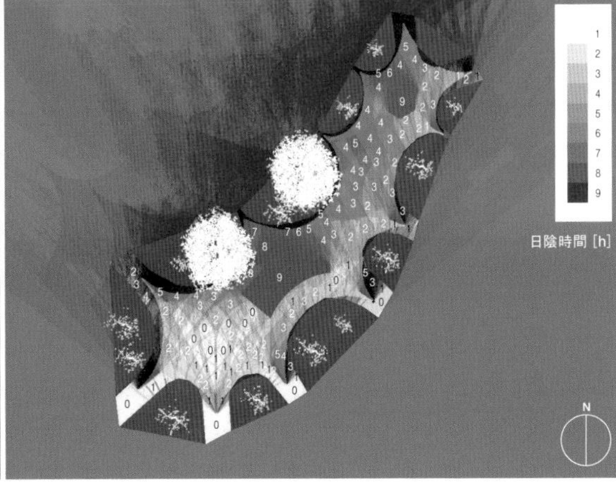

▲冬は西日の方向のみ常緑樹として日射を遮り、それ以外の方向からの日射を取り入れる

POINT

自然のリズムを活かす、落葉樹／常緑樹の配置

樹木の恩恵を受けるために、方位に合わせた樹種の選定が重要となる。建物東側には落葉樹を植えると良い。夏は葉が茂ることで建物全体が日陰に包まれ、強い日射エネルギーを防ぎ涼しい場となる。冬は落葉するため暖かい日射を取り入れることができる。一方で、建物西側には常緑樹を植えることによって、強い西日を遮る。季節や時間の移り変わり、自然のリズムと共存した室内環境となっている。

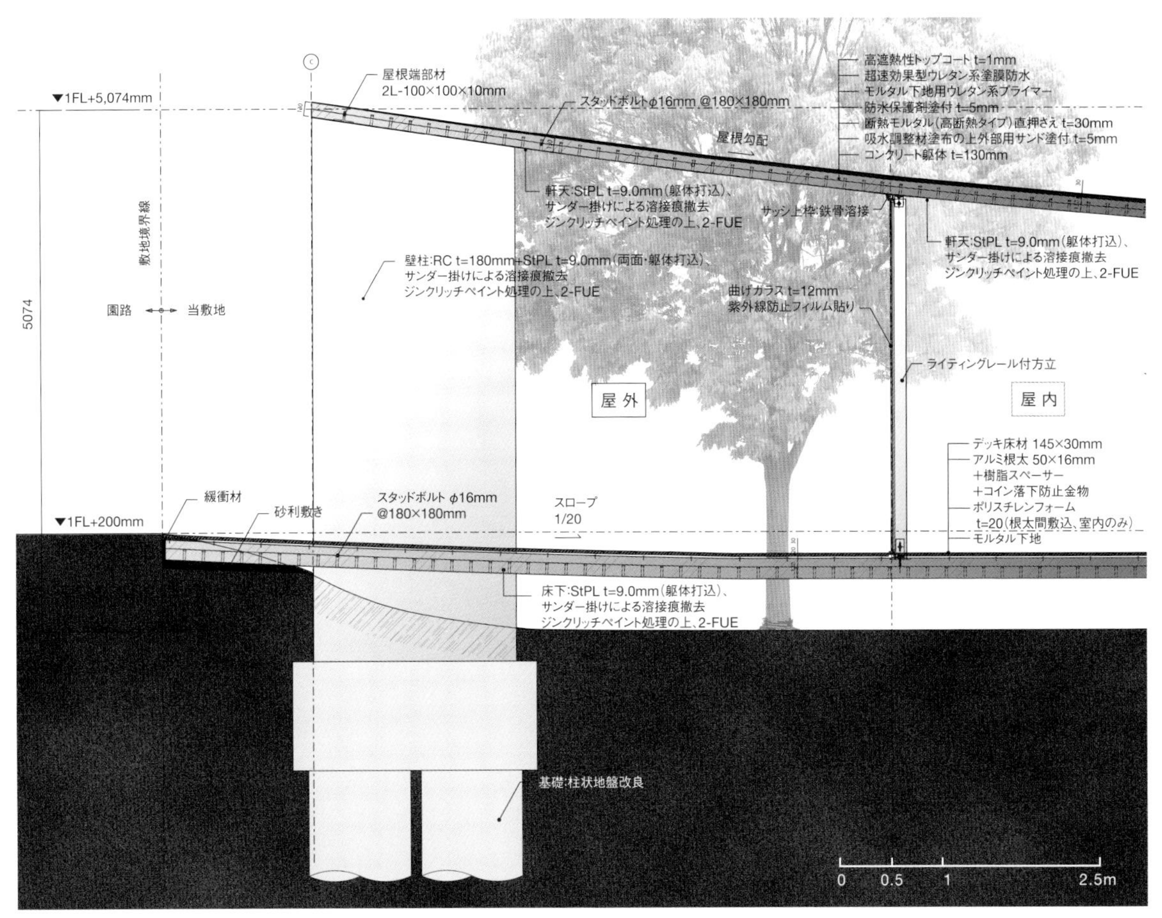

▼1FL+5,074mm
屋根端部材
2L-100×100×10mm
スタッドボルトφ16mm @180×180mm
屋根勾配
高遮熱性トップコート t=1mm
超速効果型ウレタン系塗膜防水
モルタル下地用ウレタン系プライマー
防水保護剤塗付 t=5mm
断熱モルタル（高断熱タイプ）直押さえ t=30mm
吸水調整材塗布の上外部用サンド塗付 t=5mm
コンクリート躯体 t=130mm
軒天：StPL t=9.0mm（躯体打込）、
サンダー掛けによる溶接痕撤去
ジンクリッチペイント処理の上、2-FUE
サッシ上枠：鉄骨溶接
軒天：StPL t=9.0mm（躯体打込）、
サンダー掛けによる溶接痕撤去
ジンクリッチペイント処理の上、2-FUE
敷地境界線
壁柱：RC t=180mm+StPL t=9.0mm（両面・躯体打込）、
サンダー掛けによる溶接痕撤去
ジンクリッチペイント処理の上、2-FUE
5074
園路　当敷地
曲げガラス t=12mm
紫外線防止フィルム貼り
ライティングレール付方立
屋外
屋内
デッキ床材 145×30mm
アルミ根太 50×16mm
+樹脂スペーサー
+コイン落下防止金物
ポリスチレンフォーム
t=20（根太間敷込、室内のみ）
モルタル下地
緩衝材
砂利敷き
スタッドボルト φ16mm
@180×180mm
スロープ
1/20
▼1FL+200mm
床下：StPL t=9.0mm（躯体打込）、
サンダー掛けによる溶接痕撤去
ジンクリッチペイント処理の上、2-FUE
基礎：柱状地盤改良
0　0.5　1　2.5m

▲断面詳細図

07 樹木と共存する②

百佑オフィス By-Yu Office

台湾 高雄市／2022年8月竣工予定（RHTAAと共同設計）

樹齢100年の巨木と共生するオフィス

日本よりも暑い台湾・高雄市の小さなオフィスビルのプロジェクト。敷地の中央に立つ樹齢100年のマンゴーの木を残しながら、その周りに建物を建てるという計画である。私たちは、現地でドローンを用いてこの高齢の樹木を3Dスキャニングし、ツリーレーダーで根の地中分布を調査し、さらには樹木医に健康状態を診断してもらいながら、正確に現状を把握して設計を進めた。このプロジェクトでは、人と自然の両面からの合理性を同時に考える必要がある。1つはオフィスを使う人がどのように樹木の陰などの恩恵を受けながら快適に過ごせるのか、もう1つはこの樹木自体が、建物が建った後もこれまでと同じように健康でいられるのか。主語を人にしたり、樹木にしたりと入れ替えながら、両者にとっての快適な環境のあり方を検討した。

そこで、オフィスの日射環境をシミュレーションすると同時に、樹木自体が受ける日射環境もシミュレーションした。建物のボリューム形状によって日射がどのくらい減ってしまうのかを計算し、樹木の育成に必要な日射量を下回らないように検討を重ねて庇の出やスラブの形状を決定している。樹木にとっての快適な環境を保持することで、樹木の恩恵を受け続けることができる、自然との持続的な共生関係を考えたプロジェクトである。

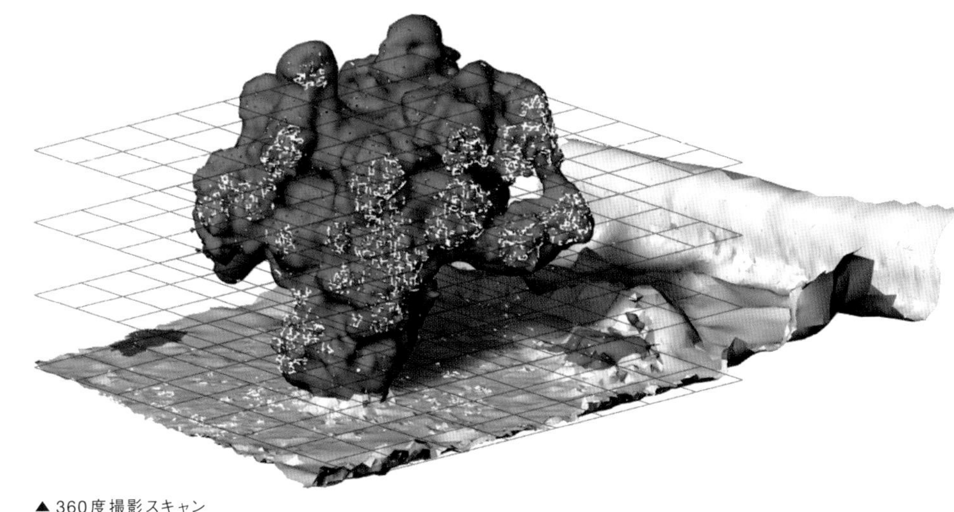

▲ 360度撮影スキャン

▲ドローン スキャン風景

▲樹木スキャン

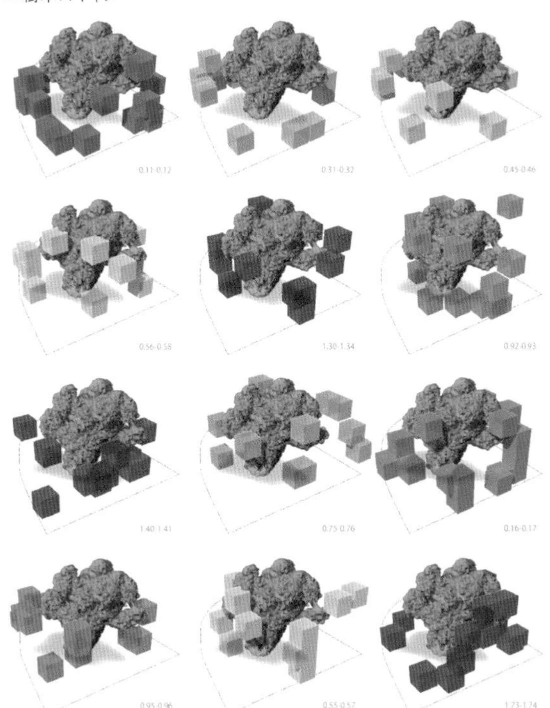

▲ブロックスタディ。樹木の周りの日照／日陰ポテンシャルのリサーチ

POINT

樹木の周りの環境ポテンシャルを視覚化する

暑い地域では、自然と木陰に人が集まっているように、樹木の周囲には見えない環境ポテンシャルが存在する。これらをあぶり出すことで、計画に反映することがポイントとなる。ここでは、樹木の周辺の日射環境・日陰環境の立体的なポテンシャル分布をシミュレーションし、季節や時間に応じて、樹木の周辺にどのように快適さが分布しているのかを把握している。左下の日照／日陰ポテンシャル図で赤に近い色は日射が良く当たる場所、青に近い色は日陰になる場所である。この辺りは陰に包まれて涼しく執務空間に適しているとか、この辺りは日当たりが良くてリフレッシュスペースに適しているといった、樹木によって生まれる立体的なムラをあぶり出している。

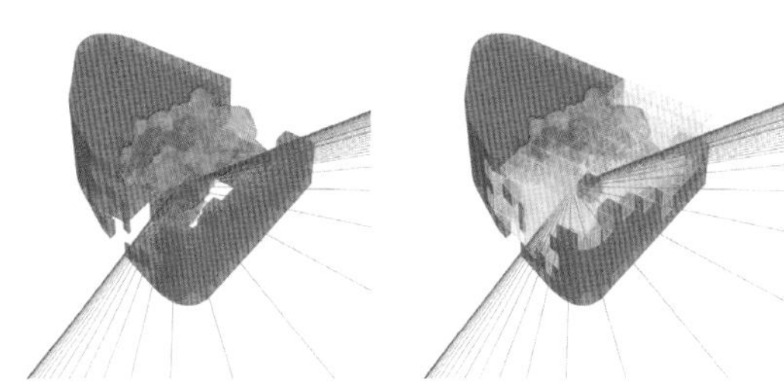

▲樹木の中心と太陽を結び、交差するボリュームを削り取る

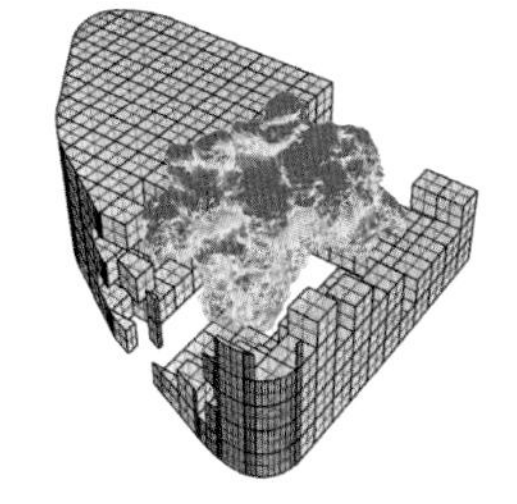

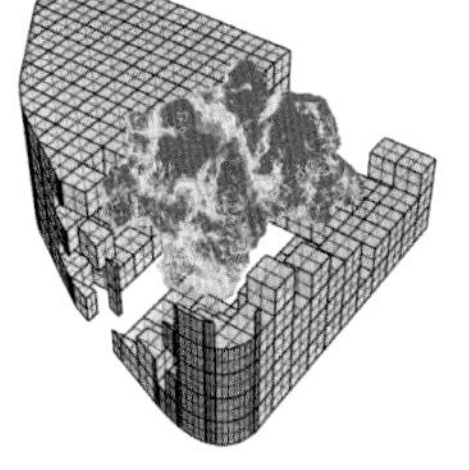

▲日射解析 左：夏（8/23）右：冬（12/22）

0　1.5　3kwh/㎡

07 樹木と共存する／先進事例紹介

Dancing trees, Singing birds

──林の中に溶け込むツリーハウス的な住空間

▲敷地東から建物を見る。樹木の枝の間を縫うようにボリュームが凸凹している

▲林に張り出した書斎

▲木を避けるようにして配置されたボリュームの内部

設計者：中村拓志＆NAP 建築設計事務所　所在地：東京都　竣工年月：2007年 8月
構造：鉄筋コンクリート造、一部鉄骨造　敷地面積：770.02m²　建築面積：424.25m²　延床面積：692.78m²

窓から入る日射を人工的なルーバーなどで遮蔽しようとしても、動く太陽に対して最適な形状をつくり出すことは困難であるが、樹木の葉は、夏に茂り、冬に落ち、季節に合った最適な解答を導いてくれる。ここで紹介する集合住宅・Dancing trees, Singing birdsは、既存の樹木群を正確に立体測量し、その樹木を傷めないように配慮しながら、できる限り建築と樹木を近づけることを実現した好例である。そこには快適な日射環境だけでなく、自然と溶け合う特別な空間が生まれている。

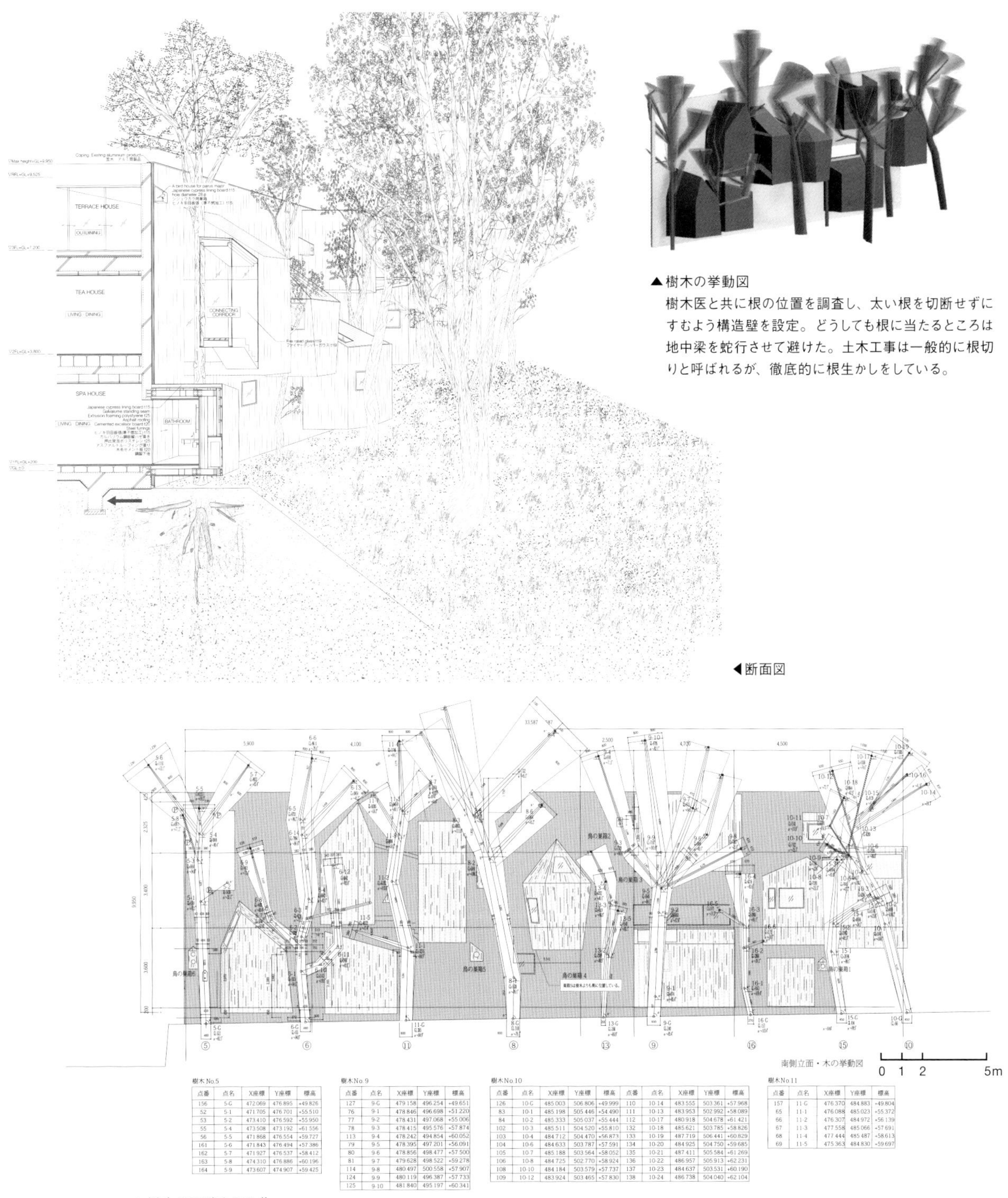

▲樹木の挙動図
樹木医と共に根の位置を調査し、太い根を切断せずにすむよう構造壁を設定。どうしても根に当たるところは地中梁を蛇行させて避けた。土木工事は一般的に根切りと呼ばれるが、徹底的に根生かしをしている。

◀断面図

樹木No.5

点番	点名	X座標	Y座標	標高
156	5-G	472.069	476.895	+49.826
52	5-1	471.705	476.701	+55.510
53	5-2	473.410	476.592	+55.950
55	5-4	473.508	473.192	+61.556
56	5-5	471.868	476.554	+59.727
161	5-6	471.843	476.494	+57.386
162	5-7	471.927	476.537	+58.412
163	5-8	474.310	476.886	+60.196
164	5-9	473.607	474.907	+59.425

樹木No.9

点番	点名	X座標	Y座標	標高
127	9-G	479.158	496.254	+49.651
76	9-1	478.846	496.698	+51.220
77	9-2	478.431	497.068	+55.006
78	9-3	478.415	495.576	+57.874
113	9-4	478.242	494.854	+60.052
79	9-5	478.395	497.201	+56.091
80	9-6	478.856	498.477	+57.500
81	9-7	479.628	498.522	+59.278
114	9-8	480.497	500.558	+57.907
124	9-9	480.119	496.387	+57.733
125	9-10	481.840	495.197	+60.341

樹木No.10

点番	点名	X座標	Y座標	標高	点番	点名	X座標	Y座標	標高
126	10-G	485.003	506.806	+49.999	110	10-14	483.555	503.361	+57.968
83	10-1	485.198	505.446	+54.490	111	10-13	483.953	502.992	+58.089
84	10-2	485.333	505.037	+55.444	112	10-17	480.918	504.678	+61.421
102	10-3	485.511	504.520	+55.810	132	10-18	485.621	503.785	+58.826
103	10-4	484.712	504.470	+56.873	133	10-19	487.719	506.441	+60.829
104	10-6	484.633	503.787	+57.591	134	10-20	484.925	504.750	+59.685
105	10-7	485.188	503.564	+58.052	135	10-21	487.411	505.584	+61.269
106	10-8	484.725	502.770	+58.924	136	10-22	486.957	505.913	+62.231
108	10-10	484.184	503.579	+57.737	137	10-23	484.637	503.531	+60.190
109	10-12	483.924	503.465	+57.830	138	10-24	486.738	504.040	+62.104

樹木No.11

点番	点名	X座標	Y座標	標高
157	11-G	476.370	484.883	+49.804
65	11-1	476.088	485.023	+55.372
66	11-2	476.307	484.972	+56.139
67	11-3	477.558	485.066	+57.691
68	11-4	477.444	485.487	+58.613
69	11-5	475.363	484.830	+59.697

▲樹木の正確な3D化

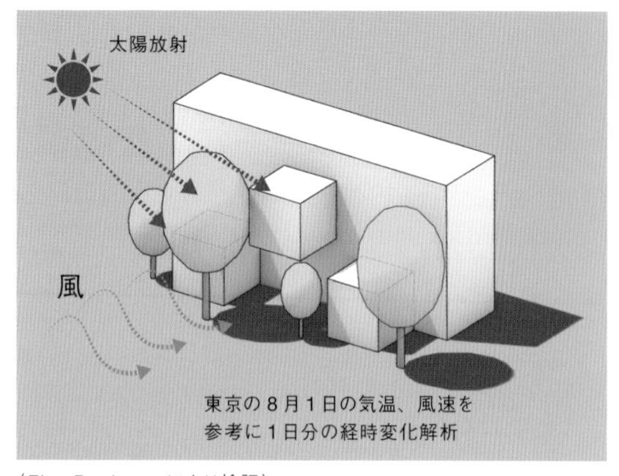

〈FlowDesigner により検証〉

SIMULATION

樹木と隣接することで得られる恩恵

樹木と隣接することで実際にどのような恩恵を受けるのだろうか。ここでは、立体的なボリュームを分散配置し、樹木の有り無しで、夏における建物の表面温度、空気温度、SET* がどのように変化するのかを比較分析した。分析の結果、樹木によって周辺の表面温度・空気温度・SET* が、約３～５度下がっていることが分かる。特に、樹木の陰と建物が一致するところで温度低下が見られる。

樹木なし ⟷ 樹木あり

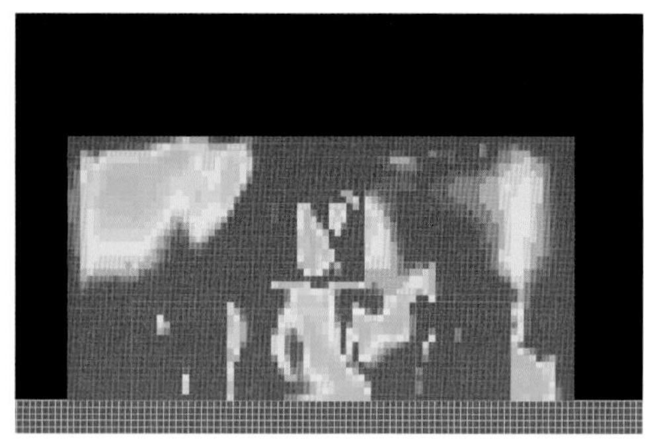

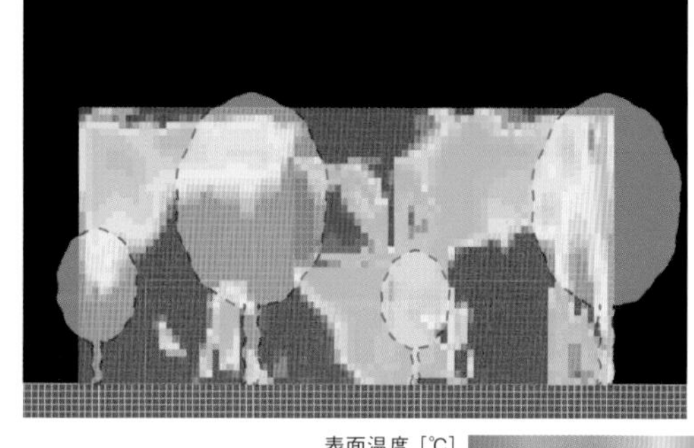

表面温度［℃］ 30 40

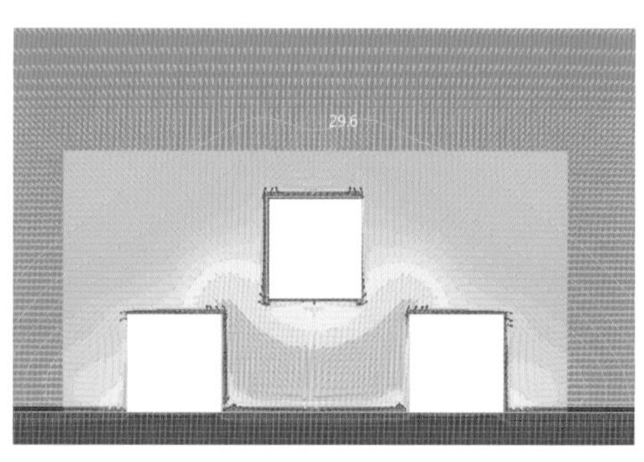

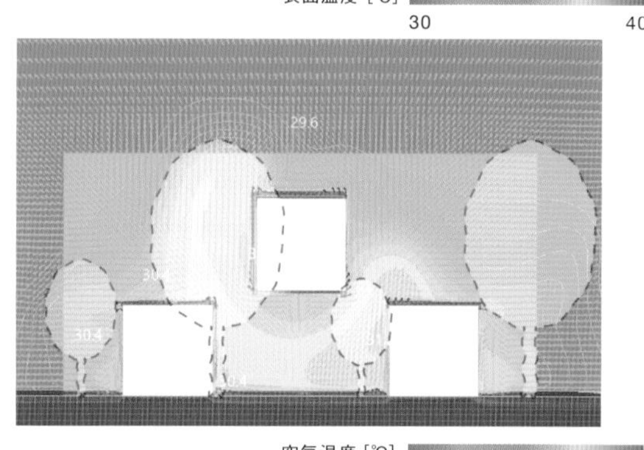

空気温度［℃］ 28 32

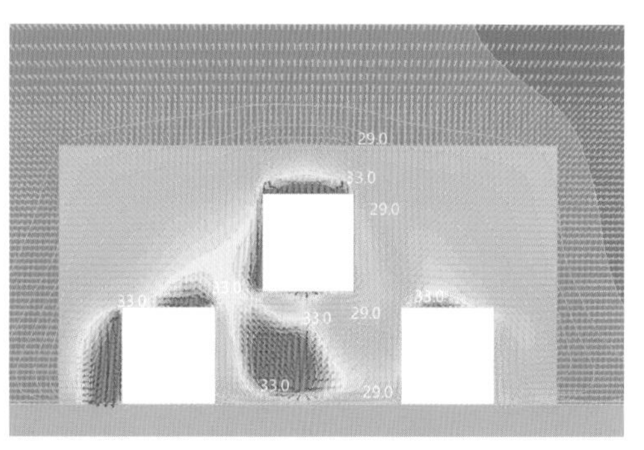

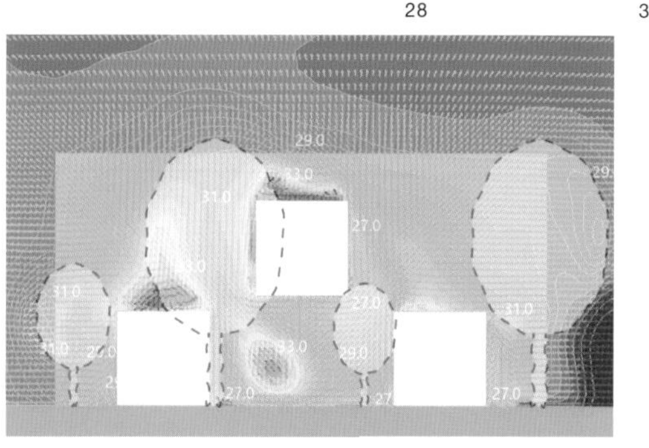

SET*［℃］ 25 30

08

生態系を
ネットワークする

生物多様性が謳われて久しいが、地球上の事物連関は複雑に絡まり合い、そこで生きる多様な生物の相互関係は深く、広いものである。私たちは、人のための快適さや生産性を重視して都市のようなコンクリートジャングルをつくり、そこで密集して暮らしているが、このことが、同時に人以外の生き物にとっての場も定義していることを認識しなければならない。

たとえば、鳥の生活圏を考えてみる。鳥は、自分の飛行距離の中に、自分の好む環境や樹木などがあると、そこを起点に生活圏を広げる習性がある。私たちは建築や都市をデザインする際に、これら複数の主人公のための場所づくりを意識していく必要がある。人を含む生き物全ての生活圏を考えるためには、生き物ごとにどういう快適域を持つのか、その違いを意識することが重要である。快適だと感じる温度帯も異なるし、湿度を好む生物もいれば好まない生物もいる。日向を好むものもいれば、日陰を好むものもいる。

これまで画一的なジェネリックマンをターゲットとして構築されてきた建築計画や環境工学の概念を再考し、多様性をベースにした環境デザインにシフトしていかなければならないだろう。

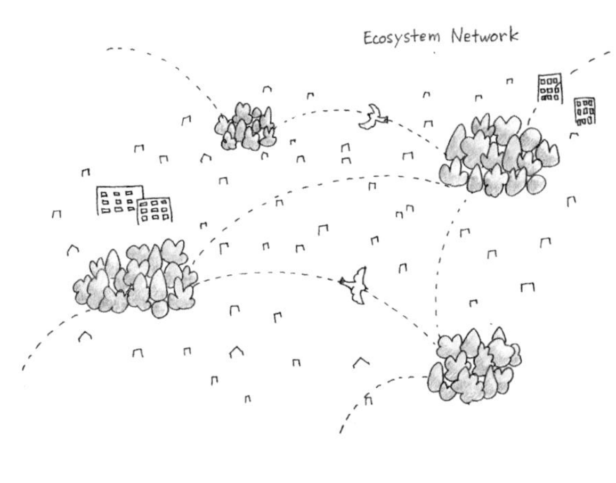

08 生態系をネットワークする

ミドリノオカテラス midori no oka terrace

東京都世田谷区／2020年3月竣工

地域の生態系と住民の生態系を重ね合わせる

都内の住宅地の旗竿敷地に建てられた全10戸のコーポラティブハウスである。2つの鉄道路線の中間帯に位置するこのエリアは、駅前開発から逃れ、緑地や公園が点在している。ここでは、緑地が残るポテンシャルを活かし、「緑と共に暮らす」というビジョンを立ち上げ、緑を一緒に育てながらエココンシャスに暮らすことに共感する住民が集まり、共創することとなった。

旗竿敷地のため、周囲は建物が建て込んでおり、日照や通風を十分に確保するため、上階に行くに従ってセットバックするボリュームとした。また不定形な敷地形状、隣地との目線、日当たりなどを考慮して多角形の平面とし、さらに長屋に必要な屋外階段を建物ボリュームと一体化することで、多様なテラスが重なる丘のような形状となった。階段や踊り場では、自然と住民同士の交流が生まれている。丘状ボリュームに配置された各住戸は、テラスイン型の平面となり、外部環境から内部環境へと連続する住環境となっている。

丘状ボリュームとしたことにより、地盤面から屋上までが連続的につながり、全体が緑化されている。特徴的なのは、小公園のような屋上空間である。共同菜園や、ベンチ、テーブル、アウトドアキッチンなどが備えられた眺望の良い空間は、住民にとっての憩いの場となっている。樹種は、周辺の生態系を調査し、生息する鳥や蝶などが好むものを選定することで、地域の生態系ネットワークに参加し、住民は豊かなグリーンインフラによるサービスを享受できる。また、丘の形状を活かして、雨水を集水し、樹木への潅水やバードバス、水路などの水の循環もデザインしている。地域の生態系と住民の生態系を重ね合わせることでできる持続可能なエコシステムが生まれている。

緑化率：60%
敷地面積 445.05㎡
緑化面積 273.03㎡

低木・生け垣
低木（食用）
低木（食用）
高中木（一般）
高中木（モミジ）
高中木（サクラ）

▲配置図

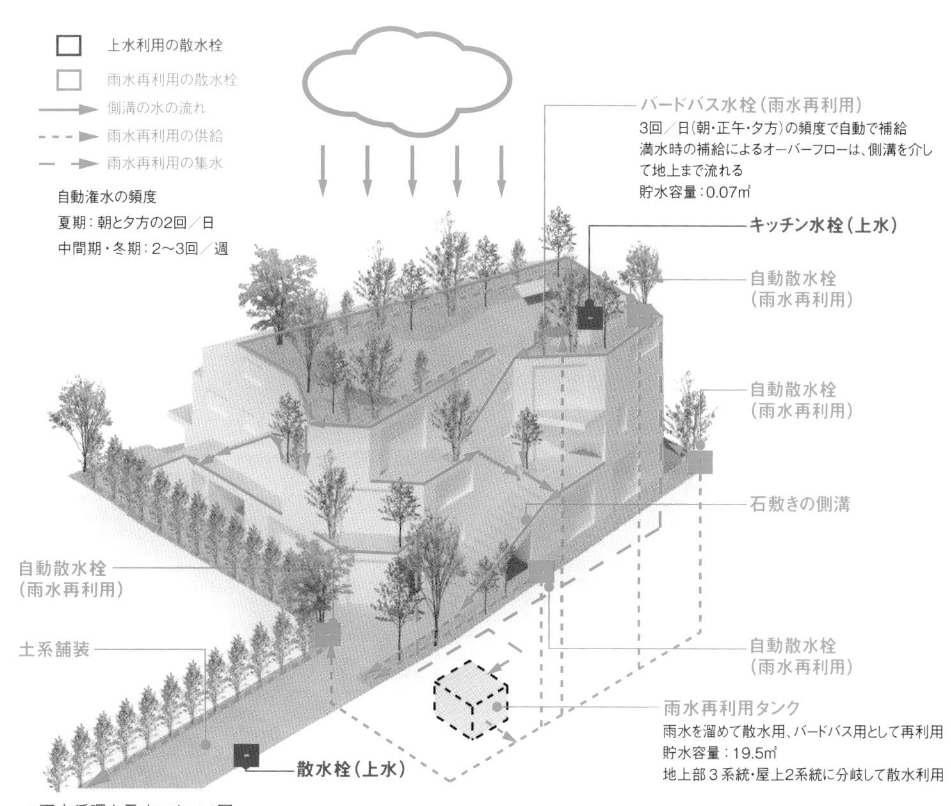

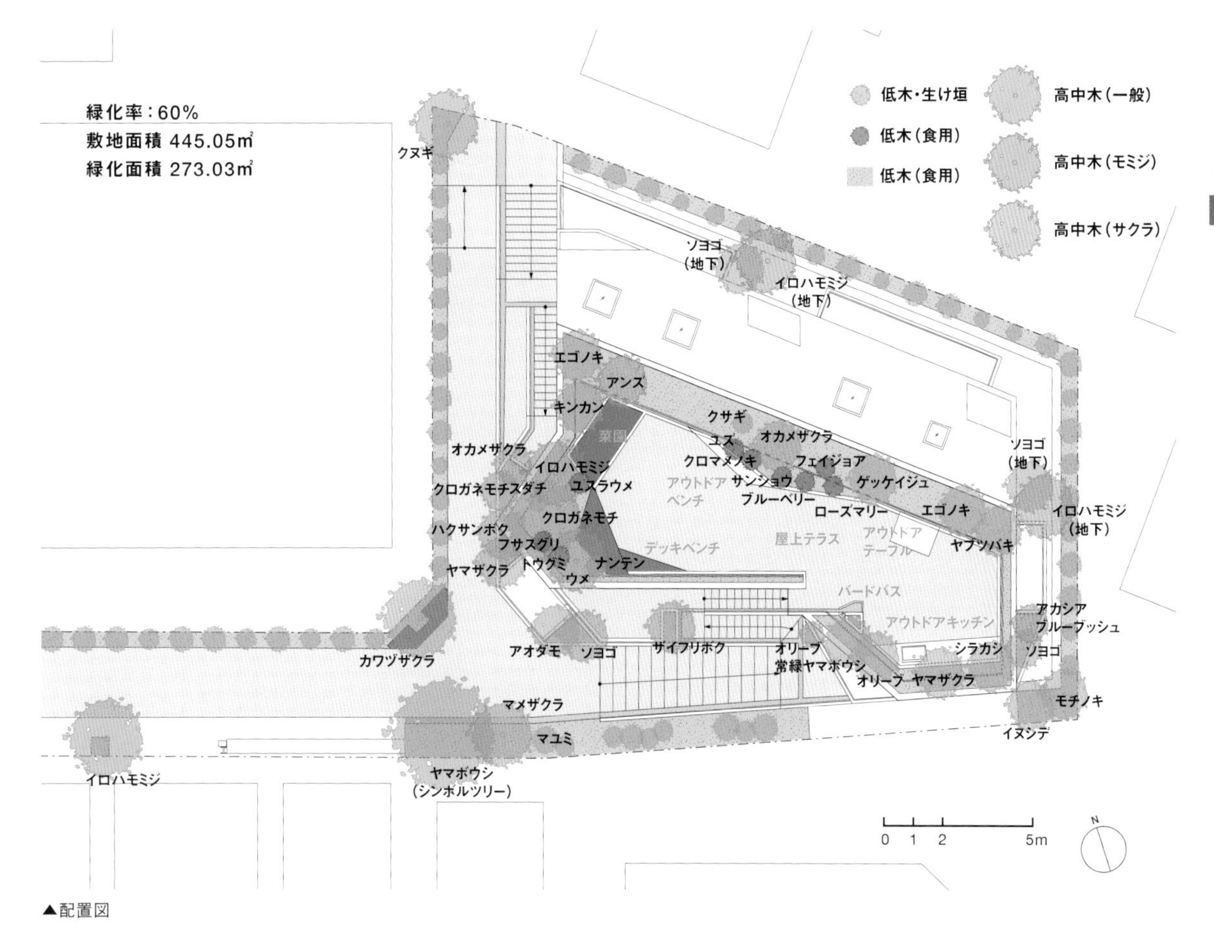

▲雨水循環を示すアクソメ図

POINT 1

雨水を循環した湿潤な土壌をつくる

夏の木陰をつくり、生き物を集めるといった緑の恩恵を受けるには、日当たりと湿潤な土壌が必要になるため、それを考慮した建物の外観デザインを考えることが重要である。ここでは、丘状に段々とセットバックした形状を活かして、屋根に降った水を集めるようになっている。地下の雨水タンクに降った雨水を貯め、ポンプアップして循環することで、晴天時の緑の潅水に利用している。オーバーフローする分の水は、屋上のサブタンクに貯められ、家庭菜園への水遣りやバードバスへの水供給、階段脇の側溝水路の水景などにも利用され、建物全体の水循環に寄与している。また、外部の床の仕上げは、保水機能のある土系舗装とすることで、夏の建物の冷却効果をもたらしている。

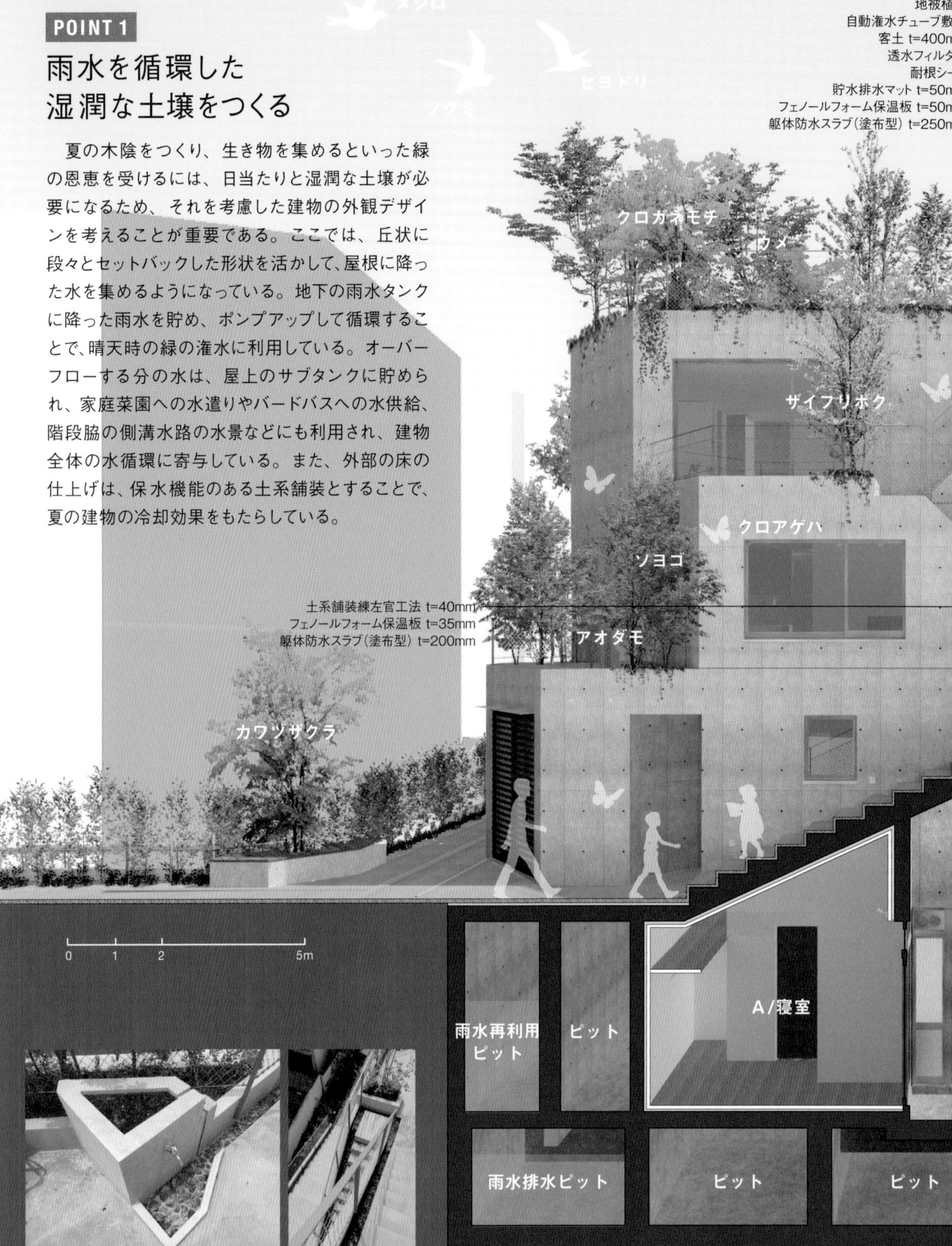

▲左：バードバス　右：階段

▲断面図

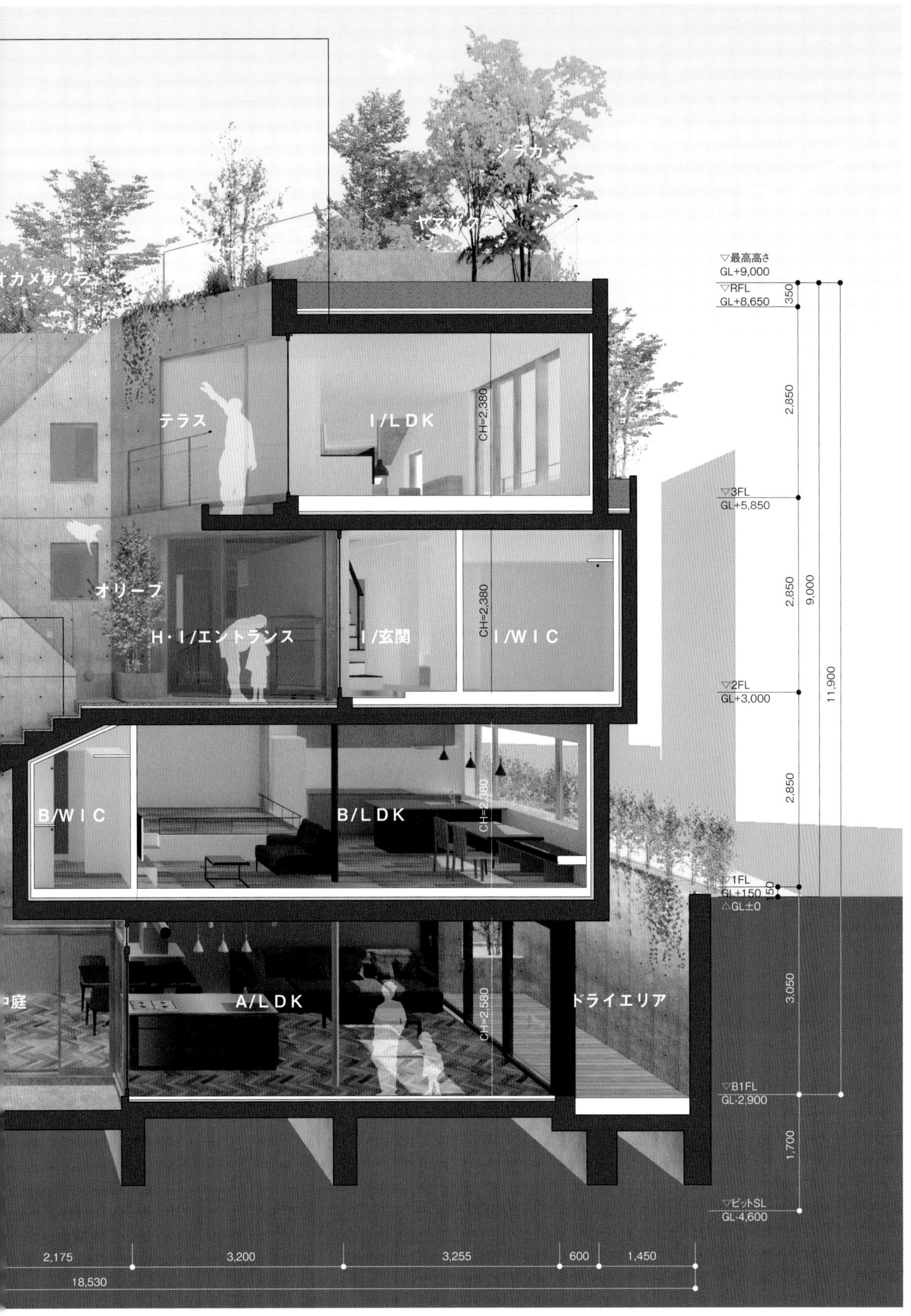
シラカシ
ヤマザクラ
オカメザクラ
テラス
I/LDK
CH=2,380
オリーブ
H・I/エントランス
I/玄関
I/WIC
B/WIC
B/LDK
中庭
A/LDK
CH=2,580
ドライエリア
▽最高高さ
GL+9,000
▽RFL
GL+8,650
▽3FL
GL+5,850
▽2FL
GL+3,000
▽1FL
GL+150
△GL±0
▽B1FL
GL-2,900
▽ピットSL
GL-4,600
350
2,850
2,850
2,850
150
3,050
1,700
9,000
11,900
2,175
3,200
3,255
600
1,450
18,530

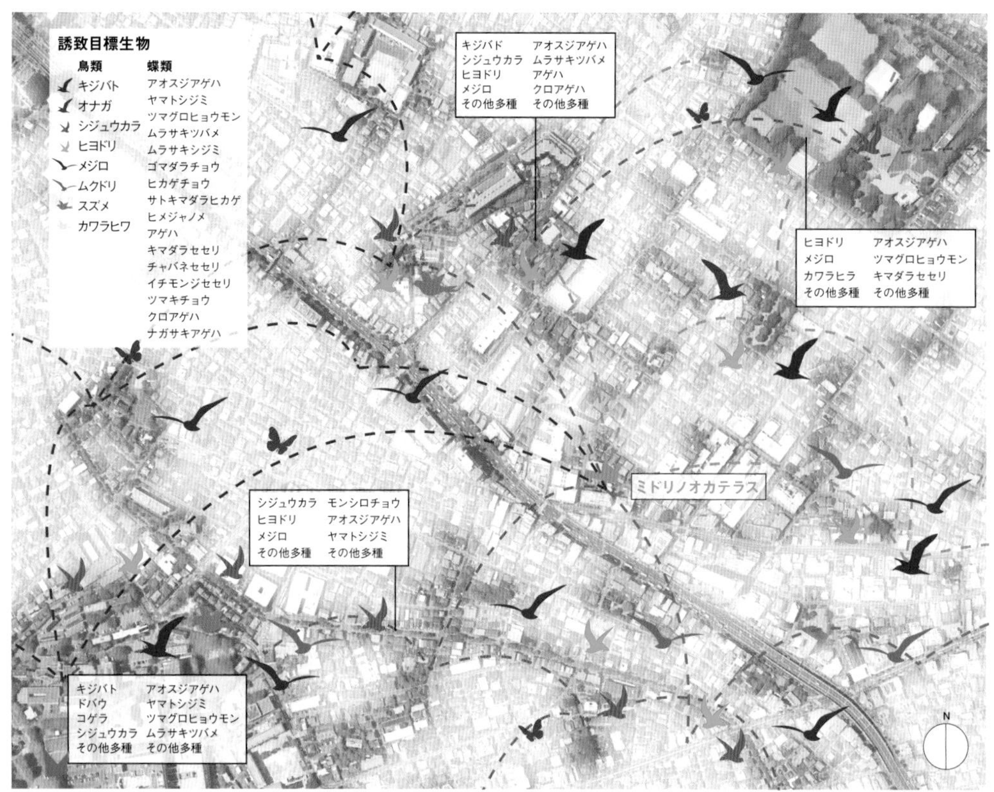

▲広域配置図・生態系ネットワーク図

野鳥	コゲラ	アカゲラ	アオゲラ	モズ	ヤマガラ	カケス	シジュウカラ	ヒヨドリ	エナガ	メジロ	ヒレンジャク	ムクドリ	コムクドリ	シロハラ	アカハラ	ツグミ	ルリビタキ	ジョウビタキ	オナガ	ツバメ	植栽
都市鳥				○			○	○		○		○							○	○	—
アケビ	○		○	○	○	○	○	○	○	○		○				○					○
イチイ（キャラボク）		○	○	○	○	○		○	○	○	○	○		○	○	○					○
エゴノキ				○	○	○	○	○		○						○			○		○
ガマズミ			○	○		○		○		○	○	○			○	○		○			○
キヅタ				○		○	○	○		○	○	○		○	○	○		○			○
コマユミ	○						○	○	○	○		○			○	○		○			○
ツルウメモドキ	○			○		○		○		○	○	○			○	○		○	○		○
ナナカマド	○	○	○	○		○		○			○	○		○	○	○	○	○			○
ノイバラ		○	○					○		○	○	○	○	○	○	○	○	○			○
ヒサカキ			○	○		○	○	○		○	○	○		○	○	○	○	○	○		○
ムラサキシキブ	○		○		○			○		○		○		○	○	○	○	○	○		○
ヤマザクラ		○	○		○			○		○		○				○					○
クサギ					○		○	○		○		○	○		○	○		○			○
サンショウ							○	○		○			○				○	○			○
ネズミモチ								○		○		○		○	○	○		○	○		○
ナツハゼ															○	○					○
ナンテン								○											○		○
ニシキギ							○	○		○						○		○			○
マサキ												○		○	○	○		○			○
ヤブコウジ						○										○		○			○
昆虫							○	○		○						○		○		○	○
	草地									樹林											—
昆虫	トノサマバッタ	オンブバッタ	マダラスズ	ハラオカメコオロギ	コミスジ	アゲハ	ツマキチョウ	モンシロチョウ	モンキチョウ	クロアゲハ	ルリシジミ	エゾミドリシジミ	オオミドリシジミ	ヒメジャノメ	ベニシジミ	カブトムシ	コクワガタ				—
イネ科	○													○							○
シバ	○																				○
チガヤ	○																				○
ススキ	○																				○
オオバコ		○																			○
ヨモギ		○																			○
サンショウ						○				○											○
アブラナ科							○	○													○
シロツメクサ									○												○
小型動物																					○
腐植																					○
コナラ												○	○			○	○				○
タデ科											○										○
ミカン科						○					○										○
マメ科					○				○		○										○
雑食			○	○																	○
ギシギシ属															○						○

▲生物と植栽の関係表（樹林性の昆虫は誘致が難しいと思われるため参考資料）

POINT 2

地域の生態系に接続するための樹種選定

敷地は都市化が進む中で緑地率が高く保たれたエリアに位置しており、広い生態系ネットワークが形成されている。このような環境において生態系を最大限活かすためには、敷地周辺の都市公園や緑道、街路樹の樹種の調査、生物の生息状況、文献調査など多角的な生態系調査を踏まえた樹種選定が重要となる。

鳥の飛行距離や生物同士の相性も考慮して、メジロ、ツグミ、シジュウカラなどの10種類の鳥類と、クロアゲハやアオスジアゲハなど多様な蝶類を竣工後2〜3年の誘致目標として植栽計画を行った。生物にとっての移動の中継地点となり、さらには生息拠点となるように計画している。実際に竣工後には、鳥や蝶々などが来ており、住戸の前のジューンベリーの木の実を見ると、木の上の方を鳥が、下の方を住民の子どもたちが食べていた。

▲ 3階のテラスから西側アプローチ方向を見る

▲屋上ガーデンに上がる外部階段

▲屋上ガーデン

Oasia Hotel Downtown

――グリーンシティの生態系の巣となるホテル

▲スカイテラスと赤いアルミファサードで垂直方向に緑が延びる。緑化面積は敷地面積に対して1100%である

▲1階部分。ファサードの緑化にはぶどうが使われている

▲スカイテラス

設計者：WOHA　所在地：シンガポール　竣工年：2016年
建築面積：2,311.4m²　延床面積：19,416m²

建築は都市空間に存在する一つの点に過ぎないが、その点が結ばれることによって生態系ネットワークがつながる可能性を持っている。ここで紹介するOasia Hotel Downtownは、Green Cityを標榜するシンガポールのシンボルであり、50種類以上の植栽を纏い、その気候の中で生存競争させることによって、その土地に最適な緑化建築を実現している。都市のグリーンと建築のグリーンが接続されることで、地域の生態系の巣となっており、鳥のさえずりで目覚める特別な体験を宿泊者に提供している。

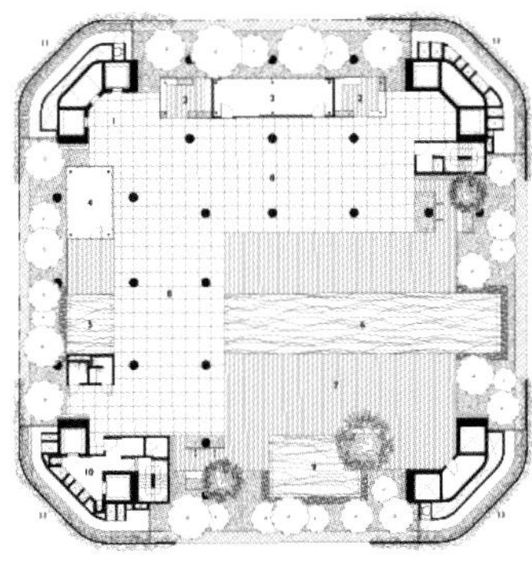

▲6階スカイテラス平面図

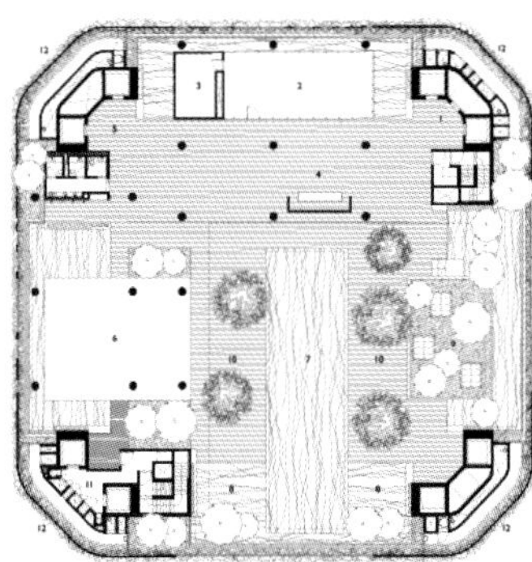
▲21階スカイテラス平面図

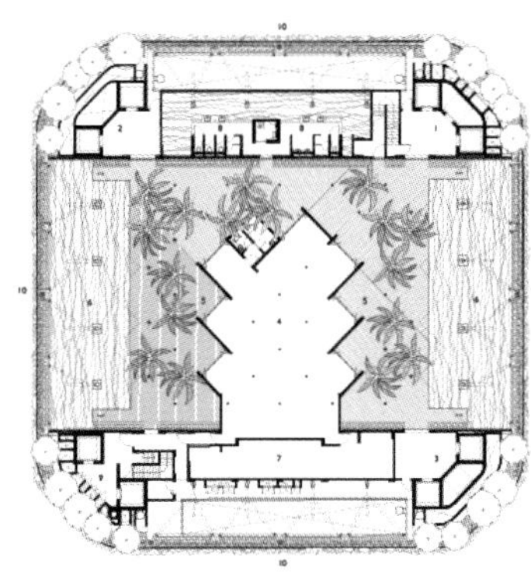
▲27階スカイテラス平面図

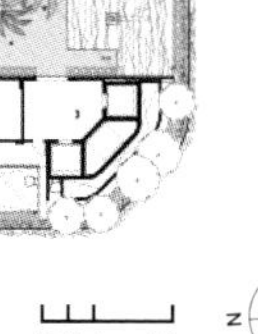

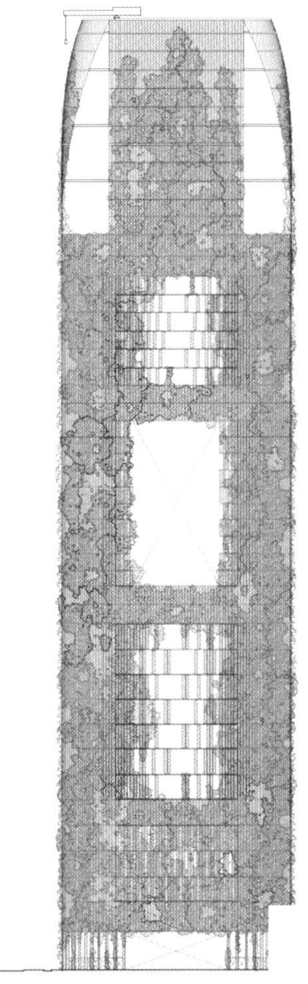
▲立面図

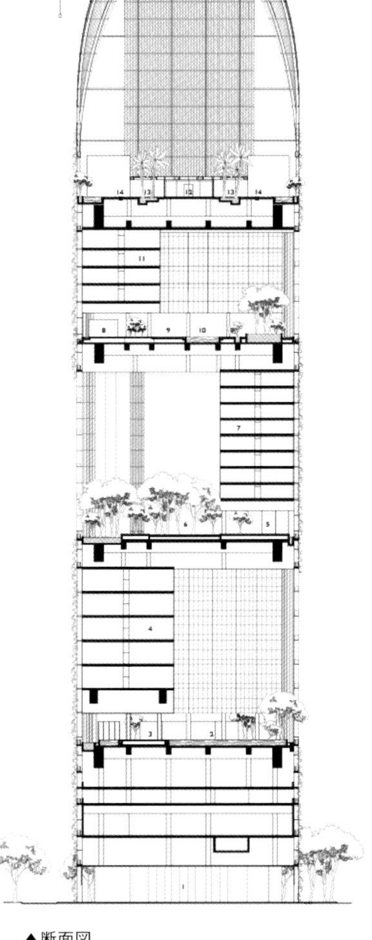
▲断面図

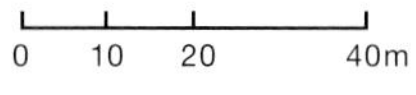

SIMULATION

都市の生態系ネットワークの可視化

建物の緑化が生態系ネットワークのハブとして上手く機能するためには、都市全体での緑化によるネットワークの構築が必要である。そこで都市の緑地率の高いシンガポールを対象地として、生態系ネットワークのリサーチを行った。半径1kmの航空写真をグリッドに分割し、そのグリッド内に占める緑地の面積が50%以上になるものを生き物が生息する場所として有効とした。その有効なグリッドの各中心から生き物の移動距離を半径とした円を描き、円同士が交わる場合は中心を線で結んだ。このリサーチはあくまで概算的なものだが、こうしてマッピングしていくことで、人とは違う視点での都市の姿が見えてくる。

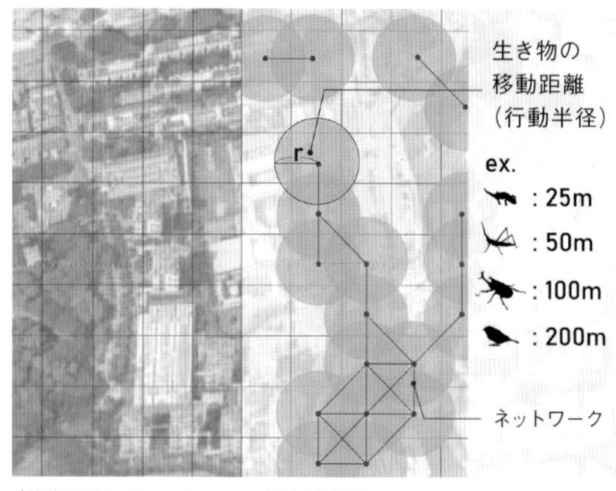

〈航空写真とGrasshopperにより検証〉

生き物ごとの行動範囲

赤：移動距離　緑：生息範囲　r[m]：生き物の行動半径

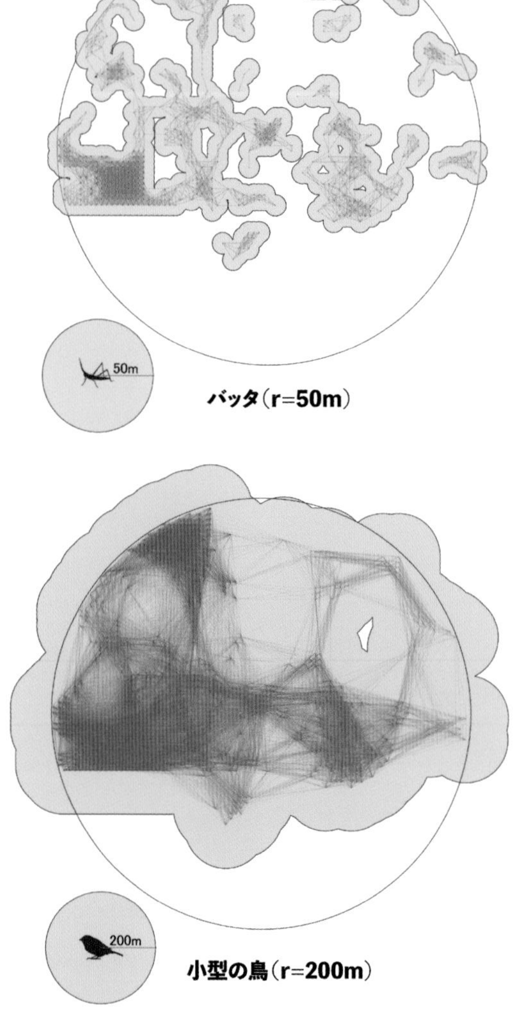

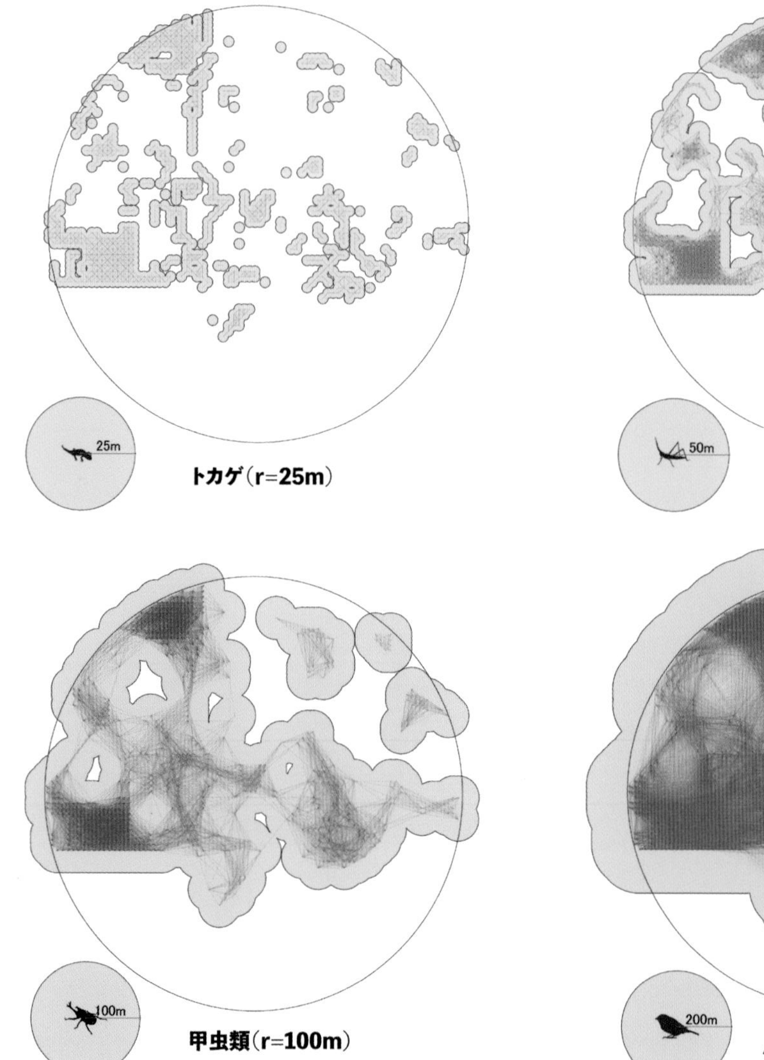

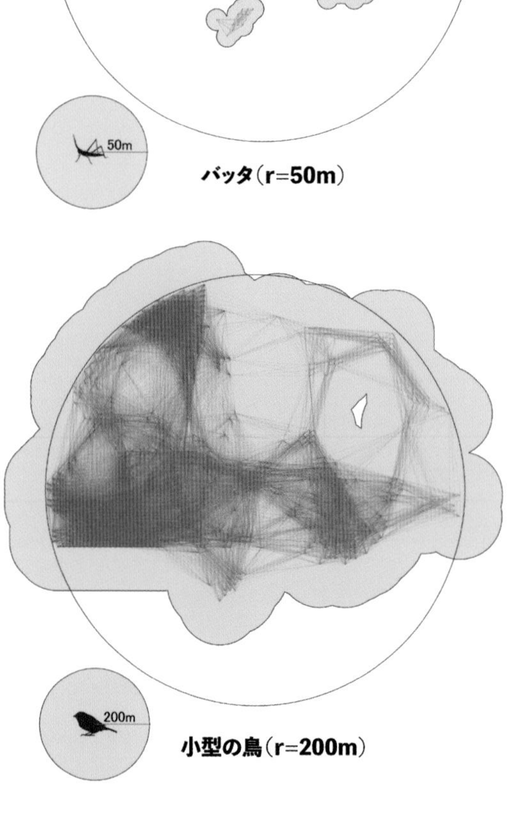

インタビュー③

シンガポールのグリーンシティ政策と環境建築

WOHA（シンガポール）

▲WOHA 設計のホテル「パークロイヤル・オン・ピッカリング」

▲WOHA（左：Hassell 氏、右：Wong 氏）

シンガポールを代表する建築家であるWOHA（ウーハ）は、シンガポール型グリーンビルディングの伝道師でもある。彼らは、自らの事務所でも植栽を育成・研究しながら建築デザインを実現している。資本の力が強い国の中でいかに経済と環境のデザインを両立させているのか、その思想を伺った。　（2017年5月10日、シンガポールにて収録）

PROFILE　WOHA：Wong Mun Summ（1962～）と Richard Hassell（1966～）により 1994 年に設立された、シンガポールを拠点とする建築設計事務所。同国のほか、オーストラリア、中国、南アジア各国でのプロジェクトを手がける。2007 年アガ・カーン建築賞受賞。代表作に「オアシアホテル・ダウンタウン」（2016）、「パークロイヤル・オン・ピッカリング」（2013）など。

シンガポールの都市計画と建築

末光：サステナブルデザインの展望、特に興味深い作品について、いくつかインタビューをしたいと思います。昨日はオアシアホテル［→p.102］に、今日はパークロイヤル・オン・ピッカリングに泊まったので、WOHA の建築のコンセプトがよくわかりました。日本の状況では、国の都市計画と建築家の発想との関係性が今では完全に分離していますが、シンガポールでは、URA（シンガポール都市再開発庁）のビジョンが、建築家のアイデアにも直結していることに驚いています。WOHA の思想は、シンガポールの緑化と密接な関係にあると思います。その点が面白いですね。このように、自分のデザインがシンガポールの都市計画に貢献しているように感じる場面はありますか？

Hassell：そうですね、設計を通じて受動的に貢献するというより、URA には理事会があり、以前は Wong が理事会に参加していました。また、私も現在、諮問委員を務めています。私はプロジェクトをレビューして批評する委員団の一員なのです。URAは建築家たちに、委員団の一員にならないかと誘いを持ちかけます。URAと建築家の間にはかなり良好な関係が築けていると思います。

末光:そうなのですね。例えば、まだ発展途上にあるマリーナベイサウスプロジェクトに関してもアドバイスしているのでしょうか?

Hassell:マリーナベイサウス地域は、Future Cities LabとSUTD(シンガポール工科設計大学)によって研究されています。私たちはそのプロジェクトをテーマにして、SUTDの学生のためにスタジオを開いています。大学側がURAをスタジオに招待したのです。

末光:では、学生たちは実現する都市プロジェクトに取り組んでいるということですか?

Hassell:もちろん、学生の作業はそれほど洗練されているわけではありませんが、学生の提案には尖った計画がいくつかあります。学生の計画案を見ると、私たちは、その地域にとってもっと面白いものを提案する恐怖を少し減らせると思います。

末光:学生プロジェクトが空想に留まっている日本のシステムとはまったく異なります。

Hassell:シンガポールの学生プロジェクトもある意味ファンタジーです。ただもう少し実際の地域に基づいています。例えばマリーナベイエリアの計画を行った際には、100%自給自足でなければならないと学生たちに要求しました。学生たちは国民の食物、水、発電をまかなう計画を考えないといけません。これは、今のところ全く現実的ではありません。しかし、学生プロジェクトを通して思想を取り入れることで、URAの中に良いデザインの種を蒔くことができるのです。

▲パークロイヤル・オン・ピッカリングの客室

末光:それは良いですね。学生でさえ、国家戦略レベルのプロジェクトや批評に多少関わっているんですね。学生にとっても素晴らしいシステムですね。こういったものは日本にはありません。

Hassell:実際、日本の建築を見ると、どういうわけか建築として興味深いものも、社会的にはあまり意味がないように見えます。非常に詩的で、小さいものですが、なぜか難しい問題に対処していません。

末光:オアシアホテルに泊まったときは、プール付きの21階スカイガーデンクラブエリアがとても気に入りました。そこから、パークロイヤル・オン・ピッカリングはもちろん、都心の公園や街を見ました。都市計画のおかげでこのプロジェクトが可能なのだと感じました。つまり、あなたのアイデアと都市計画家のアイデアとのつながりがあるわけです。都市計画家がいなければ、建築家だけのアイデアは孤立し、きれいな景観は生まれません。両者が関与しているからこそ、可能なのですね。

Hassell:おっしゃる通りですね。オアシアからは、スカイガーデンを備えた公営住宅プロジェクトである「ピナクル・アット・ダクストン」も見ることができます。これはシンガポールの建築家、ARC Studioによる作品です。ピナクルとオアシアの両方のスカイガーデンをつなげることはできないか時々考えます。

数値は後から考える

末光:個々の建物の設計について話しましょう。通常、日本では、グリーンエコロジカルデザインと言えば、断熱材などの建物の仕様に焦点を当てています。しかし、私がWOHAのグリーンデザインについて非常に興味深いと思うのは、建築の中に作られる屋外スペースです。ホテルのロビーや21階エリアも屋外にあります。自然換気がたくさんあり、とても面白いです。

Hassell:理想的には、グリーンビルディングは性能をどんどん追加してからグリーンビルディングになるのではなく、生活の思索から生まれると思います。屋内から屋外へ多くの居場所を移せるのであれば、エアコンはあまり必要ないので、小さなファンで十分快適です。換気も十分で、良い方法だと思います。LEEDのようなシステムは、屋外スペースの数値があまり良く評価されません。私たちにとって、スコアリングは必要だと思いますが、ポイントは、デザインの後にスコアリングすること。最初からスコアリングを重視しながらデザインすることはできません。

末光：それでも、WOHAは数値もうまくいっていますね。パークロイヤル・オン・ピッカリングはLEEDで優れた数値を獲得しているようです。

Hassell：はい、良い数値でした。しかし私たちの最初のステップは、自然との共存です。数値の獲得は後で考えます。

末光：グリーンビルディングは、時には施主が望んでいるものではないかもしれません。メンテナンスが困難だったり、屋内のほうが好きな施主もいます。施主に説明、説得するための戦略はどのようなものでしょうか？

Hassell：施主にとって非常に役立つものだと説明します。グリーンで覆うことで、追加の利益を得るのと同様な感覚になるように、私たちは努めています。例えば、パークロイヤル・オン・ピッカリングのすべての緑化スペースは、法的には床面積にカウントされません。そして、施主にとって、カクテルパーティーや新製品の発売などの行事に非常に役立つスペースです。なので、緑化スペースを設置することが、メンテナンスの問題が発生するだけではないことをきちんと施主に伝えます。逆に、緑化スペースはお金を稼ぐことができる4000平方メートルの追加のスペースになるのです。緑化することが、前向きな、やりがいのあるものになる方法を考えようとしています。

▲ショップハウス越しにオアシアホテルを見る

自ら工夫を重ねる 植栽のメンテナンス

Hassell：一部の建築家は植物を本当に理解していないと思います。彼らは「ここに緑、そこに緑」とフォトショップを使うように設計します。実際にどのように作用するかを考えていないのです。

末光：WOHAには、植栽専門のスタッフがいないと伺いました。

Hassell：はい（笑）。私自身のオフィスガーデンでも、自分で植栽をメンテナンスします。

末光：すごい（笑）。

Hassell：しかし、それは本当に重要です。実際、植物は建築とは大きく異なります。成長するスピードが、時には非常に速くなり、他のものを妨げないように、毎月間引く必要があります。一方が成長しすぎて、他方は成長しないこともあるので、植物がどのように作用し、どのように世話をする必要があるかを知らなくてはなりません。自分自身でやるほうがうまくいくのです。

末光：日本で開催されたレクチャーで、オアシアホテルでは使う植物を50種中20種に絞り込んだとおっしゃっていたのを覚えています。Hassellさんほど経験豊富な方でも、まだ50種からテストする必要がありますか？

Hassell：正直なところ、私たちはそれほど豊富な経験を持っていません。ごく一部のプロジェクトで経験しただけです。テストするのは面白いですよ。なぜなら、実際どういう結果になるのかよくわからないからです。例えば、ある植物は実をつけて、そしてその実を至るところに落としてしまいました。

末光：なるほど、そういう問題がありますよね。

Hassell：それはパッションフルーツの一種で、観賞用植物でしたが、定期的に実を片付ける必要があり、結局採用しませんでした。

エンジニアとの協働

末光：ランドスケープデザインについては、誰と協働していますか？

Hassell：オアシアの場合、ICNというデザイン会社でした。私たちは国内の造園家数人と協働しています。実は、彼らは建築の問題にあまり関心がないことがわかりました。通常、地上のランドスケープならどれもほぼ同じであり、請負業者が簡単に維持できます。しかし、建物では、アクセスとセキュリティの問題により、はるかに複雑になります。庭師が毎日ホテルの部屋に入り、部屋を汚しながら庭をメンテナンスすることはありえません。私たちは、そういう問題について解決しなければなりません。解決してから彼らが植栽を設計する作業が始まります。

末光：メカニカルエンジニアや設備エンジニアはどうですか？ エアコンや換気などのシステムについてよりよい計画を立てるために、どのような協働をしていますか？

Hassell：設備機器には常に頭を悩まされます。あれは……反イノベーションです。

末光：優秀な国内のエンジニアはあまりいませんか？

Hassell：面白いプロジェクトなら、実際にドイツのミュンヘンにあるTranssolarというチームと協力しています。彼らはコンセプトや思考について優れていますが、それでも難しい場合があります。建築設備請負業者や建築設備エンジニアと一緒に仕事をしなければならないので、いろいろな提案を実現するのはとても難しいのです。彼らがやりたいのは標準装備を設置することだけです。Transsolarと協力して作業しても、標準機器の使用方法などについて話し合いますが、ただしより革新的に実行できるように、別の方法で導入できないかといったことを議論します。

例えば、1つの方法として、空調を再循環させる代わりに、空間を換気する際に、新鮮な空気を入れて、排気は別の部屋に循環させることです。そういう提案なら設備のエンジニアたちもそこまで働く必要がなく、彼らの意欲がなくなってしまうこともないです。設備のエンジニアが簡単にわかるような、空気の循環の計画をうまく行う必要がありますが、それでもエネルギーを節約し、適切な居場所を形成することができます。

末光：なるほど。しかし、国内のエンジニアとは、まだ協力するのが難しいのですね。

▲オアシアホテルのスカイガーデン

Hassell：そうですね。世界中のエンジニアの中でも、快適さをデザインしようとする人はいません。機器を指定しようとしています。スペースの大きさ、太陽の量、「OK、それならどのような機器ですか？」彼らは……あまり考えたくないのです。「エンジニア」と呼ぶべきではないですね。おそらく「選定者」と呼ぶべきです（笑）。

アジアの気候に合わせた、開放による最適化

末光：次の質問は、アジアの気候についてです。特にシンガポールの気候は特別ですが、WOHAの建築を除くほぼすべてのシンガポールの建物は、欧米の建築のように、ガラスカーテンウォールのファサードで覆われています。この気候のために最適化された新しい建物の類型は非常に重要だと思いますが、どう考えますか？

Hassell：当初から私たちは、気候に合わせて適切に構築する方法に常に興味を持っていました。シンガポールは、決して快適ではないので、ある意味では面白い気候です。いつも暑すぎます。つまり、2つしか方法がありません。1つは、部屋を外気と遮断する。ハイスペックボックス（エアコン+ガラス）を作り、密閉します。もう1つは、私たちがよくやっていることですが、空調を最小限に抑え、循環を最大化することです。そして、快適になるように、植栽または扇風機などの小さな機器を使用します。温度を少し下げて対流速度を上げるだけで、十分快適に過ごせます。

末光：共感します。

Hassell：これは、プロジェクトの最初から計画する必要があるものです。オアシアのように、本当に建築にそよ風を吹き込ませたい場合は、大きな開口部があり、次に複数の小さな開口部があれば、そよ風を取り入れることができます。でもそれは、建物の構成を通して行う必要があるので、最初から考えないといけません。逆に、例えばU字型のような空間を作って、このU字型の中に空気を入れたいといったことは非常に難しいです。形を決めてしまうと、快適にしたくても非常に困難です。これは、何がどのように機能するかを理解したら、必要以上の処置をしなくても、うまくできることです。

末光：昨日はオアシアホテルの21階で約1時間過ごしました。とても快適でした。エアコンは全くありませんか？

Hassell：全くないです。オアシアの場合、L字型のブロックにしたのです。開かれたL字型の形状にすることで、建物に到達するすべての空気はこのL字型を通過する必要があり、このゾーンでは、外のそよ風より3～4倍加速し、涼しくなります。

末光：水の効果でしょうか。昨日は湿度が高かったのですが、21階は快適でした。

Hassell：そのとおりです。Transsolarが言っていたのですが、植物は、空間を美しく見せるだけでなく、水分を蒸発させます。葉の表面の温度はおそらく5度低くなります。人体は熱を放射し、植物は熱を吸収し、涼しく感じさせます。

しかし、冬の風が冷たいでしょうから、東京のような場所ではいつも風がほしいとは限りません。夏には風が望まれますが、それ以外の季節には望まれません。

末光：実際、シンガポールの伝統的なショップハウスでも蒸発によって体感を涼しくするシステムが見られます。

Hassell：はい。確かに昔から人々は、夜は窓を閉め、昼は開けることを知っていました。航海するように、家を操作することができ、人々は本能的に何をすべきかを知っていたのです。そういう本能を、現代の人はだんだん失っています。ガラスのせいです。

もう1つは、街の騒音が大きくなりすぎると、人々は窓を閉めたがるということです。そして、一度窓を閉めると、家を調整することができなくなります。だからこそ、電気自動車や自転車で街が静かになり、人々がもっと窓を開けてくれることを願っています。

末光：それが都市計画と建築のつながりなのですね。騒音とエアコンのため、通常、ホテルは窓を閉めますよね？

Hassell：はい。オアシアの窓も閉鎖されていますが、開いたままにしておくほうがいいでしょう。ホテルはカーペットや物があるからです。シンガポールでは、カーペットが濡れてしまうと、かび臭い匂いがすることがあります。

▲WOHAの事務所

匂いも騒音も嫌ですが、実は、日本のように風が強くて気温差がある条件だと、方法があります。Arupで行ったプロジェクトですが、ダクトは3メートル必要なだけで、吸音材を並べれば、外がうるさくても吸音しながら新鮮な空気を取り入れられます。

末光：シンガポールは本当に騒がしいですか？うるさすぎるとは感じませんでした。

Hassell：シンガポールはそれほど悪くはありません。通勤時の騒音はそれほどひどくありませんが、建設、空調、冷却塔があります。これらが騒音の原因なんです。

末光：インドでのプロジェクトはどうですか？ 大気汚染もありそうですが。

Hassell：今私たちがプロジェクトを行っているムンバイは海に近く、割と狭いので、それほど空気は悪くありません。しかし面白いのは、ムンバイでは人々はそもそもエアコンがあまり好きではありません。

末光：なるほど。それは昔のシンガポールに似ていますか？ 人々が良い空気循環についての知識を持っているというのが、私が抱く伝統的なシンガポールについてのイメージです。

Hassell：そうですね。今いるこの建物（インタビューを行ったカフェ）は1947年に建てられた古い建物ですが、植栽で緑被率100%を達成することができました。実は屋根のゼロメンテナンスガーデンで屋上緑化の実験を行っています。

1年以上のタイムラプス写真を撮りました。(写真を見せながら）乾燥しているときも良し、濡れて緑色のときも良しです。これなら私たちが水をあげる必要もありません。

末光：本当に？ 水がいらないというのは、雨だけということですか？

Hassell：雨が降ったら良いだけです。植物の種は、鳥に落としてもらえばいいのです。野生の雑草のように。最初はただ屋根の上に植えるだけ。それで完成です。最初のとき、施主は「いや、いや！散水システムを設置しましょう」と言ったのです。それで私は、このように言いました。「しません！熱波で植物の半分が死んでもかまいません。雨が降ると、とにかく再び成長するからです」。

末光：そうか、雑草だから。

Hassell：はい。でも、野花や季節の花でもあるから、とてもきれいな風景になると思います。

末光：これで温度は下がりますか？

Hassell：はい！とても効果的です。非常に断熱効果もあるし、まるで「エアギャップ」です。

末光：自然空調の街ができそうですね。

Hassell：寒い気候では、フランクフルトでの計画のコンペもやったことがありました。気温はマイナス20度になりました。そのコンペには勝てませんでしたが、園芸の専門家とコラボレートをして、とても楽しかったです。

私たちにとって本当に印象深かったのは、マイナス20度の気温でも、緑化のスキームやアイデアに大した問題はないように思われたことです。地元の植物を使うに限ります。植物は、世界中どこにでもあるわけですからね。

末光：そうか。簡単に考えればいいですね。

▲ WOHAの事務所屋上にある緑の実験育成

09

都市を冷やす

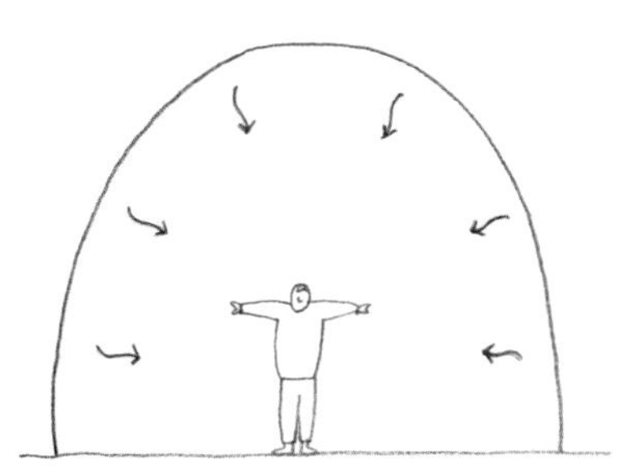

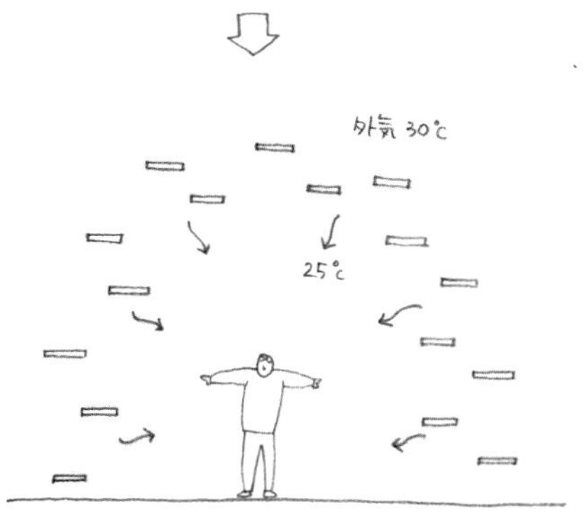

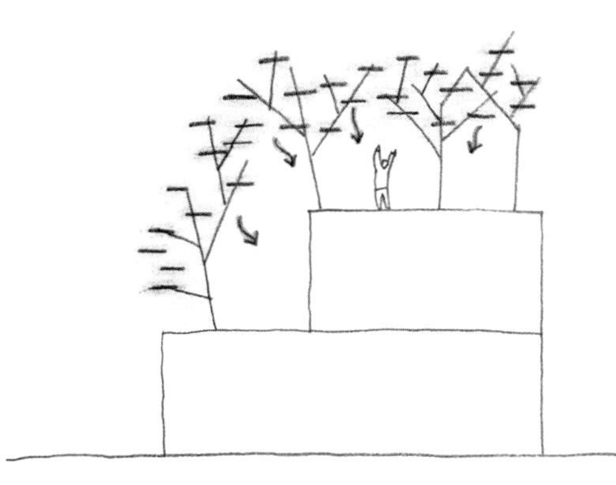

現代の都市はコンクリートジャングルでできており、ヒートアイランド現象に代表されるように、太陽のエネルギーが建物の表面や道路（アスファルト）などに蓄熱され、膨大な熱エネルギーを貯め込んでいる。こういった都市環境の悪化は、人間だけでなく、さまざまな生態系にも影響を及ぼしている。私たちはこれからの都市環境を考える上で、都市を冷却する仕組みを考えていく必要がある。現代の建物の空調システムは、夏には建物内部に涼しいエネルギーを投入する一方で、屋外環境に暖かいエネルギーを捨てている。これらも、ヒートアイランド現象が悪化する要因となっており、建築の内部と外部に関する考え方を再考する必要がある。たとえば、地球上でクールエネルギーを循環させている水や風等をうまく建物のデザインに組み込み、クーリングの方法をデザインしていくことが、内外を連続したものとして捉え直すことになり、結果的に人間の生活圏の環境を改善することにつながっていく。

気をつけなければいけないのは、水の気化冷却などを使ってクーリングを行うときに、湿度の上昇を導くことが懸念されることである。日本をはじめアジアの国々では、湿度による不快感をどう取り除くのかということが大きな命題であり、そういった条件にも配慮しながら、さまざまな工夫で都市を冷やしていく必要がある。

09 都市を冷やす①

レソラ今泉テラス Resola Imaizumi Terrace

福岡県福岡市／2021年1月竣工（日建設計と共同設計）

クールスポットをつくる葉脈のような潅水システム

福岡天神の中心部からほど近く、公園に面した敷地に建つ新しいライフスタイル型ホテル。建物のコンセプトは、“PARK & NEST”。公園（PARK）に開かれた巣（NEST）のような場に、人々が集まってくることを考えた。巣をイメージした公園側の外観には大小さまざまな開口が開けられ、特徴的なファサード越しに内部の活動が顔を出し、都市の新しい風景を創り出している。

ホテルの顔となる公園側の外装は、複雑な幾何学パターンでできており、低層部から徐々に壁面緑化されることで、時間をかけて公園との関係が熟成していく景観となるよう考えている。

緑化の潅水システムと一体になったこのキャストアルミの外装は、葉脈のようにアルミの断面の中に水が循環し、緑と水の効果で都市を冷却する環境装置にもなっている。都市の中のクールスポットとなっている公園に面する敷地において、それに加勢するように壁面緑化の建物をつくることは、ヒートアイランド化する都市の冷却効果を生み出す上で効果的である。都市の温熱環境の改善に貢献することで、この公園に開かれたホテルが、エリアの新しい中心として、地域とともに育っていくことを考えた。

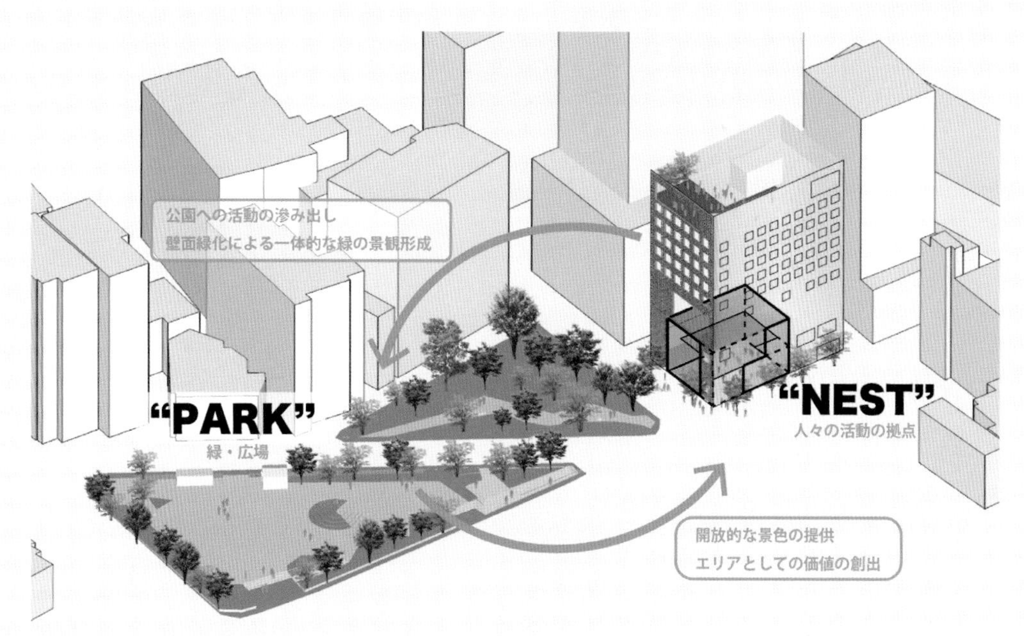

▲建物と公園との関係をつくる：ホテルはパークフレンドリーな外観として壁面緑化し、一体的な緑の景観形成に寄与する。公園はその恩恵で人が集まり、アクティビティが生まれ、ホテルにも人が来る

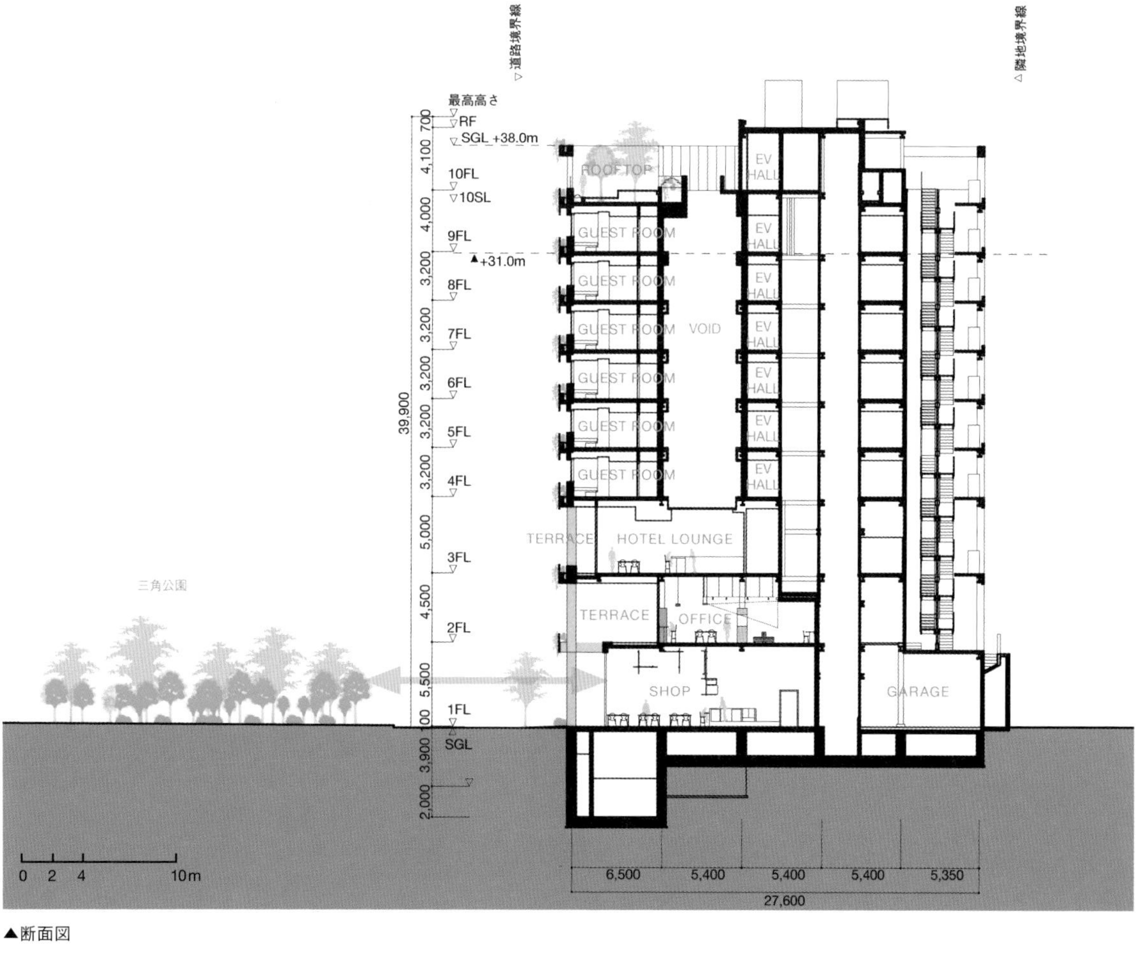

▲断面図

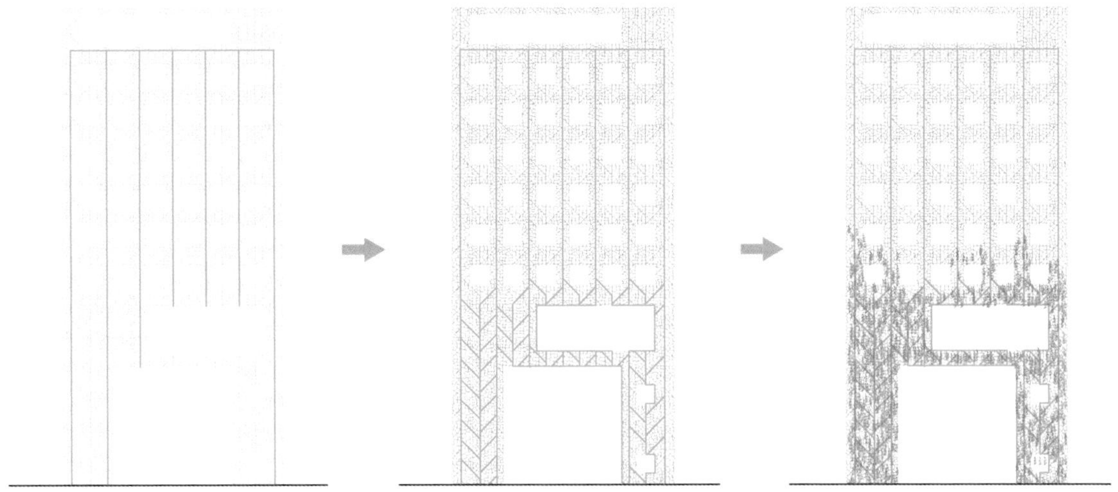

▲水の循環システム

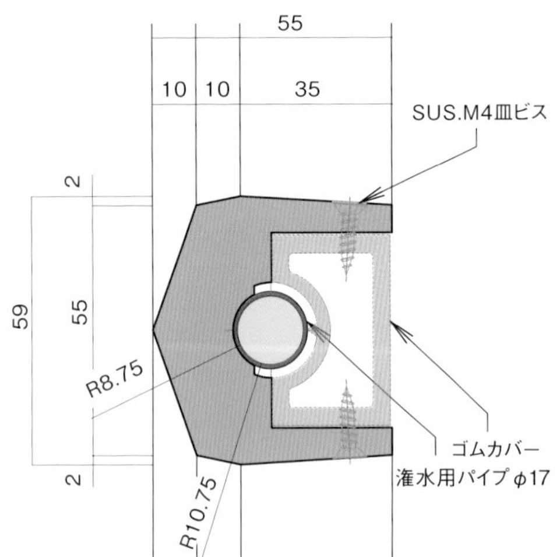

▲主幹断面図

▲キャストアルミ竣工時

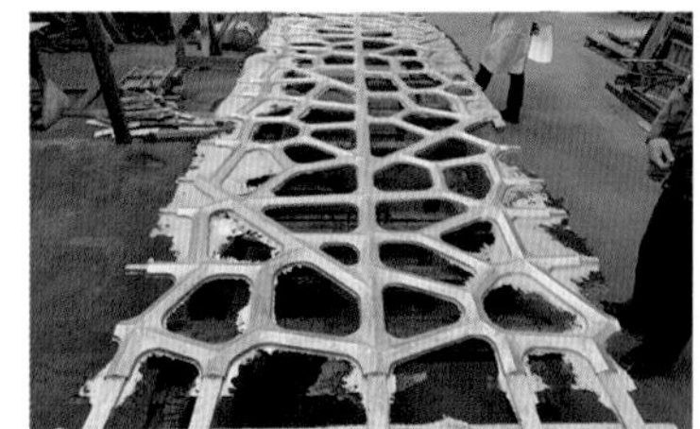

▲キャストアルミ制作過程。木型（雄型）から砂で雌型をつくり、溶かしたアルミを流し込む

POINT

壁面緑化の潅水システムと一体化した金属ファサード

ここでは、植物に潅水する水の配管を一体化したキャストアルミのファサードを設け、その幾何学パターンは植物の成長の最短経路となるとともに、水を供給する葉脈のようにもなっている。潅水パイプを流れる水の温度が、アルミにしっかり伝わるように、ガスケットで裏面から密着固定している。そして潅水の水温はアルミを通して周囲に伝わり、壁面緑化とともに建物の足元空間を冷やすことに貢献している。

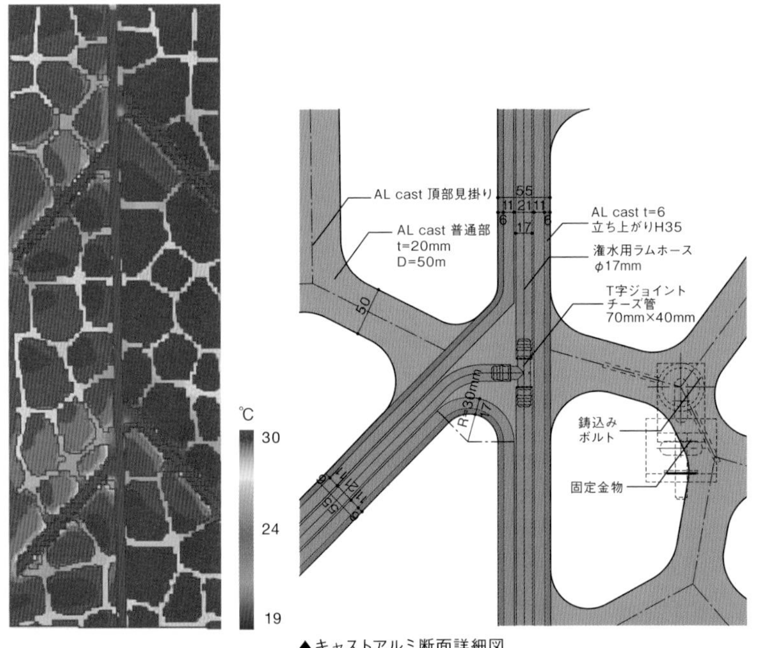

▲キャストアルミ断面詳細図

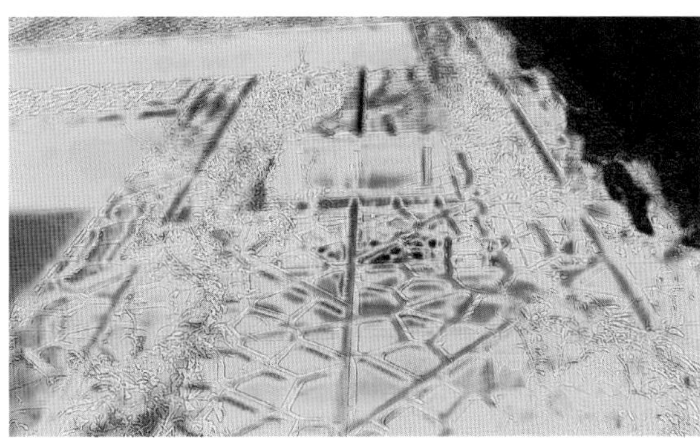

◀サーモカメラによる表面温度の測定。水の流れている部分を中心に冷たくなっているのが分かる。

3,185
4,500
15
▽2FL
3,185
Fの字コーナーガード
15
5,500
Fの字コーナーガード
Tの字コーナーガード
2,942
▽1FL
100
△SGL
1,185　15　1,485　15　1,585
6,050

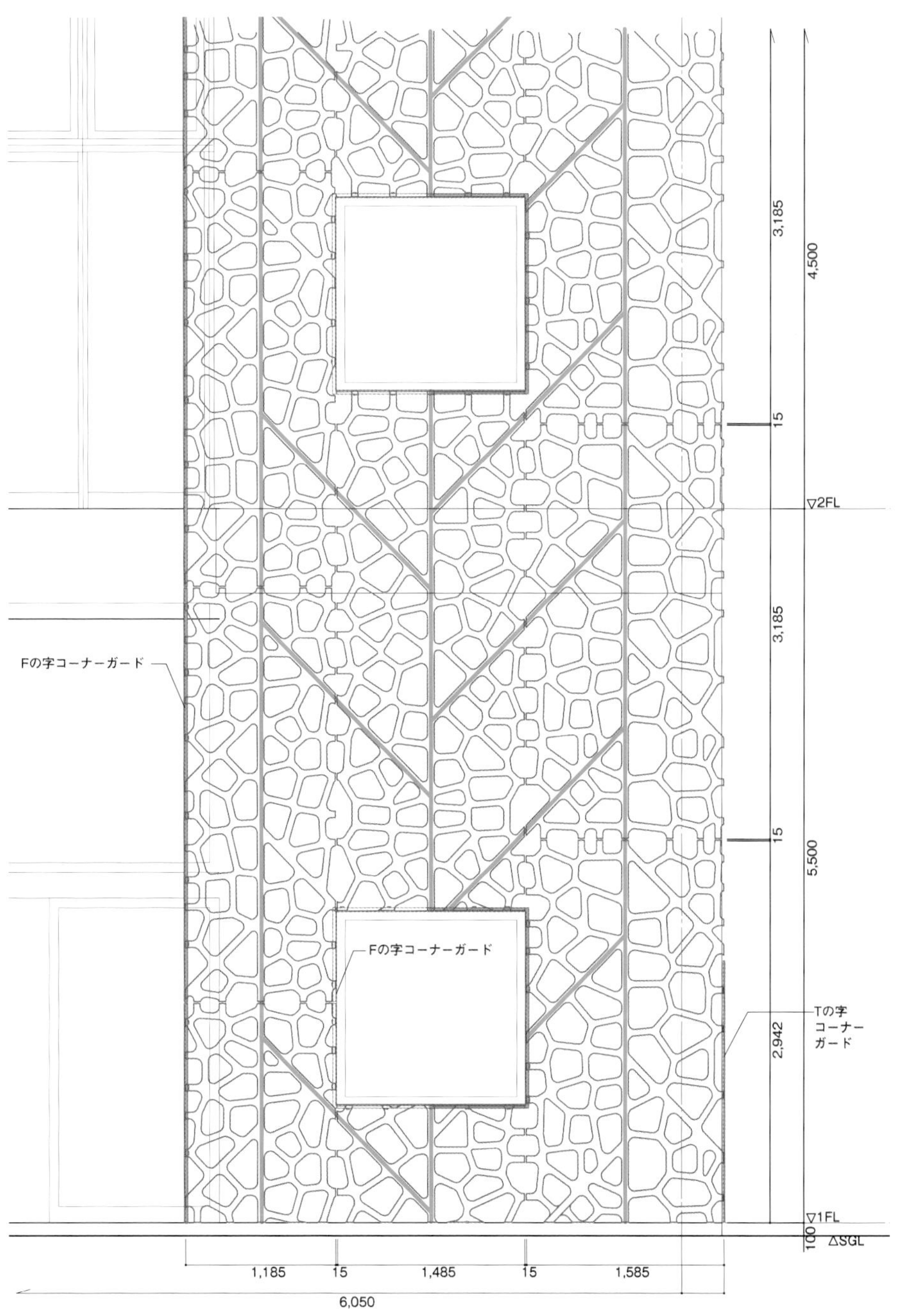

▲5種類の型を組み合わせてつくったキャストアルミのファサード。ボロノイ分割の幾何学でできたパネルは、構造と植栽への潅水ルートを兼ねた主幹と、そこから熱を伝達し、植物の絡む毛細管とに分かれる。

09 都市を冷やす②

葉陰の段床 Hakage

福岡県福岡市／2011年9月竣工

気化冷却の効果で風を冷やす

福岡市の中心部に建つ木造２階建ての住宅。食を中心とした住まいとしたい、という住まい手の要望のもと、ダイニング・キッチンを中心に据え、各階をスキップフロアでつなぐことで広く連続した内部空間を獲得し、それと連続する形で、立体的な大きなテラスを設けた。周辺の高いマンションの視線から柔らかく包み込むように、ルーバーで覆われたこの半屋外の空間では、テラスダイニングや屋上菜園など、内部から生活のシーンが滲み出すようになっている。

このルーバーは、ただ目隠しの機能だけでなく、環境的な装置を兼ねている。セラミックのパネルでできたこのルーバーは、極めて保水性が高く、水を含んだ状態で外部に置いておくと、気化熱によって表面温度が5℃近く下がる。葉っぱの蒸散作用による冷却効果を応用したシステムである。ここでは、200枚を超えるこのパネルを配し、それに水をミスト状に散水することで、自然冷房効果を起こし、気化熱で風を冷却しながら室内に取り込んでいる。日照シミュレーションを組み込んだアルゴリズムによって最適化されたパネル配置は、一見無作為に見えながらも、樹木の葉が上の葉の陰にならないように配されるように、自然の合理性に従った有機的な配列になっている。これによって、葉陰のような涼しさや木漏れ日のような心地良さが生み出されている。

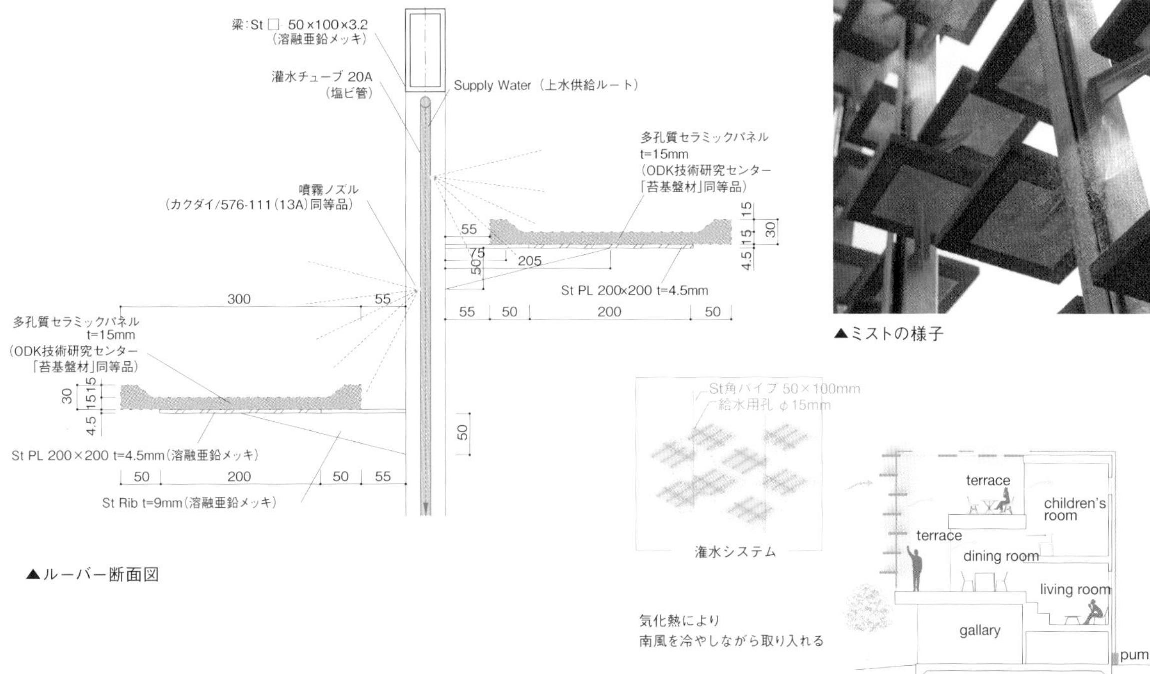

▲ルーバー断面図

▲ミストの様子

▲環境システム図

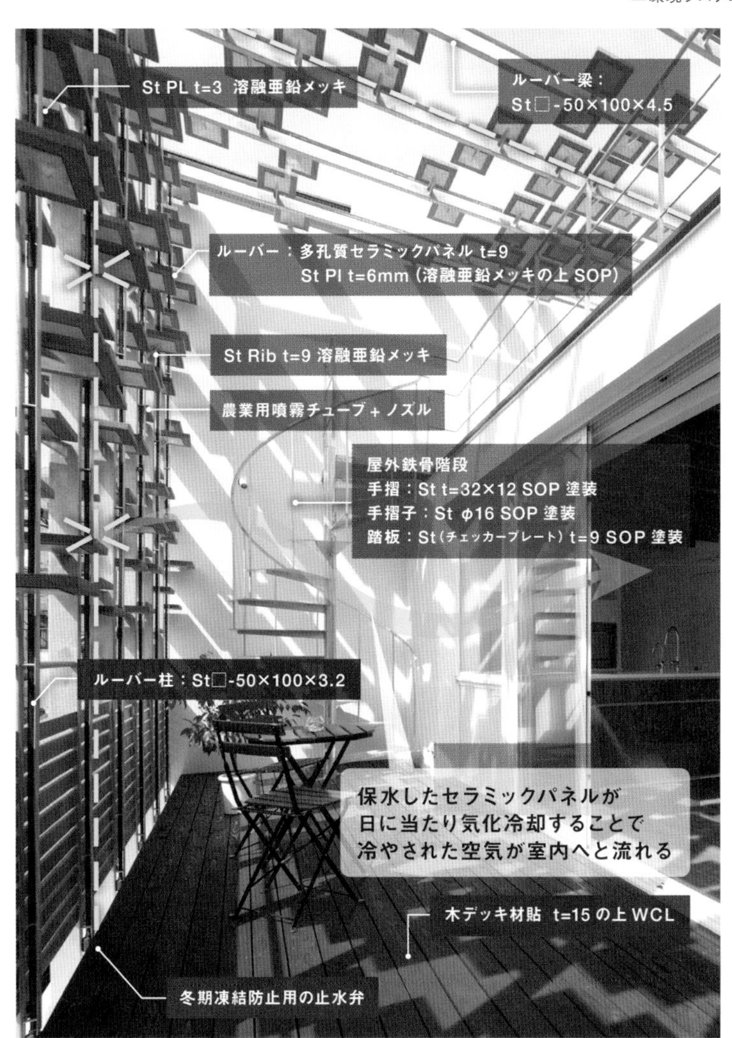

▲2階テラス

▲テラス　上：ミスト噴霧前　下：噴霧後

09 都市を冷やす／先進事例紹介

NBF大崎ビル

──都市を冷やす巨大な簾を持つオフィス

▲北東側全景。バイオスキンに包まれたファサード

▲北東側バルコニー

▲北東側ペデストリアンデッキ

打ち水をする、池を設けて涼を取る、熱源として利用するなど、これまでも建物に水を利用することでクーリングする試みはあったが、ここで紹介するNBF大崎ビルは、建物の外皮に水を纏っているという、これまで見たことない特別な挑戦と言える。この建物では、バイオスキンというセラミックルーバーの中に水を循環し、気化冷却の効果によって建物の内部空間の日射負荷を減らしながら近隣の都市空間までも冷やす。建築単体の快適性だけでなく、都市環境に寄与することでできる新しい建築の役割を感じさせる佇まいである。

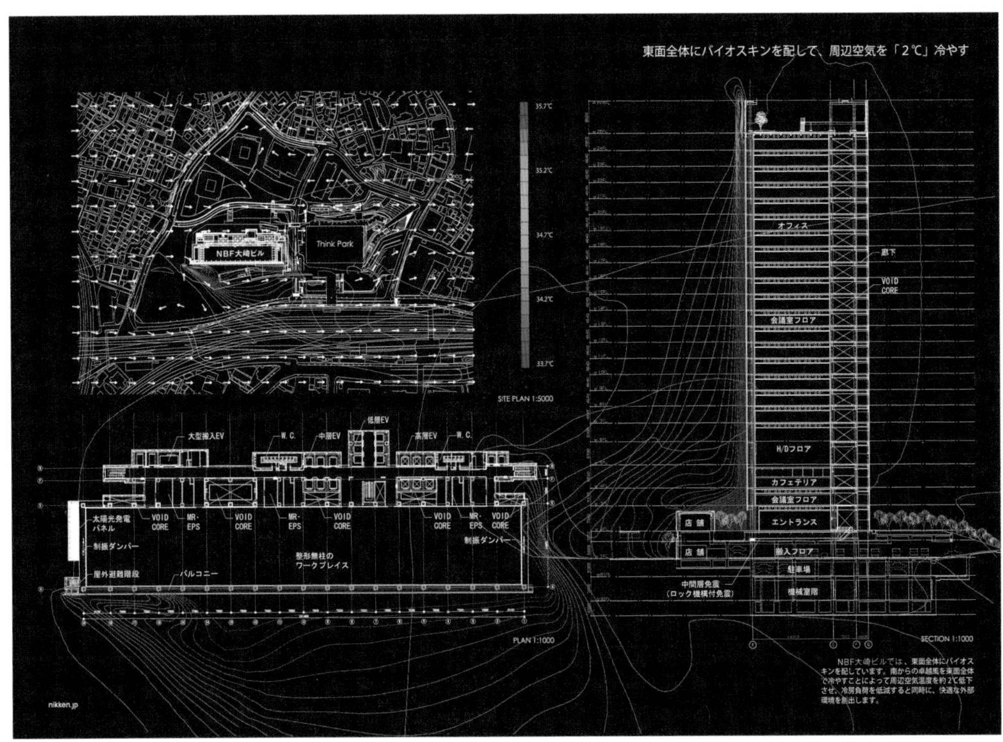

▲環境シミュレーション。バイオスキンの冷却効果によって周辺温度が下がっている

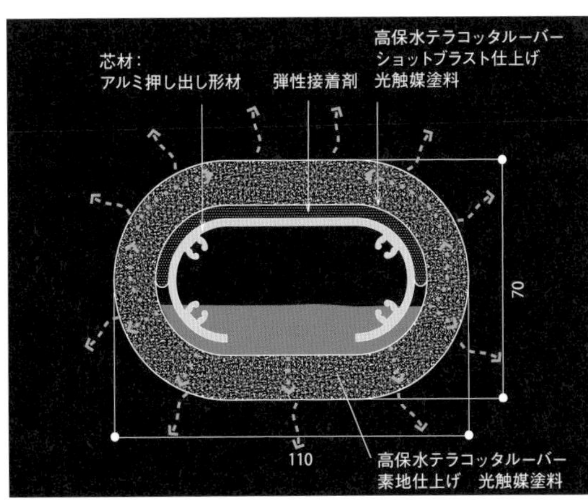

▲バイオスキン詳細断面図

■ 2011.08.07 09:30（晴天）

通水／非通水の効果の違いを把握するため給水するエリアを8分の1に限定し、給水スケジュールは24時間連続で運転した。晴天の日射の当たる午前中という条件下で、非通水間に比べ、最大で11.4℃の温度低下が見られた。樹木よりも5℃以上冷えているのは注目に値する。

▲サーモカメラによる実測

設計者：株式会社 日建設計　所在地：東京都品川区　竣工年：2011年
構造：S＋SRC＋RC　敷地面積：16,558.52m²　建築面積：10,611.26m²　延床面積：124,041.48m²

SIMULATION

都市をクーリングする建物の配置

都市において建物の表面積が空間に占める割合は大きい。私たちが設計を行う建築の「表面温度」はいかに周囲の温度に影響を与えうるのか。ここでは、壁面緑化を想定した建物を、都市の中で複数配置し、その数や配置が周辺の気温に与えうる影響に関して比較分析する。

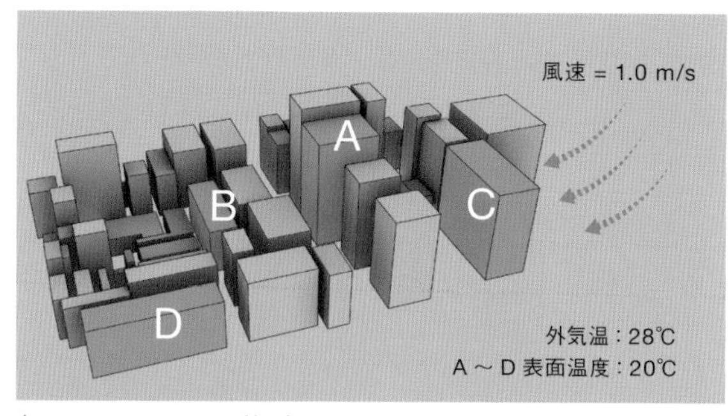

〈FlowDesigner により検証〉

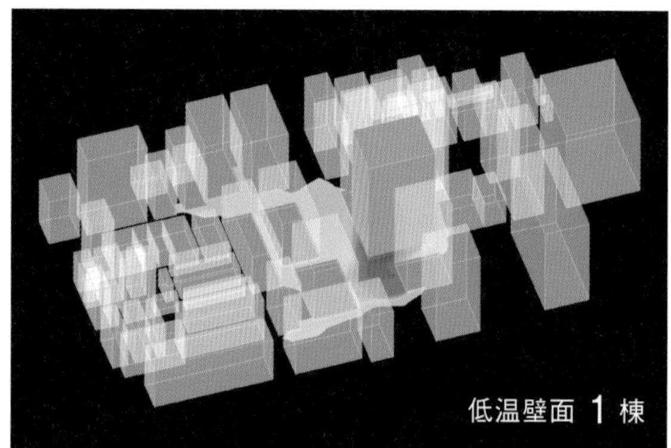

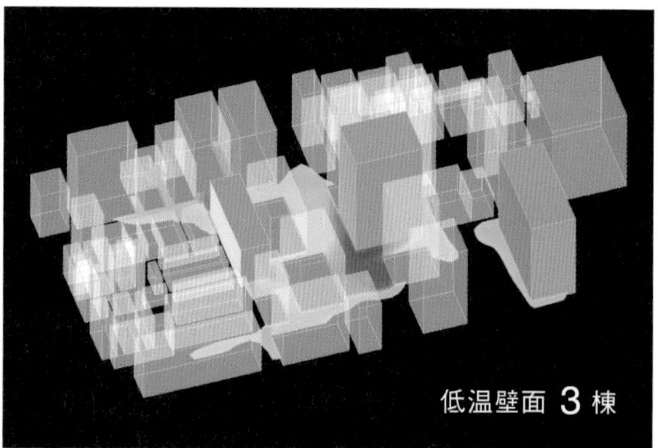

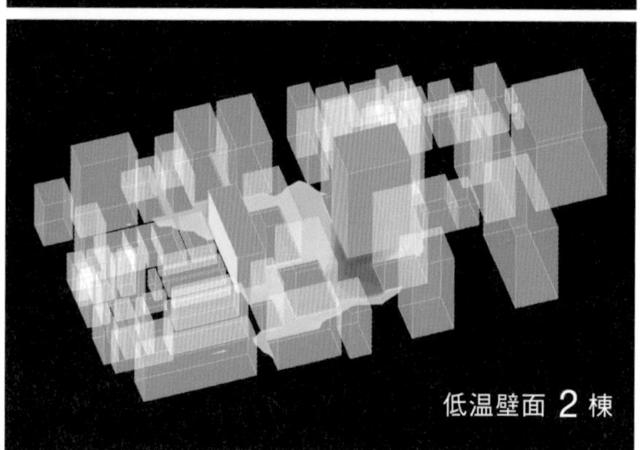

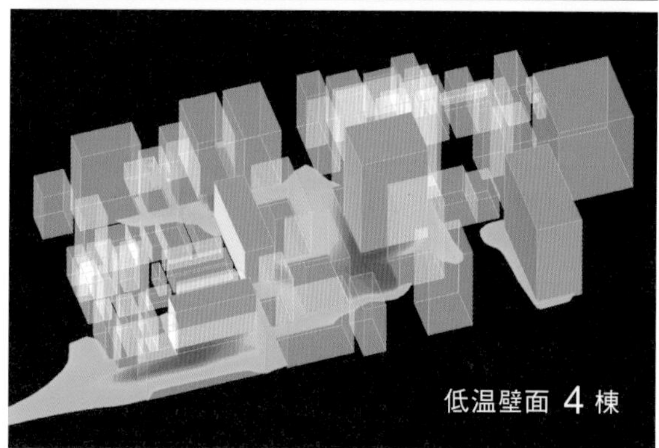

温度［℃］ 26.8 27.1 27.5

表面温度による周囲への効果を高める風の影響

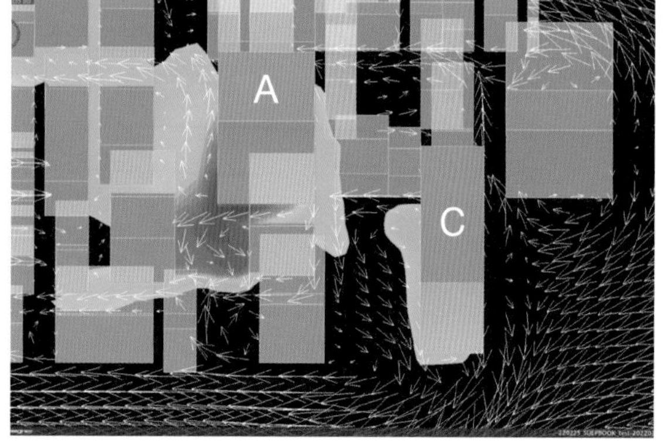

右側の2つの建物に着目し、壁面の効果の範囲の違いを分析すると、左図で建物Aは風が壁面の外側方向に吹いており、冷気を周囲に運んでいる形になっているが、建物Cに関しては建物に向かって風が吹いているため冷気は周囲にあまり広がっていない。表面温度による周辺環境への影響は対象壁面に吹く風向によって大きく左右されることが分かる。

10

水の循環と接続する

地球上を循環するエネルギーが視覚化されたもの、それが水である。水は重力に従いながら高い場所から低い場所へと流れる。液体、気体、固体と形を変え、エネルギーを運びながら地球上を循環している。私たちが水を建物のデザインに取り込むときは、自然の摂理に従いながら、そのエネルギーを利用しなければならない。

水は、地球上のあらゆる生活と営みの一端を担っているため、全てが連関することになる。たとえば、地下水を冷熱源として利用する場合、その冷熱取得による温度変化が下流域にも影響することを考えなければいけない。もしくは上流側で、水を利用した際に汚染してしまうと、その下流全域に影響が出る。水や、水の循環をデザインするときに、全てが他のネットワークとつながっていることを意識し利用することが重要である。

また水は、地球上で循環している物質の中でも、最もその様相、表情が豊かな物質であり、視覚的にも私たちの生活に豊かさを与える。水を扱うときに、積極的にそれを視覚化し、建物やランドスケープのデザインなどに組み込むことで、より豊かな建築環境を実現することができる。

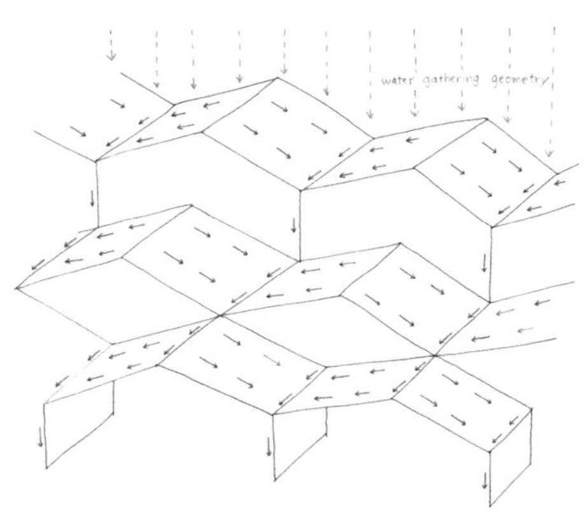

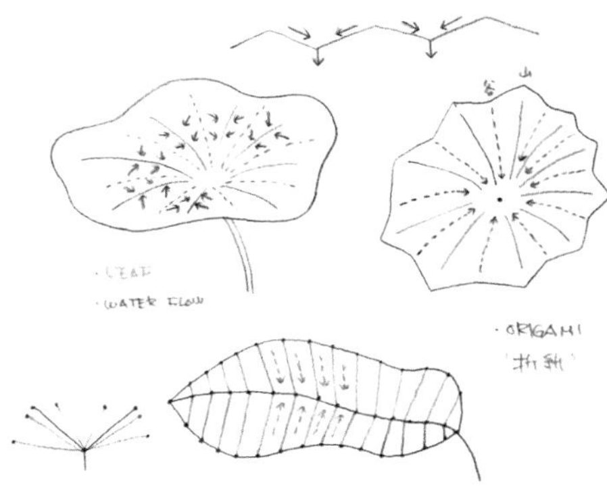

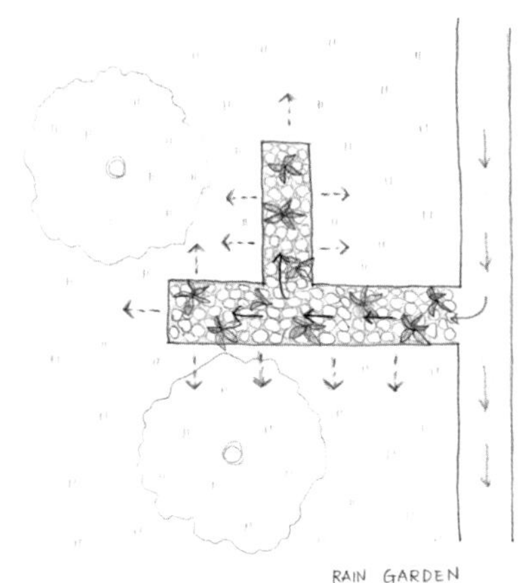

10 水の循環と接続する

嬉野市立塩田中学校 Ureshino Shiota Junior High School

佐賀県嬉野市／2014年8月竣工（INTERMEDIAと共同設計）

洪水を受け止める「高床」と水を活かすレインガーデン

敷地は、有明海に流れ込む2つの川に挟まれた中州にある古くから水害の多い場所で、数年に1度起こる洪水に対する防災機能を兼ね備えた施設を求められた。私たちは、全体を高床とした一体的なマスタープランを描き、災害時には避難経路と貯水池として機能するようにした。日常時には地域の中心的なパブリックスペースとしても利用できるよう計画し、近接する公園や市役所、図書館、公民館等との連結を考えた。

この中学校は、公共の外部空間である中庭を挟むように2つの棟が配置されており、それらは高床によって接続される。建物は、川向かいに建つ塩田津（旧宿場町の伝統建築群）の風景と調和する折れ屋根の景観をつくり出している。大小さまざまなスケールが共存する学校空間全体の構造システムは、家型屋根形状を分解した大小60個のY字型の鉄骨フレームユニットの集合体でつくられている。遠景からの折れ屋根の風景は、中庭や教室など人のスケールに近づくにつれて微分され、人を包み込むY型ユニットの連続体験へと読み替えられる。このユニットは、内外にさまざまな涼しい日陰を生み出して、そこが人の集まる場所となる。教室やオープンスペースはこれらのユニットに挟まれた空間として定義され、棚やベンチ等が一体化されることによって、ユニットには大きな樹木のように、色々なアクティビティが寄り添う。また、これらのY型ユニットは空間を仕切るだけでなく、雨水や太陽熱のエネルギーを集める環境システムとも一体化されている。中庭は、屋根によって集められた雨水を循環させ、水の流れと滞留をコントロールすることで生み出されるレインガーデンとなっている。

中央公園
「ウチニワ」
アリーナ
ホール
ロビー
多目的室
社会文化会館
既存商業施設
塩田川
塩田中学校
体育館
「ソトニワ」
多目的ルーム
（武道場）
メディアセンター
普通教室棟
浦田川
特別教室棟
管理棟
塩田町図書館
塩田津（重要伝統的建造物群保存地区）
特別教室棟
嬉野市役所
塩田公民館
商工会議所
市役所前広場

▲全体ダイアグラム

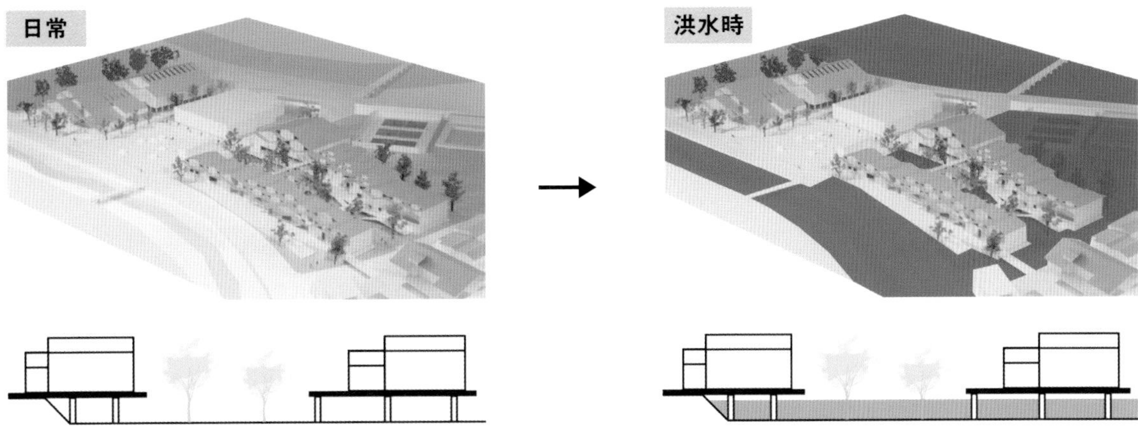

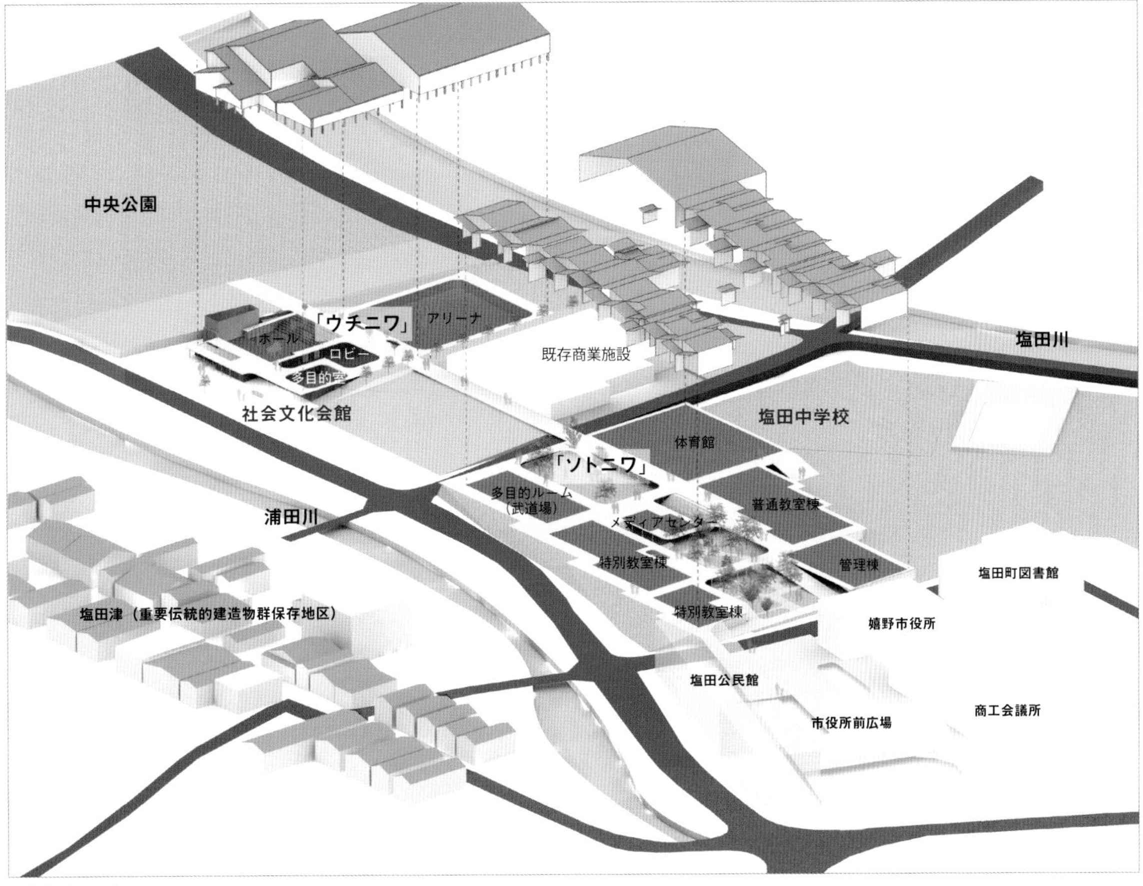

▲シミュレーション：建物を高床とすることで水没を防ぎ、周辺の施設群や川の土手を結ぶ避難経路とする

▲2002年（旧校舎の時）の水害のようす

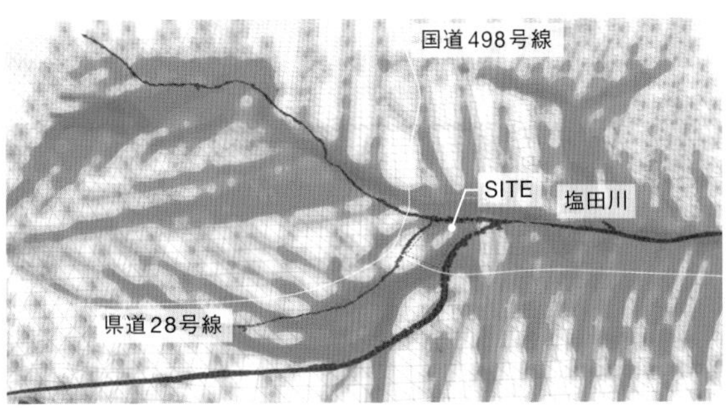

▲水害シミュレーション
地形的に水が集まりやすい場所で洪水のリスクが高いことがわかる

雨水集水システム

オープンスペース

吹抜

玄関・オープンスペース

▼浸水想定ライン:GL+1,100mm=標高+7,12m

中庭の散水利用へ

水盤へ
（オーバーフロー）

スプリンクラーや
WCの排水利用へ

雨水貯留槽
（全体の半分がここに貯留する）

▲断面詳細図

POINT 1

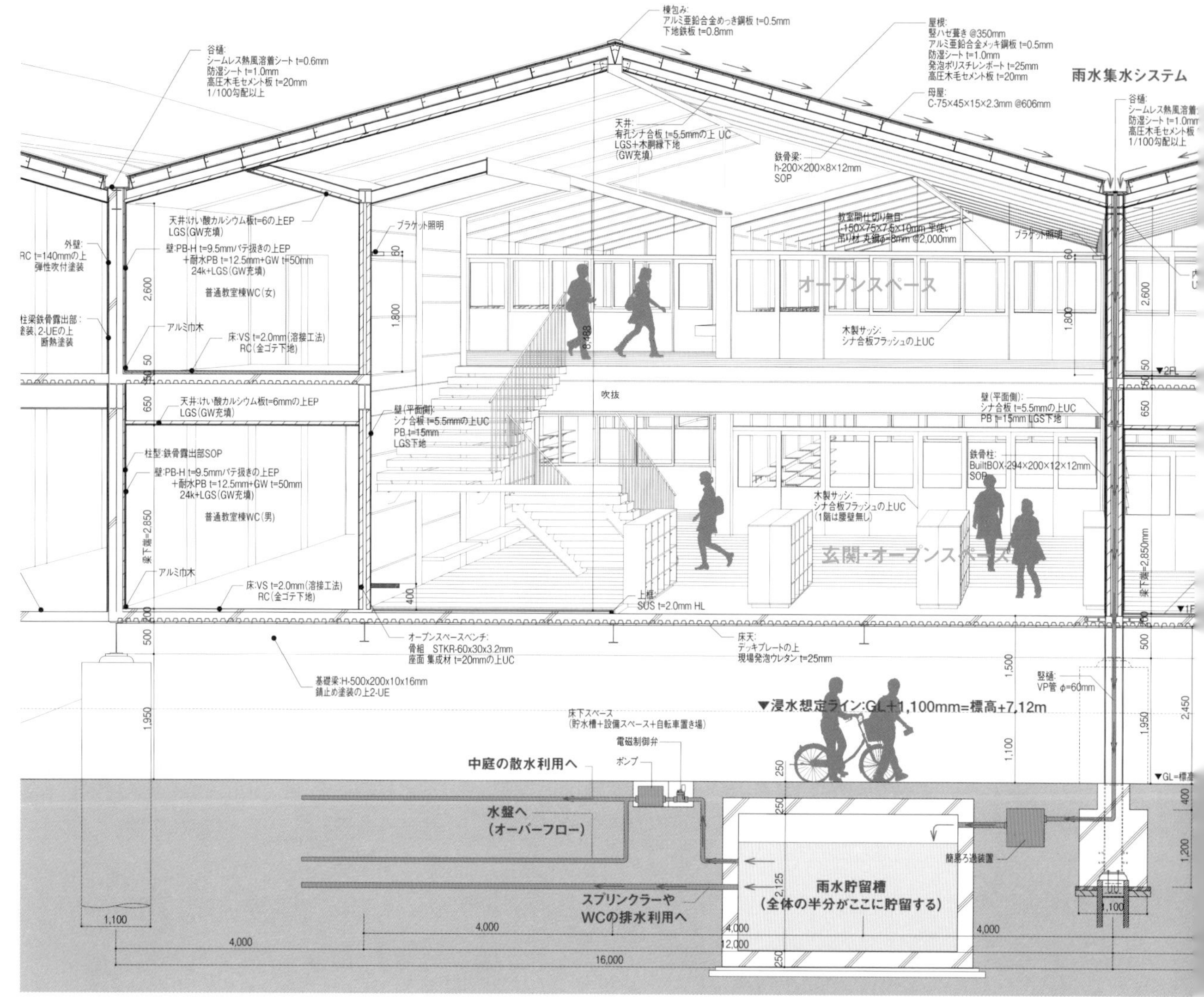

水害シミュレーションにより中庭の地盤レベルを検討

洪水のような水害に対しては、まず建物が水に浸からないように、また浸水時にも設備機器が水没しないように計画する必要がある。ここでは、建物の現場打ちRC杭をGL＋2.4mで高止めし、その上に基礎梁＋RCフラットスラブをつくることで、ローコストで高床を実現している。また、上部構造を軽量な鉄骨造の２階建ての校舎建物群とすることで構造的にも成立させている。そして、中庭や校庭を貯水池として周辺に対して少し下がったレベルに設定することで、近隣住宅地への浸水を防ぎ、住民が避難する経路と避難時間を提供している。具体的には、洪水時の時間ごとの水位と水量をシミュレーションして慎重に検討し、中庭の地盤レベルを周囲の建物から500mm下げたレベルに決定した。このような災害時の貯水池を兼ねた広場や高床は、平常時には、地域に開かれたパブリックスペースとして機能する。

▲貯水池を兼ねた中庭

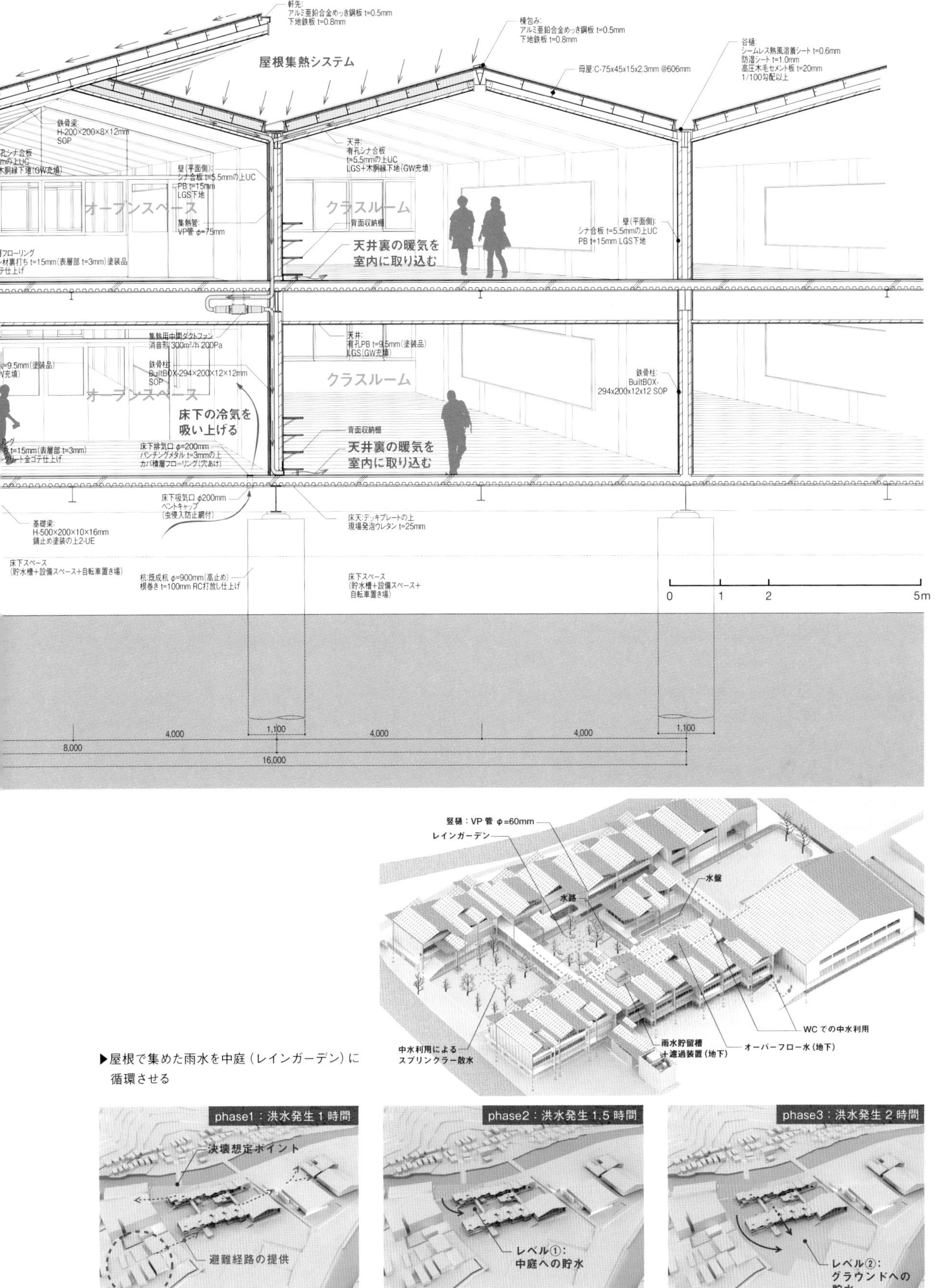

▶屋根で集めた雨水を中庭(レインガーデン)に循環させる

▲上:水の循環システム 下:洪水シミュレーション。中庭の地盤レベルを周囲より500mm下げることで貯水池として機能させている

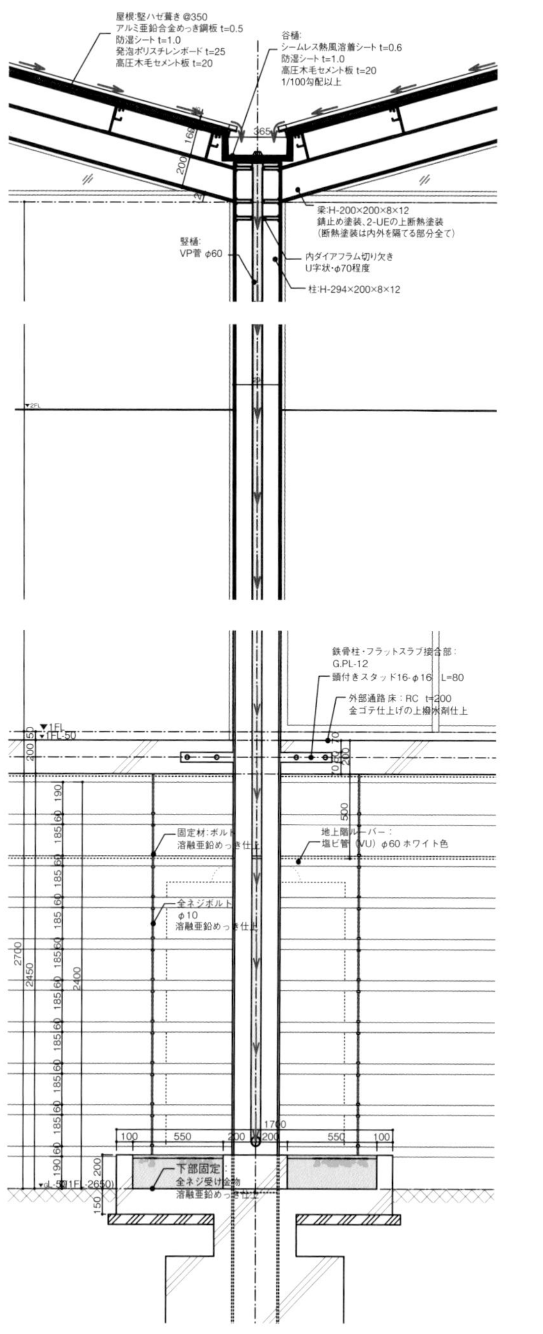

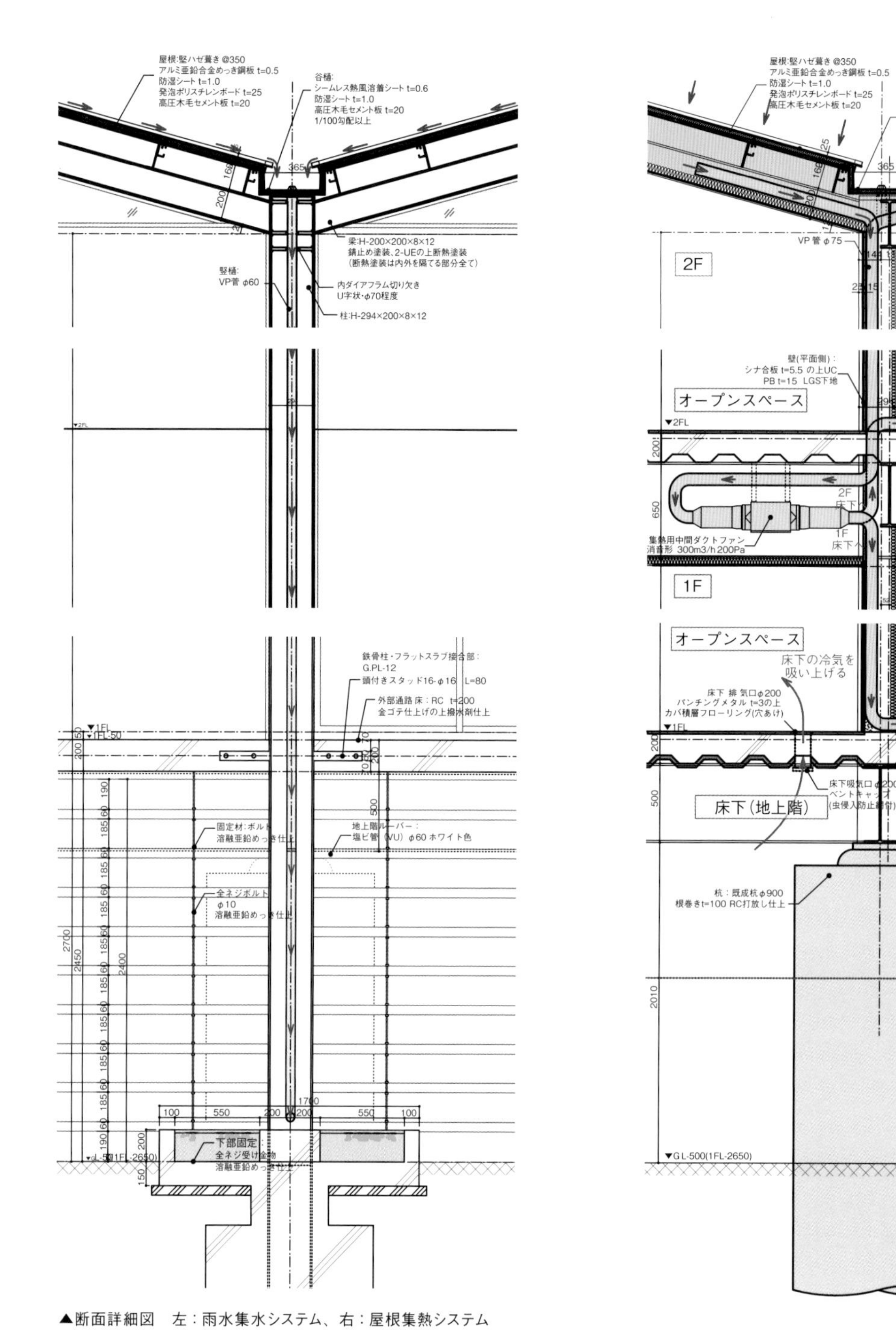

▲断面詳細図　左：雨水集水システム、右：屋根集熱システム

POINT 2

環境システムが一体化したY字柱

建物の構造体となる大小60個のY型のユニットは、バタフライ型をした屋根で集められた雨水を、H型鋼の柱に一体化された樋を介して、中庭に集める役割も兼ねている。これにより、水の循環系を形成し、庭に水路や池をつくり、緑や生態系を育むレインガーデンをつくり出している。通常、すぐに排水する雨水を、貯めたり、染み込ませたりしながら、ゆっくりと排出することで、木陰・風・水等のクールエネルギーの集まる涼しいパブリックスペースが生まれている。また、金属屋根に集まった熱を回収し、教室内へ導入することで、温熱環境に寄与している。

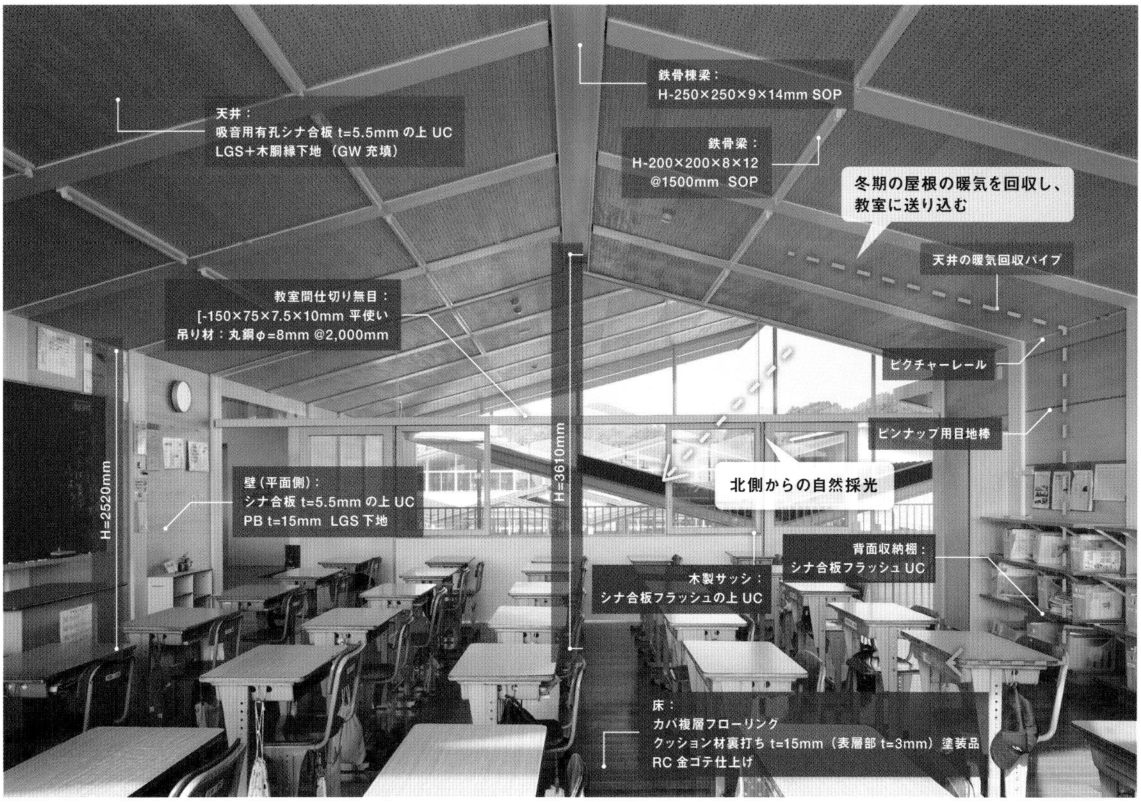

鉄骨棟梁：
H-250×250×9×14mm SOP

天井：
吸音用有孔シナ合板 t=5.5mm の上 UC
LGS+木胴縁下地（GW 充填）

鉄骨梁：
H-200×200×8×12
@1500mm SOP

冬期の屋根の暖気を回収し、
教室に送り込む

天井の暖気回収パイプ

教室間仕切り無目：
[-150×75×7.5×10mm 平使い
吊り材：丸鋼φ=8mm @2,000mm

ピクチャーレール

ピンナップ用目地棒

H=2520mm

H=3610mm

壁（平面側）：
シナ合板 t=5.5mm の上 UC
PB t=15mm LGS 下地

北側からの自然採光

背面収納棚：
シナ合板フラッシュ UC

木製サッシ：
シナ合板フラッシュの上 UC

床：
カバ複層フローリング
クッション材裏打ち t=15mm（表層部 t=3mm）塗装品
RC 金ゴテ仕上げ

▲普通教室内部から北方向を見る

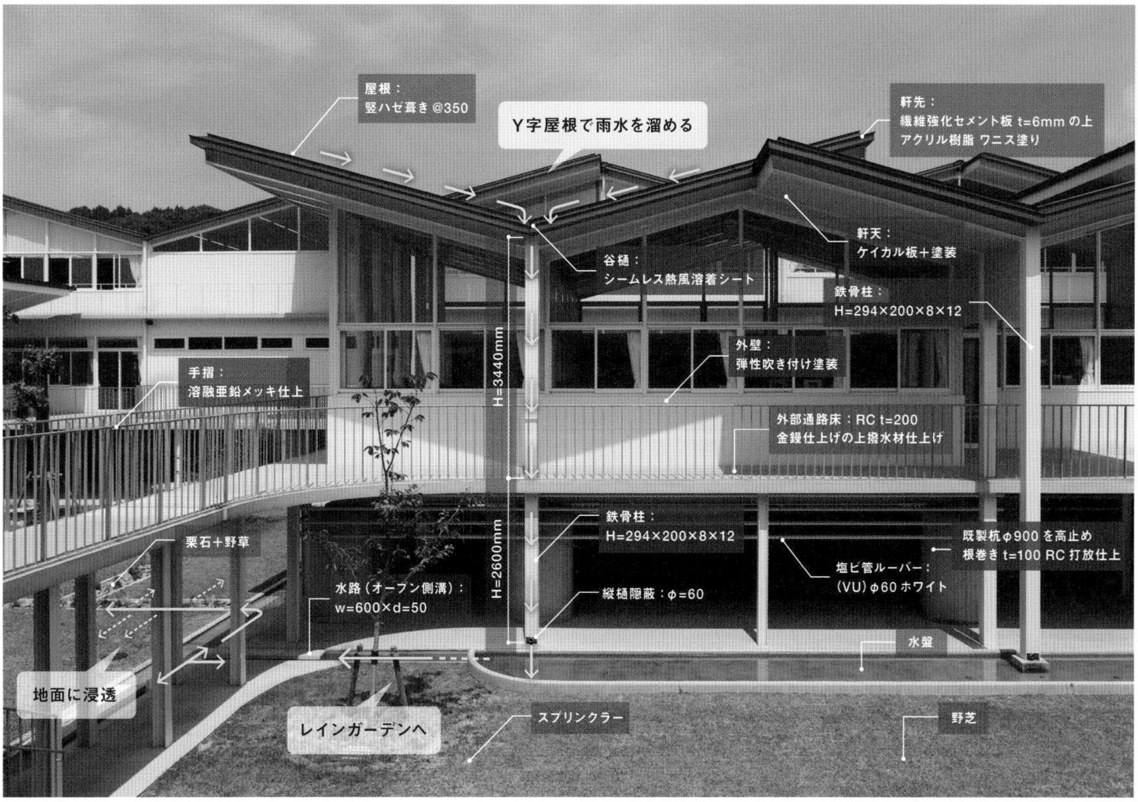

屋根：
竪ハゼ葺き @350

Y字屋根で雨水を溜める

軒先：
繊維強化セメント板 t=6mm の上
アクリル樹脂 ワニス塗り

軒天：
ケイカル板+塗装

谷樋：
シームレス熱風溶着シート

鉄骨柱：
H=294×200×8×12

H=3440mm

外壁：
弾性吹き付け塗装

手摺：
溶融亜鉛メッキ仕上

外部通路床：RC t=200
金鏝仕上げの上撥水材仕上げ

H=2600mm

鉄骨柱：
H=294×200×8×12

既製杭φ900 を高止め
根巻き t=100 RC 打放仕上

栗石+野草

塩ビ管ルーバー：
（VU）φ60 ホワイト

水路（オープン側溝）：
w=600×d=50

縦樋隠蔽：φ=60

水盤

地面に浸透

レインガーデンへ

スプリンクラー

野芝

▲分棟になっているメディアセンター。屋根の雨水を集めて、中庭に供給している

10 水の循環と接続する／先進事例紹介

FACTORY IN THE EARTH

——水を集めて池の風景と一体化する大屋根

▲敷地東から建物全体を見る。屋上緑化された曲面屋根がランドスケープと連続する

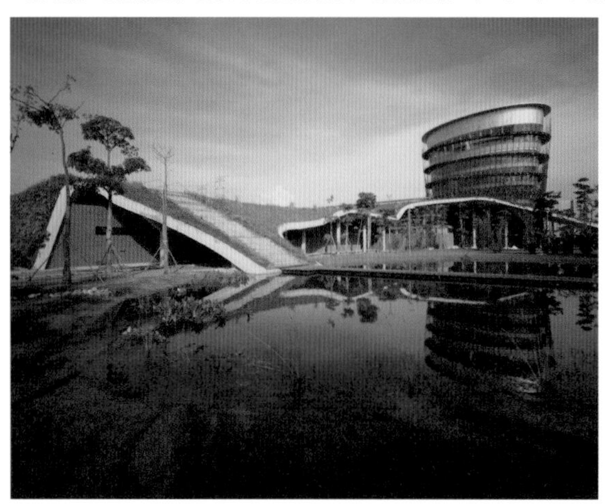

▲大地から高層棟を見る

▲室内の日射を調整する蔦

設計者：芦澤竜一建築設計事務所　所在地：マレーシア、ジョホール州　竣工年月：2013 年 5月
構造規模：RC 造＋S 造　地上 6 階　敷地面積：46,489m^2　建築面積：15,232m^2　延床面積：25,141m^2

私たちは普段屋根の下で暮らしているが、屋根を水のリスクから逃れるためのものと捉えるか、それとも水を集めるためのものと捉えるか、それによって建築の現れ方が全く変わってくる。ここで紹介する工場・FACTORY IN THE EARTHは、ランドスケープと建築が一体となったもので、地面から連続した有機的な曲面の屋根は、水を集める機能を併せ持ち、大きなビオトープへと連続する。水の流れから決まった屋根の形状は、建築自体が水の循環の一部であることを物語っている。

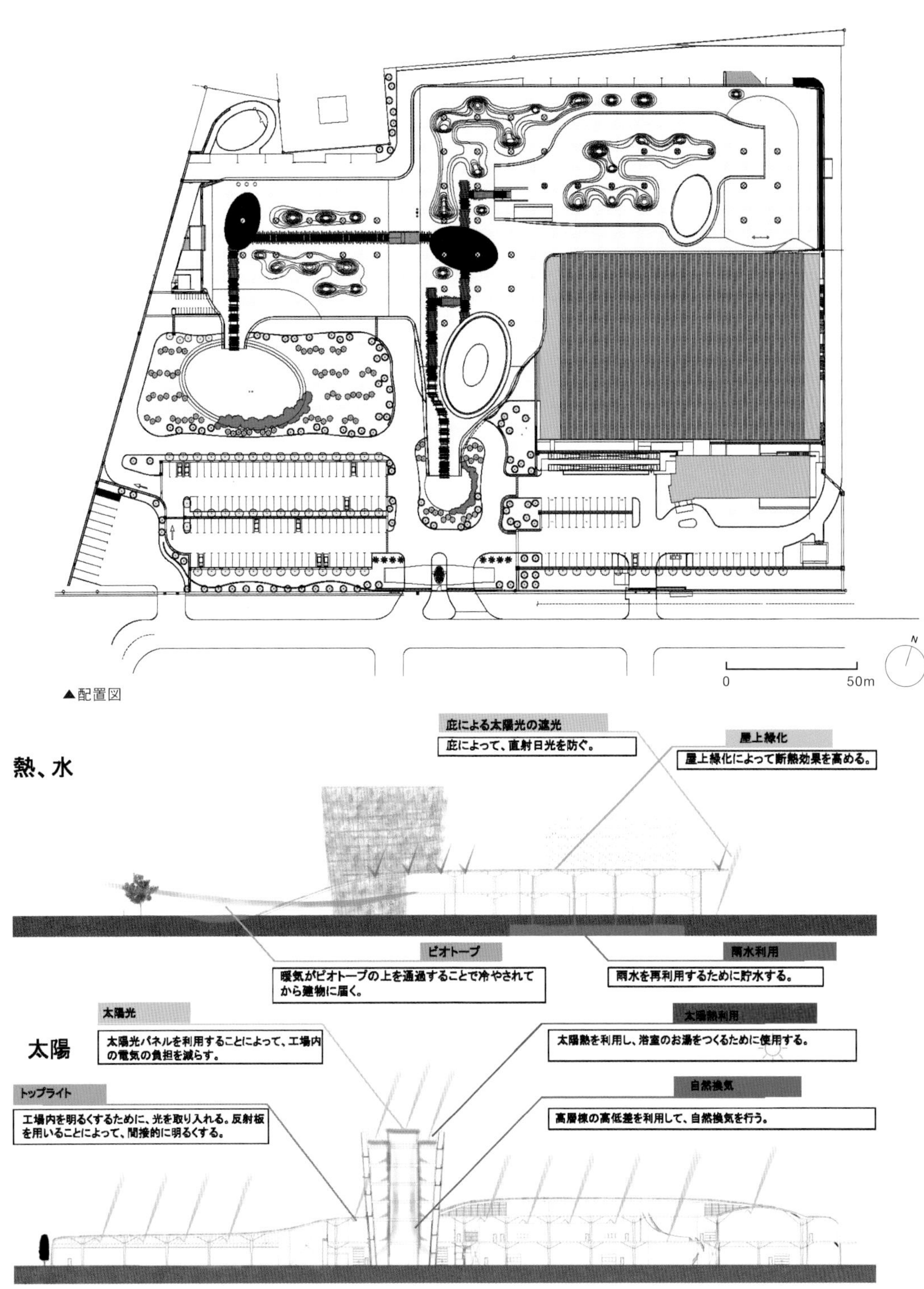

▲配置図

▲エネルギーダイアグラム

SIMULATION

雨水を効率的に集める形

ここでは、建物における雨水利用が水の循環との接続に重要であるという考えのもと、雨水を効率良く集めるような屋根の形状について比較分析を行う。分析の結果、集水箇所1か所の場合は、屋根形状が円錐に近づくほど水の経路は短くなり集水の能力が高くなることが分かる。さらに、集水箇所が複数の場合では、任意の集水箇所に対してボロノイ分割を行った屋根が、集水における最適な形状となることが分かる。

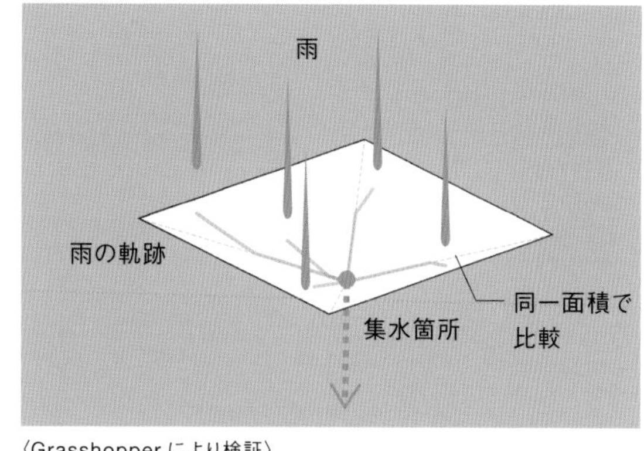

〈Grasshopperにより検証〉

集水を1か所にした場合

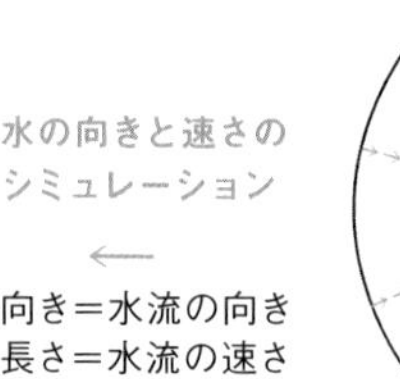

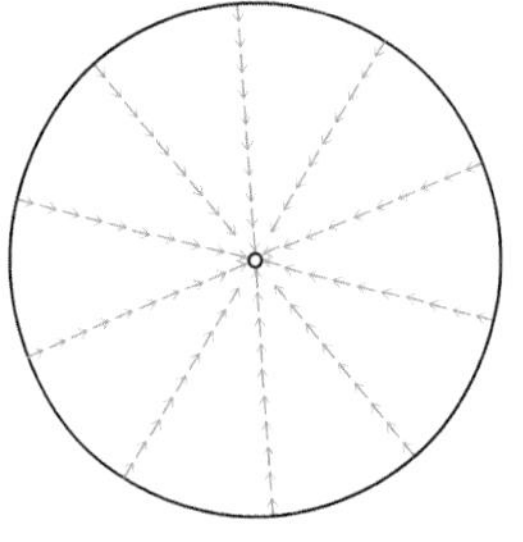

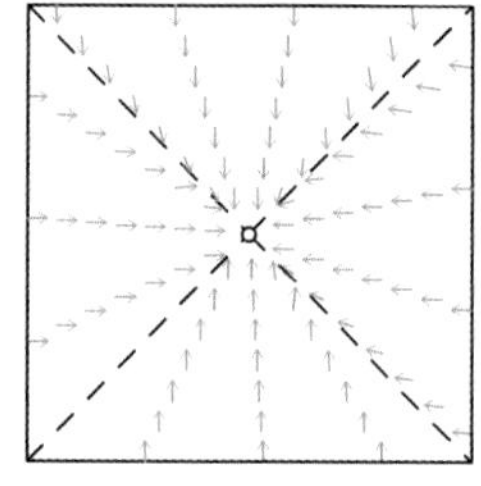

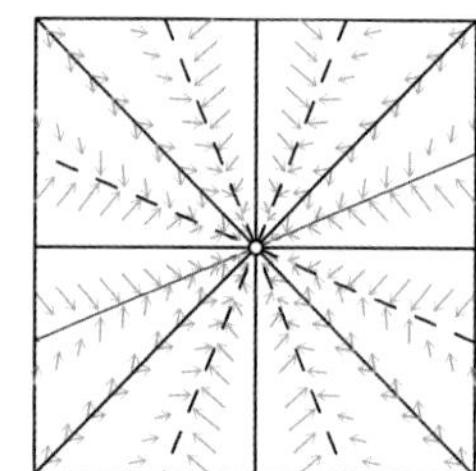

水の軌跡
シミュレーション

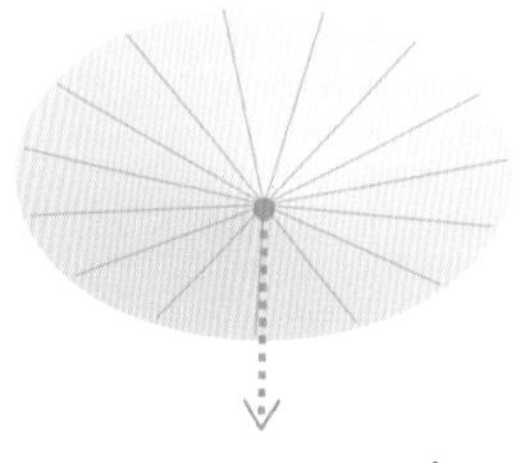

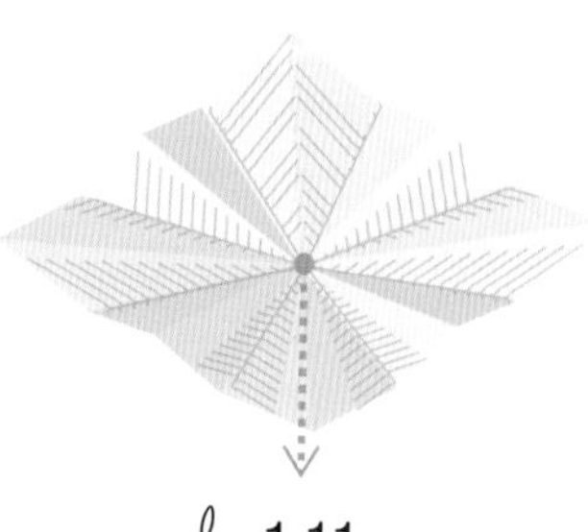

水の経路の長さ ℓ=1　　ℓ=1.07　　ℓ=1.11

集水を複数か所にした場合

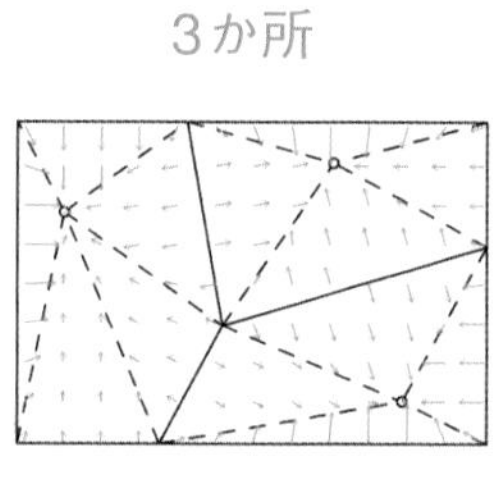

2か所　　3か所　　4か所

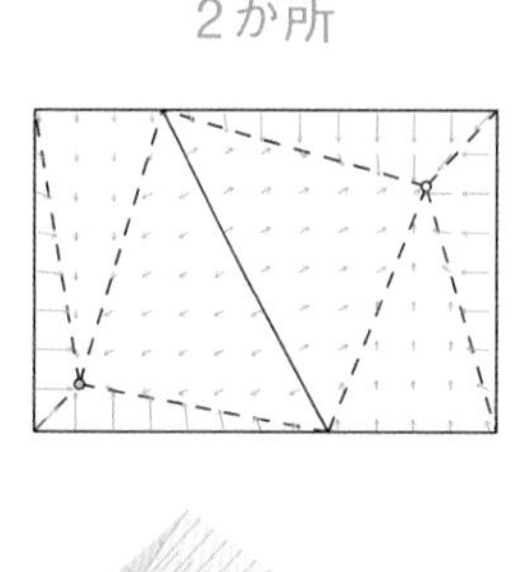

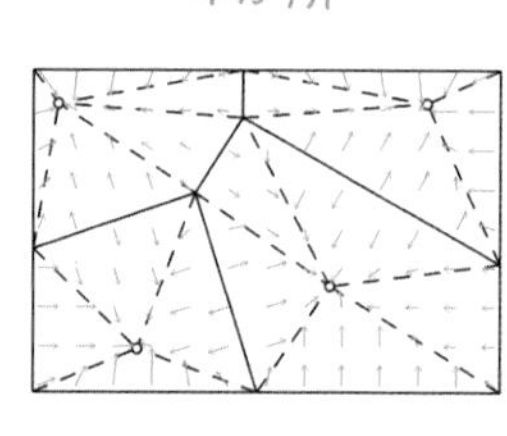

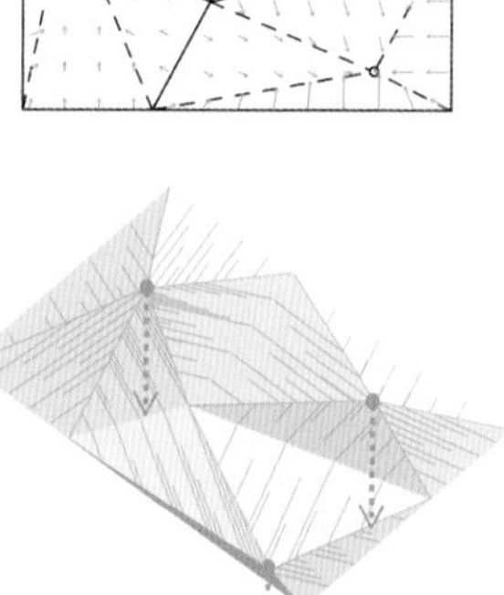

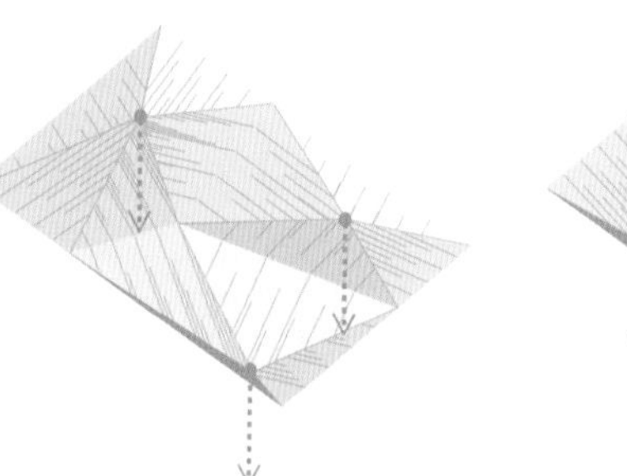

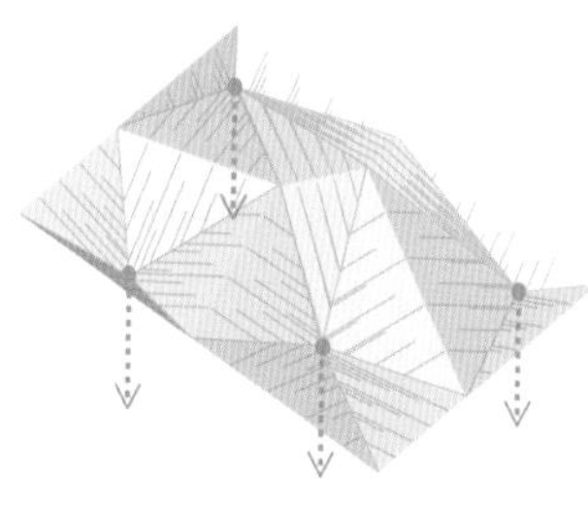

11

森林資源循環をデザインする

建築の環境デザインを考える上では、温熱環境など環境工学的な視点だけではなく、建物が何でできているのか、材料に関して意識する必要がある。これは、目に見えない風や熱などの環境的エレメントに比べて、建築を構成する素材を直接扱うことであるため、比較的建築デザインに反映しやすい。その中でも炭素を固定化する木質資源は注目度が高い。

持続的な木質資源の利用を考えるとき、その循環全体のネットワークをデザインする必要がある。その木材がどこの山から採れ、どのくらいの樹齢で、それがどういう箇所に使われていくのか、余すところなく使われるのか、などを考えていく必要がある。また、持続的に森林資源を利用するためには、樹木を生産する森林が健康でなければならない。そのためには若い樹木から高齢の樹木までバランス良く森で共存する必要がある。

木材を継続的に利用する社会全体のシステムも必要となる。間伐材、残置材、廃材などを再利用して、バイオマスエネルギーとして活用することもその1つであるし、木質構造、木質空間をより一般的な建築にまで拡張していくことも重要である。そういった社会全体のシステムを後押しするように木質資源を使っていくことで、脱炭素時代の環境デザインに近づいていく。

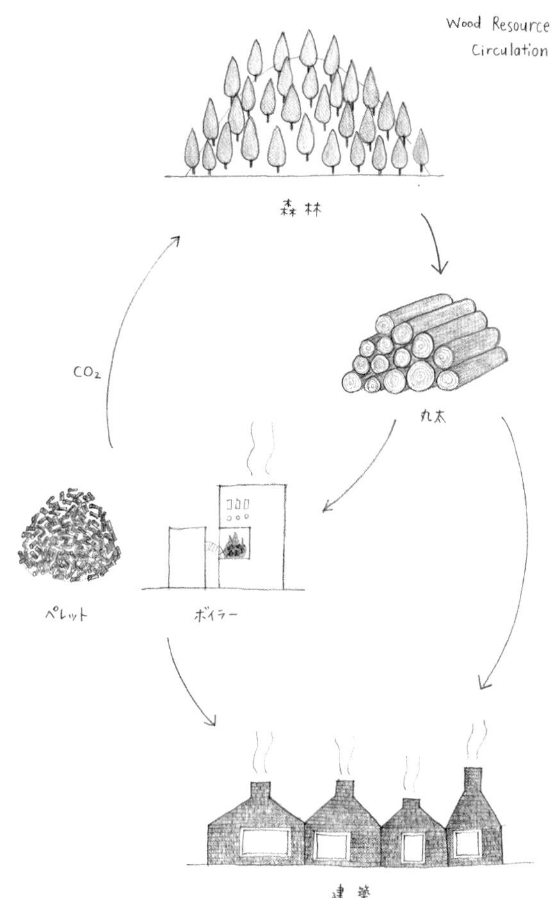

11 森林資源循環をデザインする

ソロー茨城 Thoreau Ibaraki

茨城県石岡市／2016年3月竣工

木質資源を活用し
エネルギーを自給自足する

東日本大震災の後、木質資源ビジネスに参入した会社のための、ショールーム＋オフィス＋社員寮。敷地は内陸の山間部に位置するため、電気以外の上下水道、都市ガス等のインフラがなく、周りには山があるだけという場所であった。建物の計画前に、まず井戸を掘って除鉄滅菌装置をつけて水を確保した。そして、下水道の代わりに浄化槽＋地中浸透処理装置を設けて排水し、ガスの代わりにこの会社が製造する木質ペレットを燃料にしてエネルギーを賄うことを考えた。建物自体も、山から切り出した丸太を材料として供給してもらうことになり、全部で260本の原木を使うことになったが、自分たちで木拾いまで行い、木の全てを使い切ることを考えた。建物の構造材だけでなく、外装・内装の仕上げ材、下地材など、建物のほとんどの部材を賄い、残った木の皮を外構で使うバークチップ舗装にしたり、端の部分を丸太デッキにしたりと有効活用した。さらに余った部分は粉砕して、ペレットにし、暖房給湯のエネルギー源とした。

建物は、大小11個の家型をした部屋からなり、それをフラットな屋根でつなぐ構成をとっている。構造は、落とし込み板壁構造という、溝を切った120角の柱に30mmの厚みの木板を金物なしで緊結させて耐震壁にする構造形式をとっており、それをそのまま内装の仕上げとして現しにしている。厚板により木の塊感を出すことで、外に積まれた丸太の山の力強さに負けない素材感とした。厚板は、断熱性も高く、内部の熱環境にも寄与している。外壁は、15mmの板を3層に重ねた杉板シングル葺きとし、細やかな意匠とすることで、木質ペレットのイメージと連動させている。

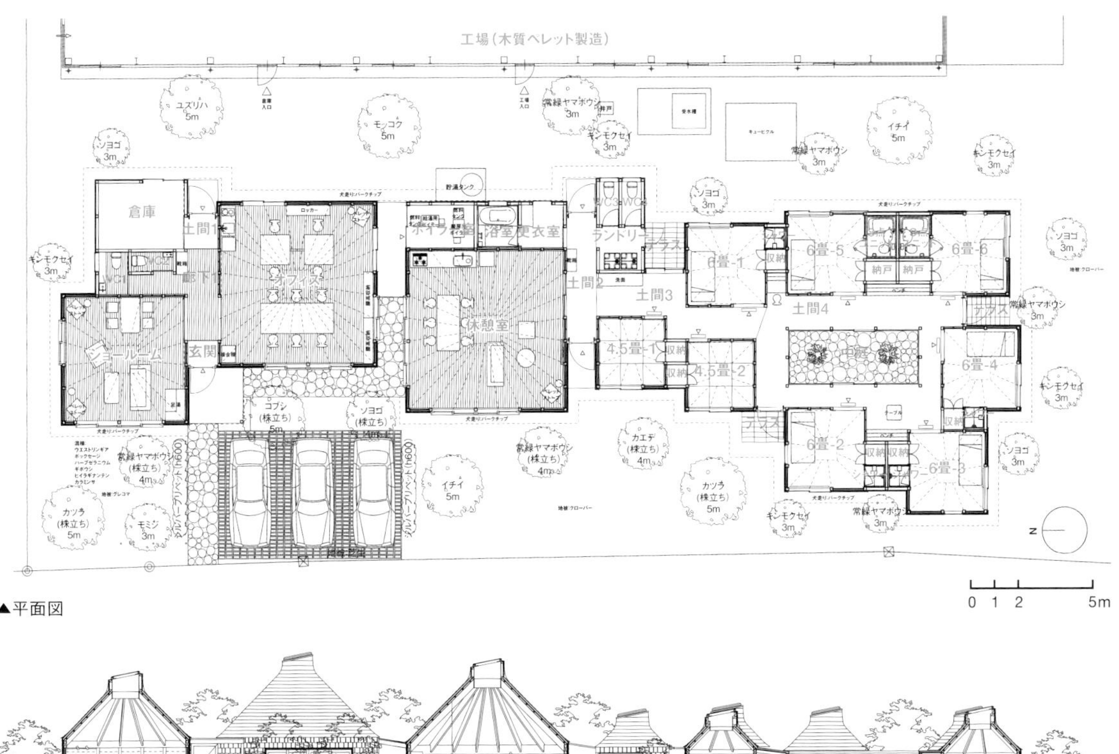

▲平面図

▲断面図

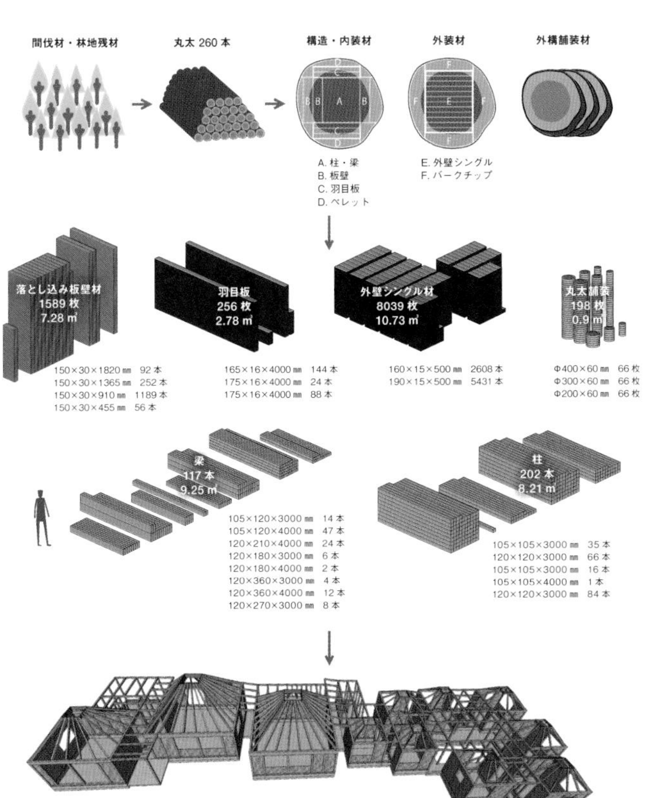

▲木材加工ダイアグラム：260 本の丸太を余すことなく使い切る

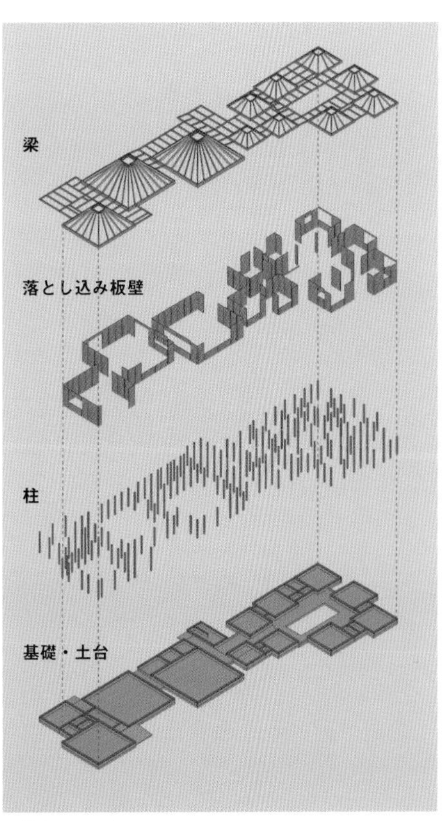

▲構造ダイアグラム

CO_2 CO_2 CO_2

茨 城　千 葉　栃 木

植林

間伐材・林地残材

皮　幹

木質ペレットプラント

バークペレット　ホワイトペレット

梱包　運搬　一般住宅　店舗など

CO_2 CO_2

ショールーム　オフィス

木質ペレット

社員寮

ボイラー 給湯 暖房

暖房

貯湯タンク

給湯

排水

給水

井戸水

浄化槽

敷地内汚水処理システム

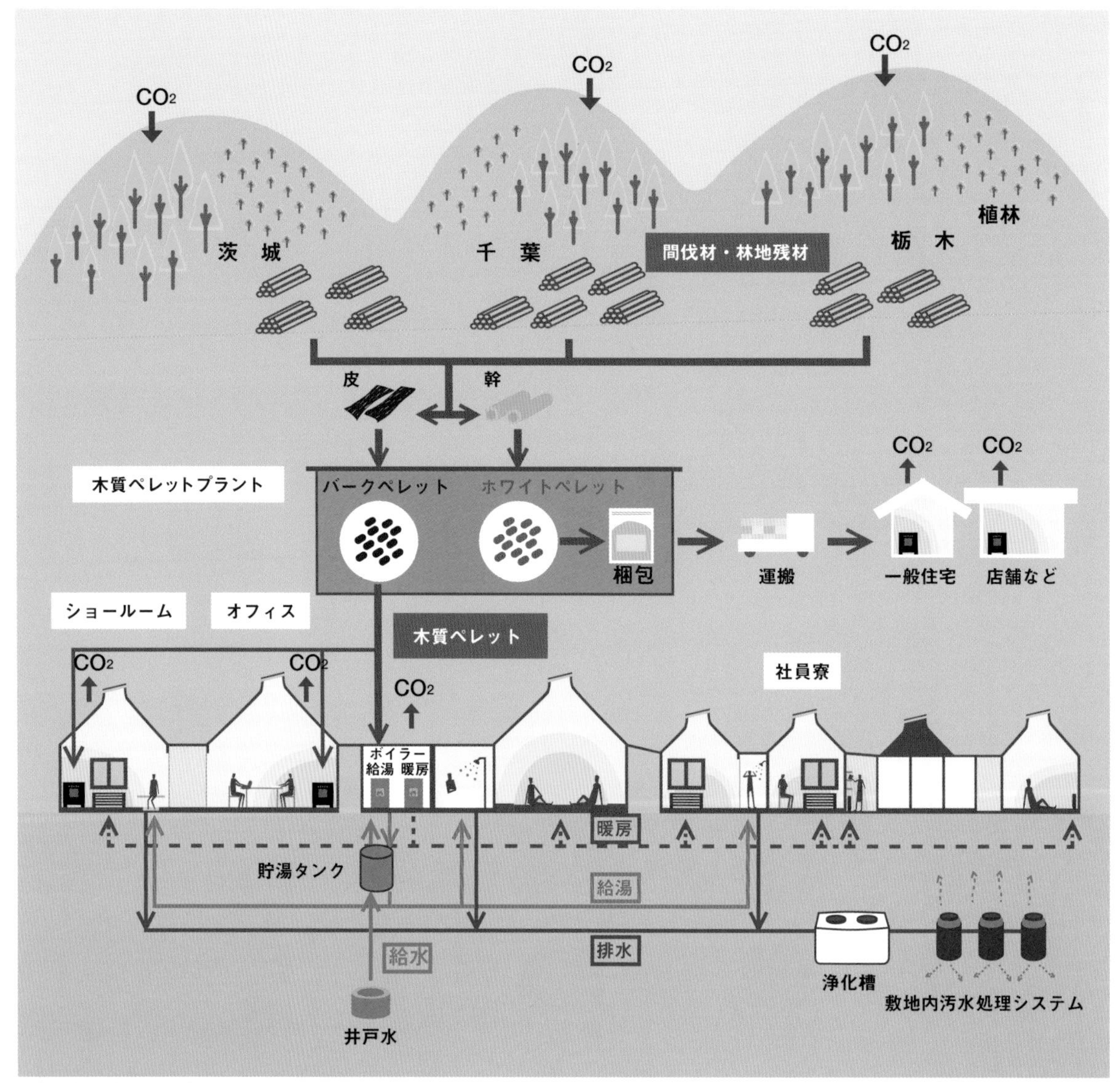

▲木質資源循環ダイアグラム

▲木質ペレットで作る 800ℓの貯湯タンク

▲足湯体験

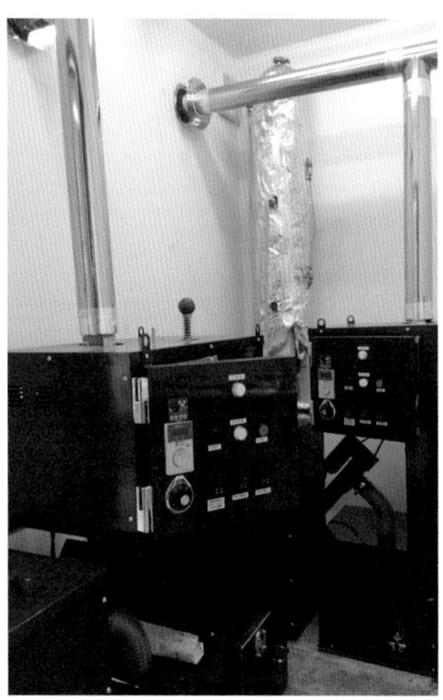

▲小型ペレットボイラー

▲パネルヒーター付きベンチ

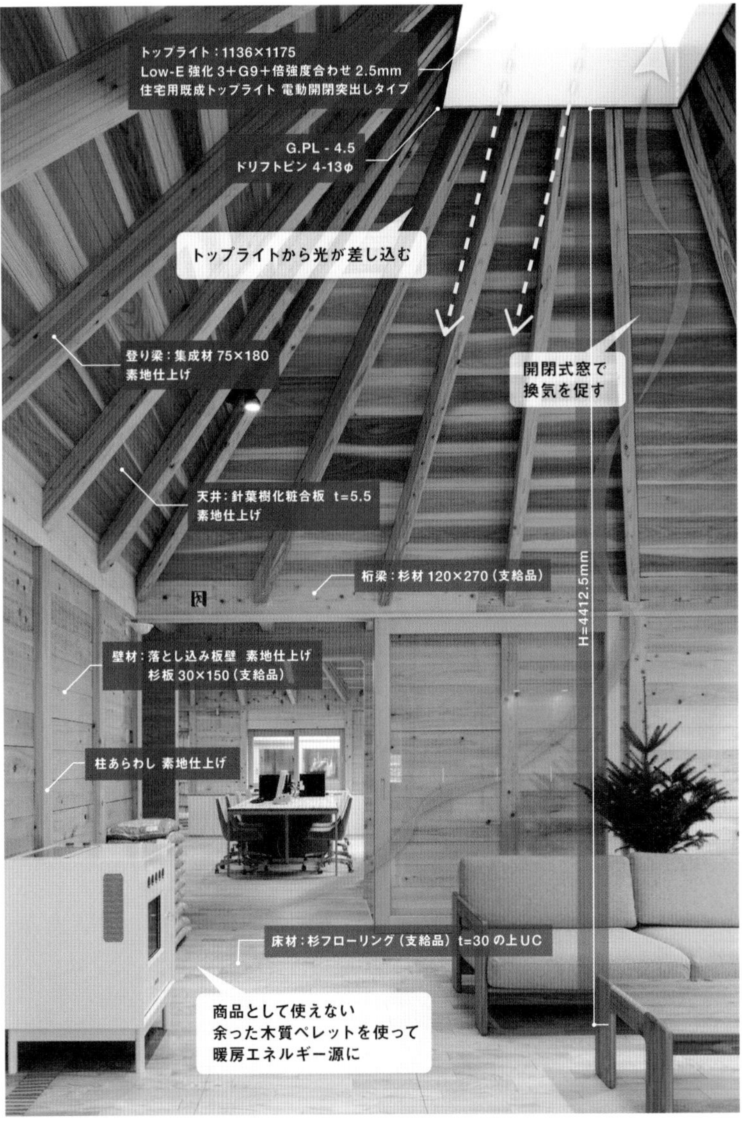

▲内観

▲外観

POINT

森と地域の資源循環の中に位置づく建築

木質資源を扱った建物を考えるときには、できる限り広域の資源ネットワークを可視化して、そのネットワークの中に建物を位置づけるようにする必要がある。この建物においても、設備計画はなるべく簡素なものとし、可能な限り自然エネルギーで賄えるようにした。

山から集めてきた間伐材・残置材などをもとに隣接する工場でつくられる木質ペレットは、質の良いものは商品として売られ、地域の建物のエネルギー源となり、質が悪く売り物にならないものは、この建物のエネルギー源として利用される。小型ペレットボイラーを2台導入し、給湯は1日に800リットルのお湯をためて建物全体に供給する。冬の暖房はペレットボイラーでつくられた熱を使ったパネルヒーターと温水式床暖房、ペレットストーブを使って賄っている。また、全ての部屋にはトップライトを設け、日中は自然光だけで十分に暮らせるようにしている。夏は、道路側から風を入れ、可動のトップライトから空気を抜く自然通風となっている。

11 森林資源循環をデザインする／先進事例紹介

飛騨古川雪またじの屋根

――地域の資源循環から生まれる木造住宅

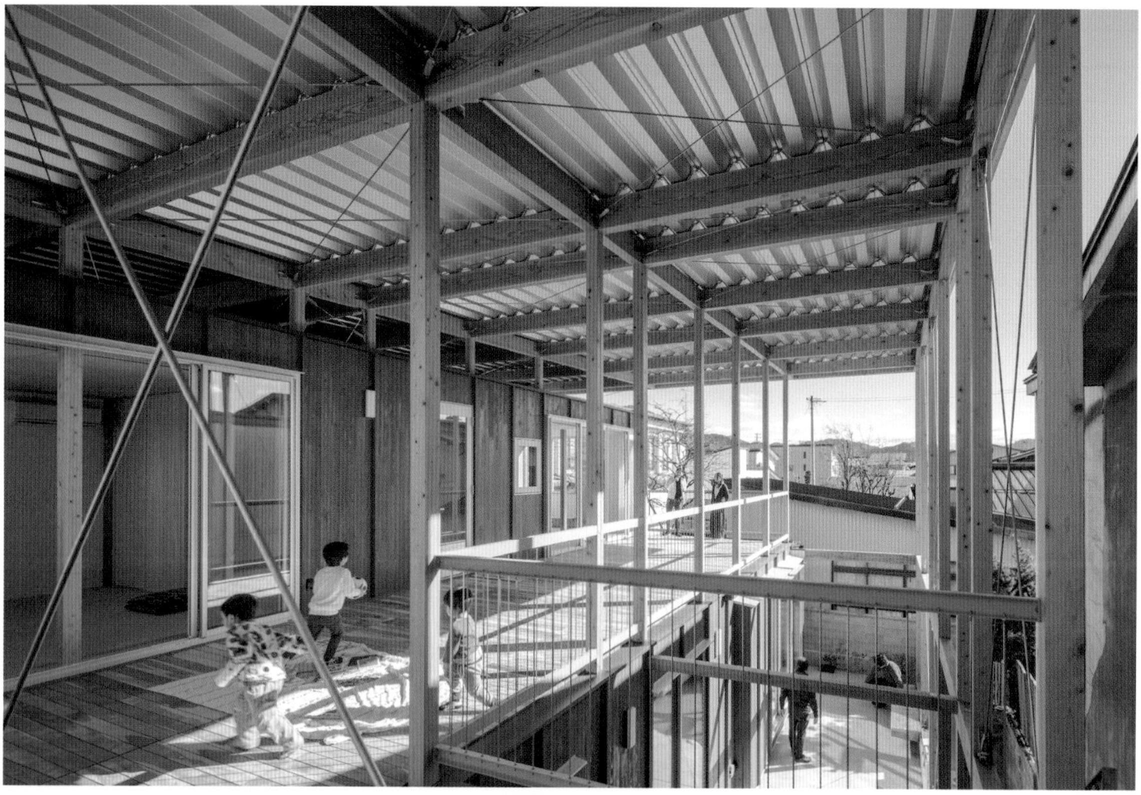

▲テラススペースを見る。二重屋根構造により夏季は遮熱効果を、冬季は屋根の凍害防止や防水ラインの複層化による長寿命化を意図した

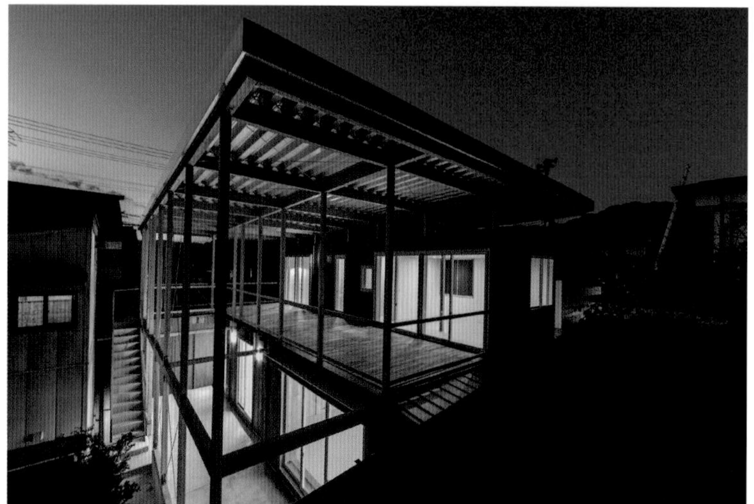

▲南側からの外観。雪またじ（雪かき）のため、屋根上の雪を前面道路に排出できるよう、敷地いっぱいに積雪荷重1mの大屋根を架けた

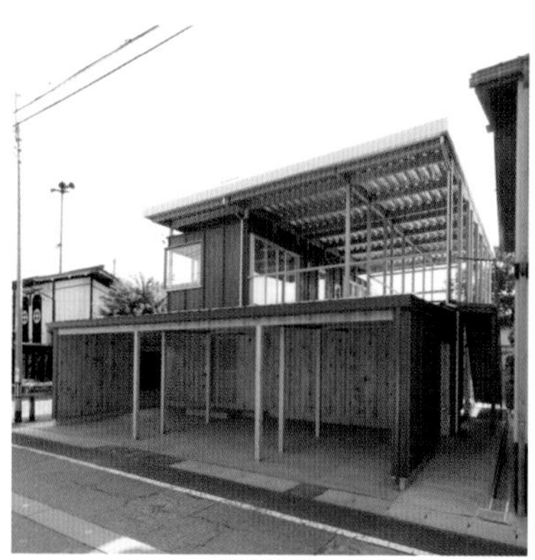

▲西側全景。車庫の軒を低く抑え、大屋根と二段構えとし周辺の街並みと調和させている

設計者：澤秀俊設計環境／SAWADEE　所在地：岐阜県飛騨市　竣工年：2019年
構造規模：木造在来工法　地上2階　敷地面積：282.99m²　面積：186.81m²　延床面積：261.30m²

日本の多くの木造住宅は輸入材でつくられており、多くのCO_2を排出しながら安価な木材を運ぶ大きな循環の中でつくられているが、より小さな循環の中で描かれる住宅はどのようなものであろうか。ここで紹介する雪またじの屋根は、地域の森の間伐材を集め、循環するネットワーク自体をデザインし、その中でき上がった住宅である。森を健康に保ち、循環のリズムと合わせながら、需要と供給をつくり出す。地域資源に開かれ、地球に負荷をかけない未来の建築のつくり方が示唆されている。

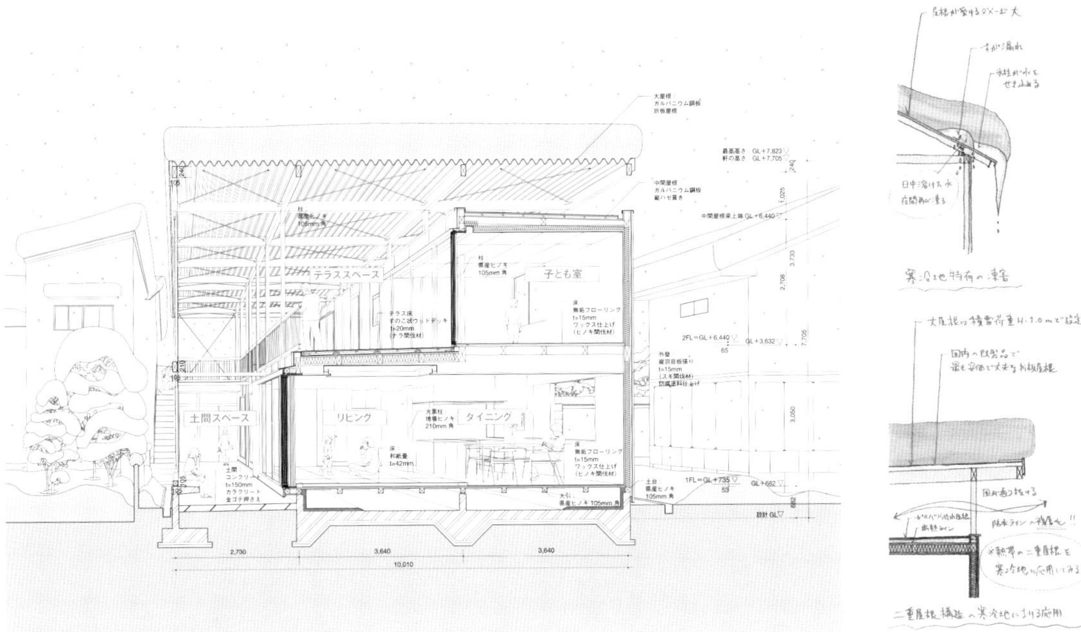

▲断面詳細パース。二重屋根構造により防水ラインを複層化し、下屋根の断熱性能を高めることで凍害を防ぐとともにメンテナンス性を高める

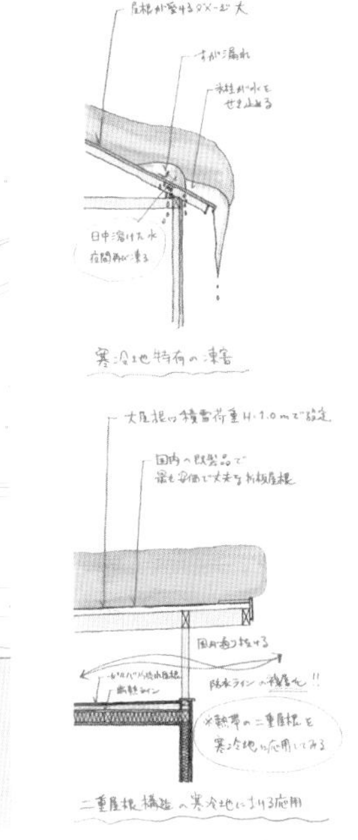

▲二重屋根構造ダイアグラム。
上：寒冷地特有の凍害
下：二重屋根の寒冷地における応用

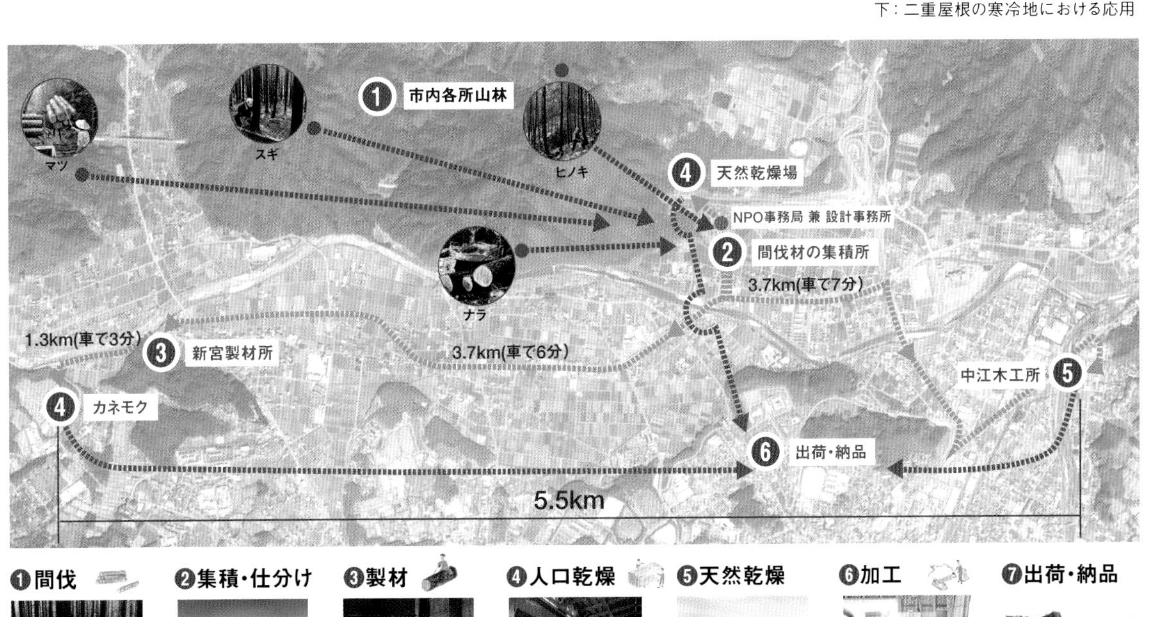

▲半径5km圏内で構築する自伐～製材加工～建材利用のネットワーク：
設計者が運営に関わるNPO法人活エネルギーアカデミーで間伐した木材を製材加工し、現場へ支給。森林資源の新たな利活用ルートを開拓する試み

SIMULATION

データで見る木材利用とCO_2

木材の輸送の際に排出したCO_2の量を測る指標として「ウッドマイレージCO_2」がある。

ここでは、この指標に沿って一般的な木造住宅を建てる際に排出される潜在的なCO_2に焦点を当て、利用する木材の違いによるCO_2削減に関して視覚化することを目的とする。

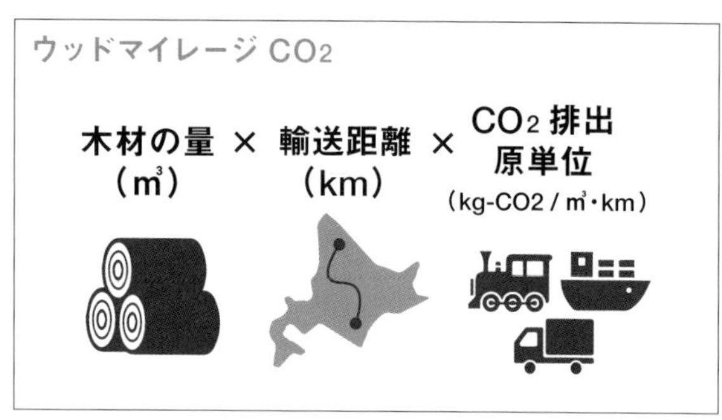

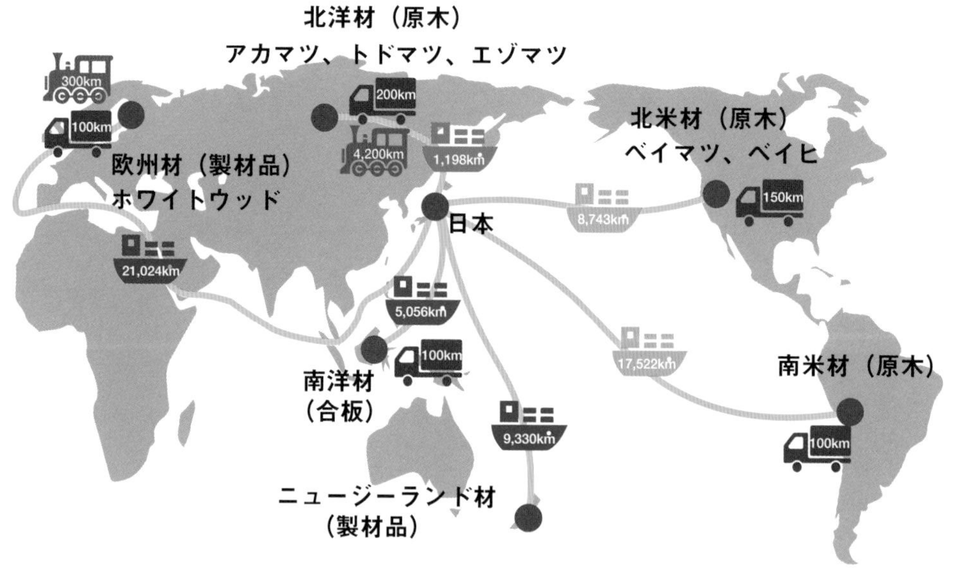

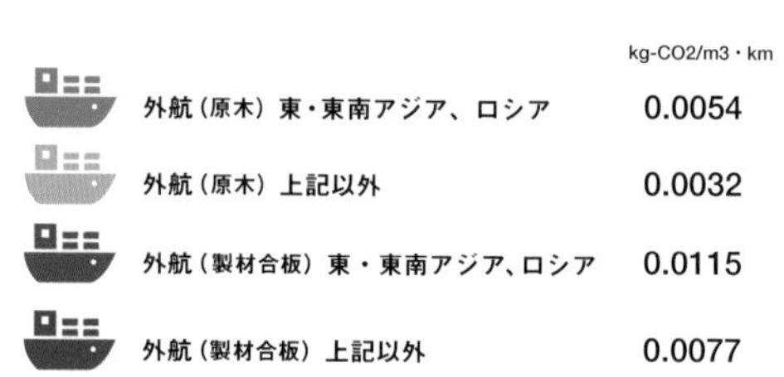

	kg-CO2/m3・km		kg-CO2/m3・km
自動車（国内）	0.0836	外航（原木）東・東南アジア、ロシア	0.0054
自動車（海外）	0.0545	外航（原木）上記以外	0.0032
鉄道（国内・海外）	0.0106	外航（製材合板）東・東南アジア、ロシア	0.0115
内航船舶	0.0188	外航（製材合板）上記以外	0.0077

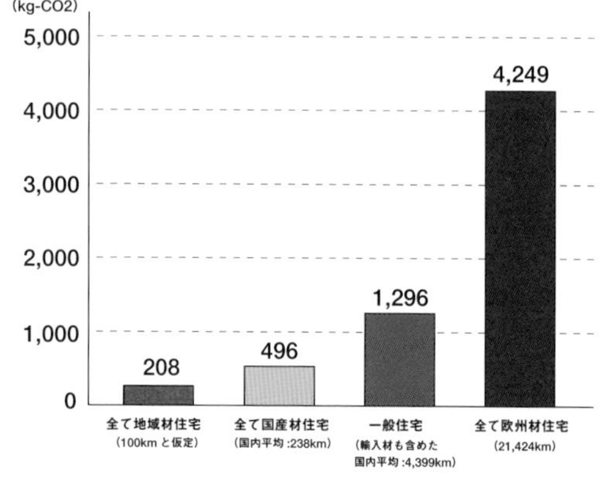

*（　）内の距離は輸送距離

木造住宅の木材輸送過程CO_2排出量

左図は一般的な木造住宅（約38坪）を建てた場合、ウッドマイレージCO_2の計算式をもとに木材の産地別に木材輸送過程CO_2排出量を比較したグラフである。同じ量の木材を使ったとしても産地の選択次第で木材輸送過程CO_2排出量は大きく変わることが分かる。可能な限り身近な資源を建材に用いることが、CO_2排出の削減に大きくつながると言える。

出典：一般社団法人ウッドマイルズフォーラムウェブサイト（掲載図を元に作画）

12

エネルギーをつくる

地球環境に配慮した建築デザインを考えるときに、その建物で消費されるエネルギーが、どこから来ているのか、どのように生まれているのかが重要となる。現在の社会は、大きな発電所によるメガインフラに頼ったエネルギーネットワークによって構成されているが、今後、再生可能エネルギーの利用が進むにつれ、エネルギーの地産地消や自家発電などが重要となってくるだろう。太陽光発電パネルに代表される、創エネ設備と建築デザインの共存は、今後の建築を考える上で欠かせなくなってくる。建物の消費エネルギー、それに対する省エネルギーパフォーマンス、そして足りない分の創エネルギーによる発電、これらをバランスさせながら、建築デザインに落とし込む必要がある。

たとえば太陽光発電パネルは、太陽からなるべく大きなエネルギーを受けて発電する必要がある。そのため、建物の屋根などの高い位置に配置されるが、一方で、人の居場所は、そういった屋根部分の下に展開する。発電にとっても、人にとっても良い環境をデザインしていくことが重要である。たとえば大きなソーラーパネルの屋根をつくることで発電効率を上げながら、その軒下に人の居場所をつくっていく。あるいは川の風景を建築に取り込みながら、水力発電も行う。こういった、エネルギーをつくるシステムと、人のための居場所の共存が次の環境デザインにとって重要な風景となってくる。

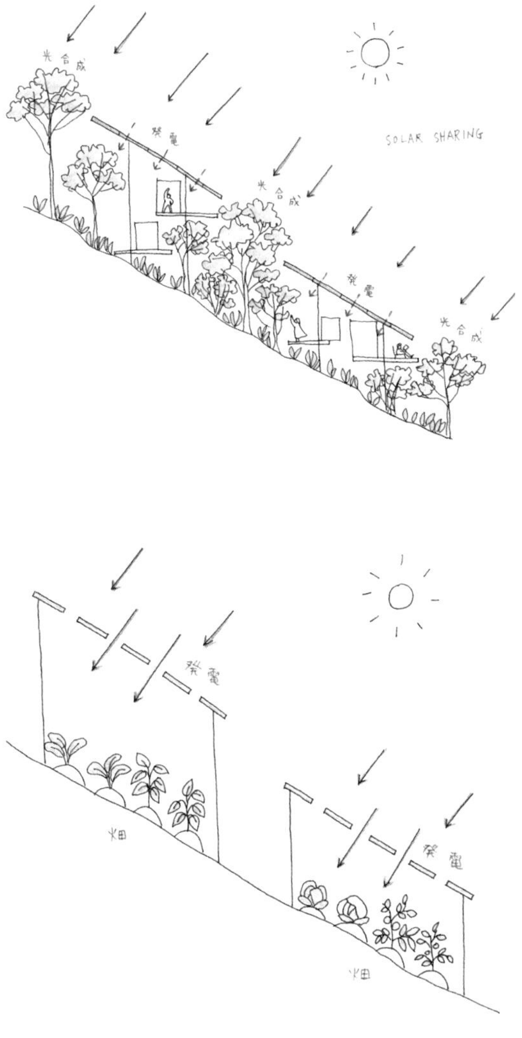

12 エネルギーをつくる

Looop Resort NASU

栃木県那須町／2019年6月竣工

森と共生する太陽光発電所を兼ねた宿泊施設

那須の森の中につくられた宿泊施設。近年メガソーラーは、クリーンエネルギーのための発電施設でありながら、経済原理を優先するあまり、自然破壊や景観破壊につながっていることが社会問題となっている。ここでは、森や人と共生する新しいタイプの発電施設としての提案を行った。

森と太陽光発電施設を共存させるために、既存樹木の伐採を最小限にしている。木立の間に配置された建物群は、太陽エネルギーを大屋根で受けて発電し、その下に大きな軒下空間をつくる。樹木の形状と配置を調査し、樹木の陰を避けるように精緻に日射シミュレーションを行い、森に溶け込む分棟型の配置とした。いわば人と自然のソーラーシェアリングとなっている。

利用者は、自然と一体となる宿泊体験を通じて、アウトドアで遊んだり、森の生態を観察したりしながら、自然エネルギーについて学ぶことができる。会社の保養所としてだけでなく、貸別荘、貸ホールとして一般にも開放され、エネルギーの地産地消や、地域活性化を目指している。

▲鳥瞰パース

太陽光発電パネル
（シースルータイプ）
1
0.5
太陽光パネル
H 125×250
太陽光から
エネルギーを生成する
鼻隠し：カラーガルバリウム鋼板
壁：杉の上小節材　縦羽目張り
自然保護塗料（キシラデコール）t=18
適度に樹々を間伐し、
樹木全体の生長を促す
枕木
荒木田土 t=300
水生植物 6pot/m
土留め端部 W400
φ200 単位度　砕石敷込 t=300 砂ぎめ
雨水を用いたビオトープ
ポンプアップで雨水が上の池に戻り、
ビオトープを循環する
砂利敷込（池）
割栗石 t=200
砂 t=100
手摺：Stφ25　溶融亜鉛メッキ
手摺子：Stφ16　溶融亜鉛メッキ
ウッドデッキ（杉防腐注入材）t=30 の上
木材保護塗料（キシラデコール）

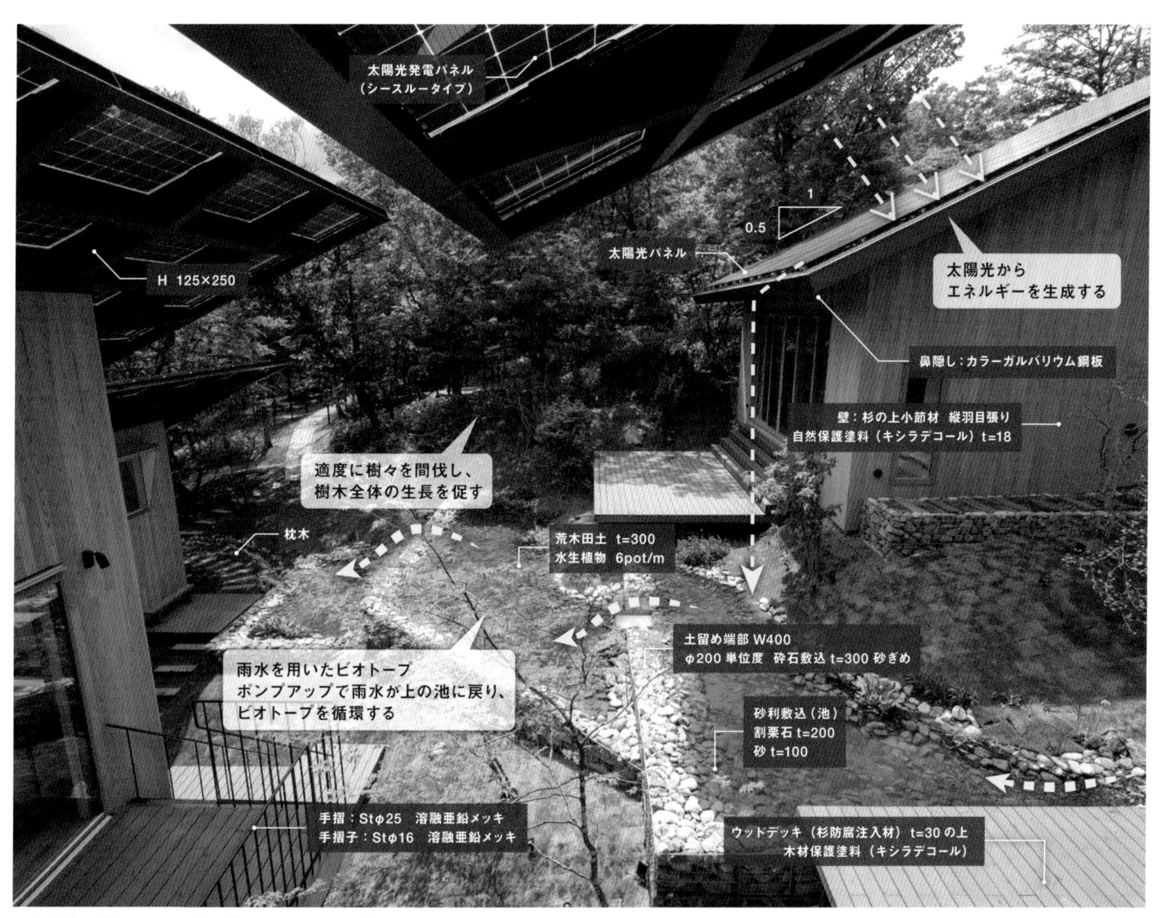

▲宿泊棟２階テラスより棚田状のランドスケープを見る

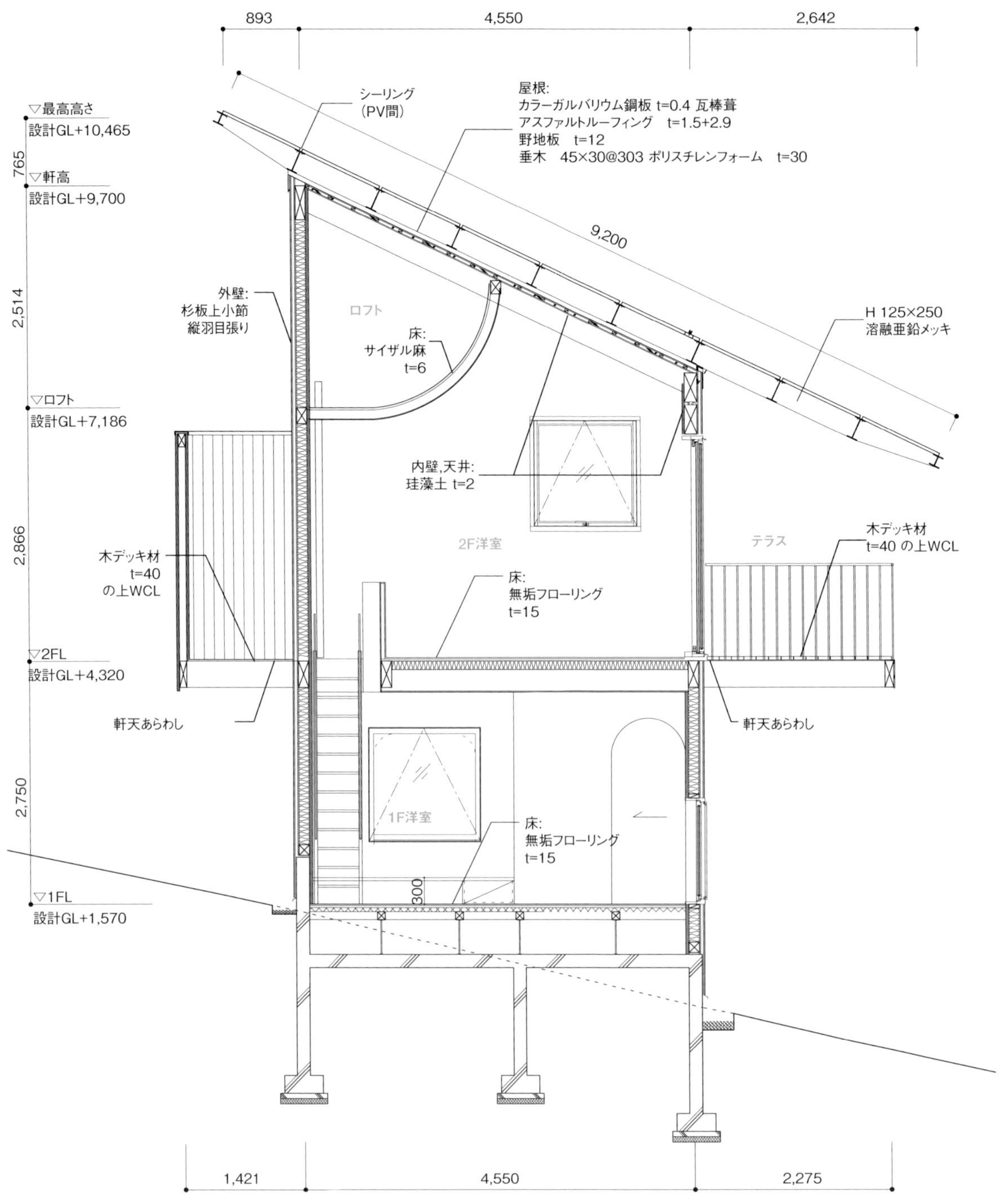

▲断面詳細図

POINT 1

発電効率と人の居場所を両立させる

高さが高いほど太陽光を多く享受できるため、太陽光発電パネルの屋根は、平面的に樹木の陰に入らず、かつなるべく高い位置で大きくする必要があった。そのため、木造のBOX状の躯体に一度屋根防水をし、その上に鉄骨で組んだ大屋根を乗せてパネルを固定している。発電に最適化された屋根の勾配は、室内としては天井が高くなりすぎるため、一部ロフトなどを設けて、高さの有効活用をしている。

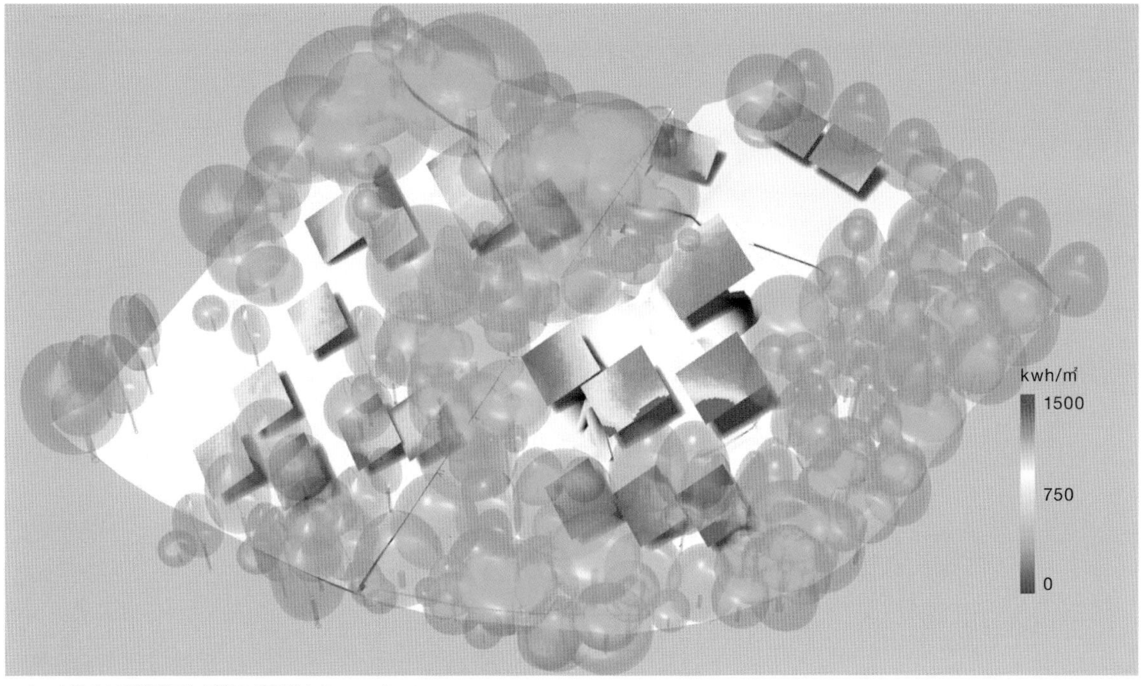

▲木々を避けた配置計画と屋根の日射量シミュレーション

▲棚田状のビオトープをつなぐディテール

POINT 2

雨水循環による棚田状ビオトープ

発電のための建物でもあり、人の宿泊のための建物でもあるという両義性を考えたとき、発電のための大きな屋根の下に生まれる軒下を使って、人のための心地良い憩いの場をつくることを考えた。ここでは、建物群の中心に、土工事で出た石を使って蛇籠の堰をつくり、棚田状のビオトープをつくっている。屋根から集まった雨水は、このビオトープに流れ込み、段々状に流れていき、最下部まで流れるとポンプアップして循環する仕組みになっている。この美しい棚田のビオトープに面してたくさんのテラスを折り重なるように配置することで、森の中に自然と調和した水のランドスケープが生まれている。

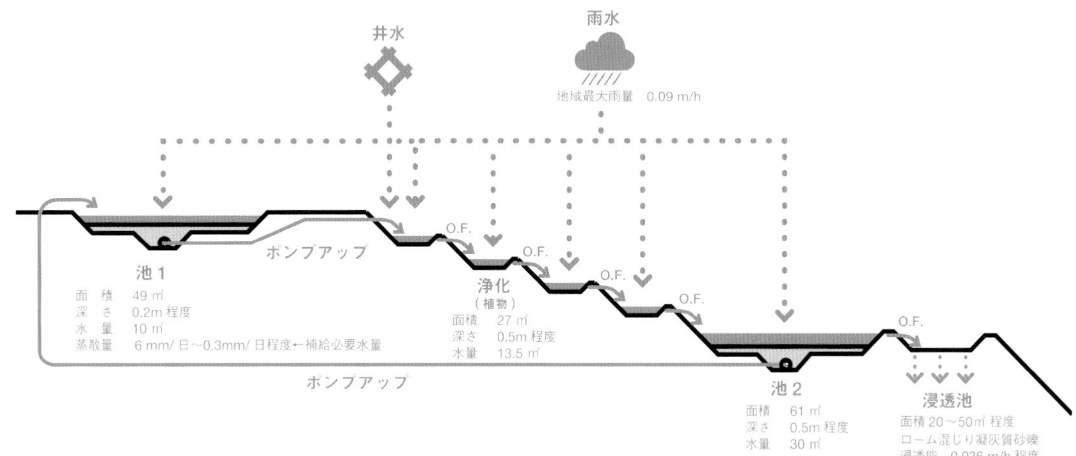

▲上段の池から植物浄化しながら水を流し、下段の池から再びポンプアップして循環させる

12 エネルギーをつくる／先進事例紹介

星のや軽井沢

──エネルギーをつくる美しい水景を囲む宿泊施設

▲敷地北から池を囲うように配置された建物群を見る

▲階段状に連続する水と庭

▲池に面したダイニング空間

設計者：建築／東 環境・建築研究所、ランドスケープ／オンサイト計画設計事務所　所在地：長野県北佐久郡軽井沢町
竣工年：2005 年　構造規模：鉄筋コンクリート造（一部鉄骨鉄筋コンクリート造）、鉄骨造、木造　地下 1 階、地上 2 階
敷地面積：42,055.10m²　建築面積：6,303.16m²　延床面積：8,507.92m²

エネルギーをつくる建築やランドスケープの風景は、人の論理だけでつくられているか、人と自然の両方のことを考えてつくられているかで立ち現れ方が全く異なってくる。ここで紹介する星のや軽井沢は、宿泊棟が囲む水のランドスケープがエネルギーをつくり出す機能を兼ねているが、宿泊者はそのことに気づくことなく、自然な形で風景に組み込まれている。この美しい水景デザインとそれを眺めながら過ごす自然素材でつくられた集落のような建築デザインとの関係の中に、私たちが学ぶべきエッセンスがある。

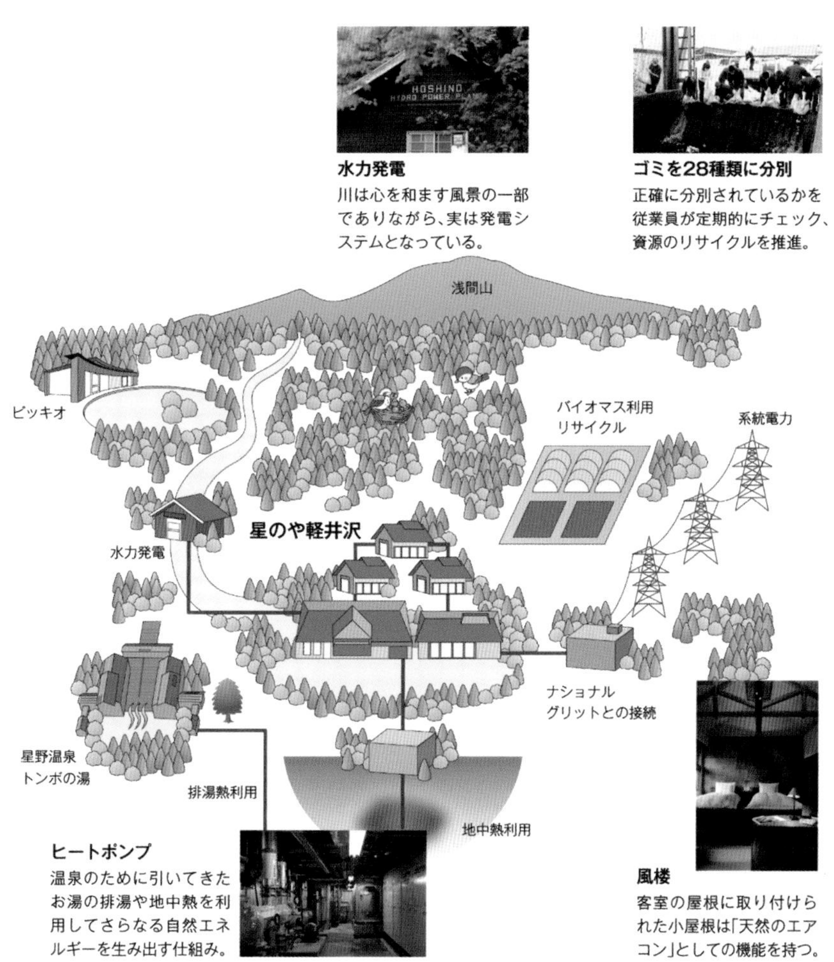

▲エネルギー概念図

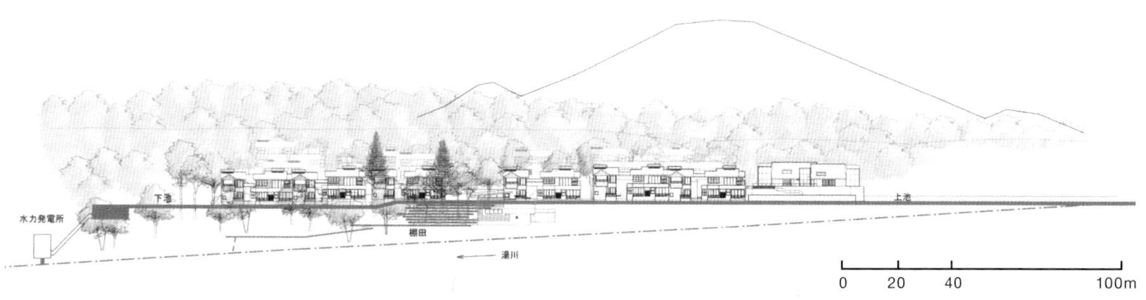

▲広域断面図

SIMULATION

エネルギーを効率的につくる屋根の形

ここでは、周辺建物を考えないという前提で、屋根形状が太陽光発電における発電の総量や発電スケジュールにどのように影響を与えるかについてシミュレーションにより比較検討を行う。分析の結果、片流れと切妻を比較してみると、総量は片流れが多いのに対して、日の出と日没付近では切妻の発電量が多くなった。他の形状においても、スケジュールにおいて形状の特徴が表れるものの、総量については南向きの片流れ屋根を上回るものはないことが分かった。

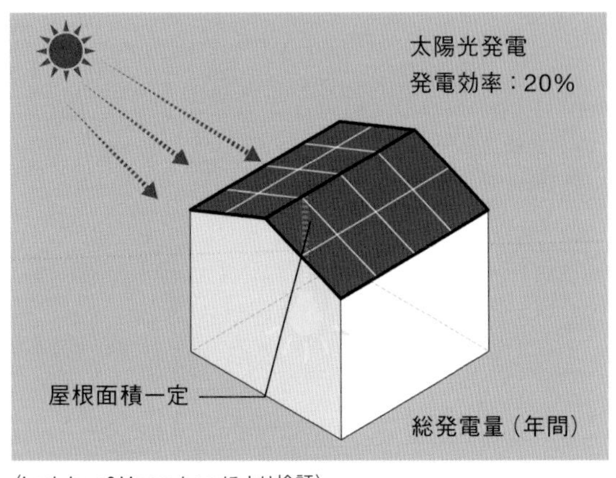

〈Ladybug&Honeybee により検証〉

片流れ屋根（南向き）

総発電量 15275kWh

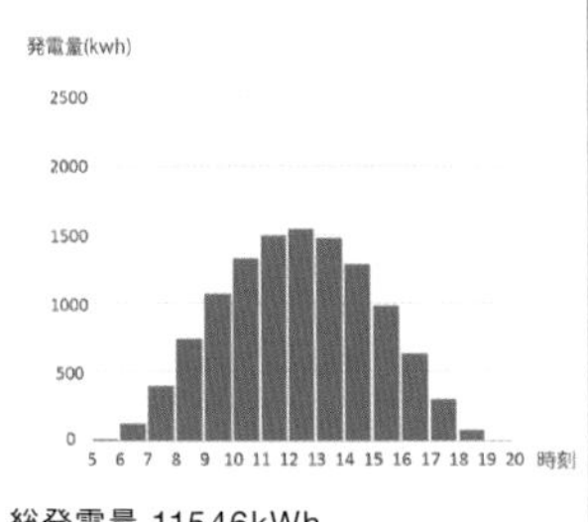

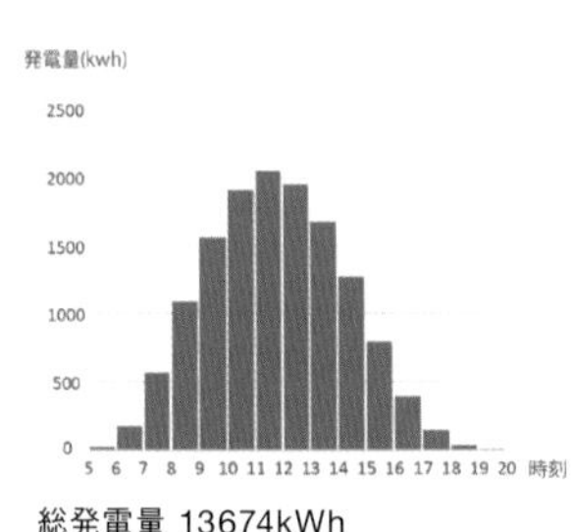

片流れ屋根（東向き）

総発電量 13674kWh

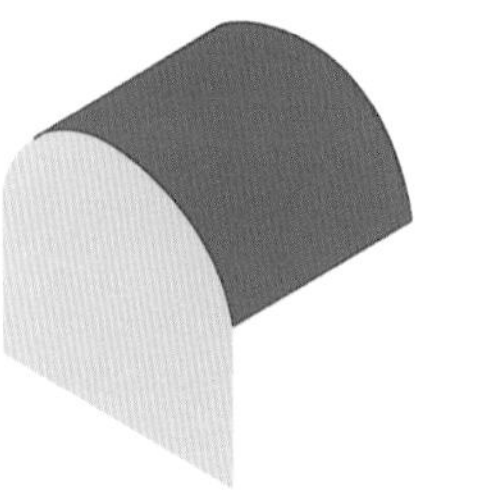

アーチ

総発電量 11546kWh

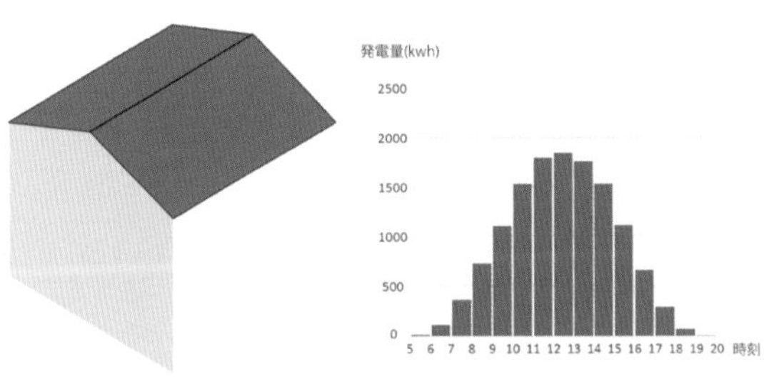

切妻

総発電量 12996kWh

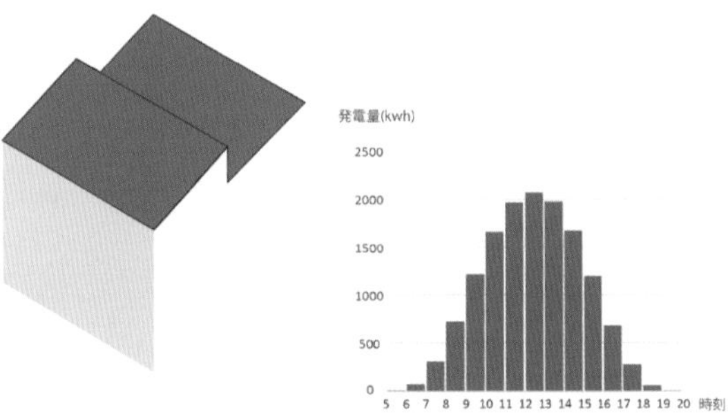

のこぎり

総発電量 13996kWh

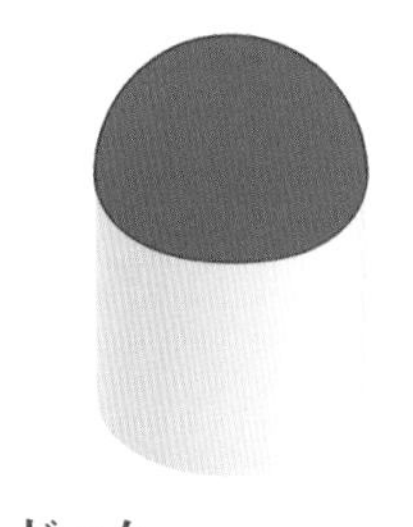

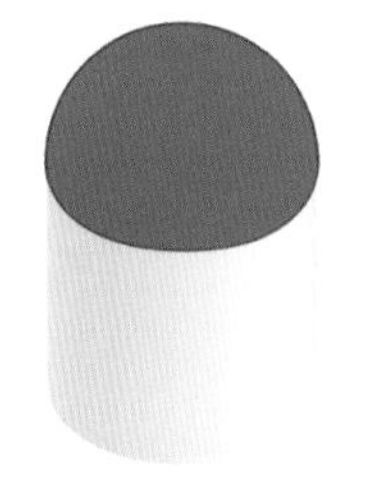

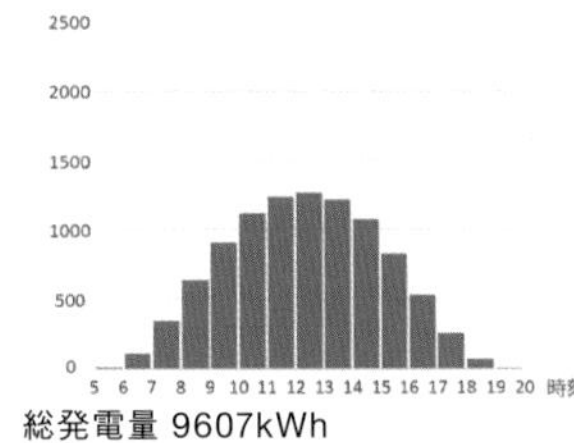

ドーム

総発電量 9607kWh

環境シミュレーションツールを使う

清野 新（Arup）

ここでは、本書で掲載された各種シミュレーションがどういったツールで計算されているかを紹介する。

環境シミュレーションを取り巻く状況は刻一刻と変化しており、便利なツールが次々に登場している。ここ数年の傾向としては、解析に必要なパラメータ入力を極力簡易化、テンプレート化し、最小限のマニュアル操作で解析結果が得られるようになってきている。これにより、環境工学に精通したエンジニア以外に、意匠設計者や設計課題に取り組む学生でも環境シミュレーションを行いながら設計スタディを行うことが増えてきており、今後より一層の普及が期待されている。本稿では、初めてシミュレーションを行う人にとって比較的取り扱いやすいツールを中心に紹介したいと思う。

各ツールの詳細な使い方については、ツールごとのチュートリアルを参照されたい。ほとんどのツールで詳細なセットアップ方法や使い方、動画による解説、サンプルファイル等が公開されており、豊富なリソースを元に各自が習得しやすい環境が整っているはずである。

PROFILE　清野 新：1989年生まれ。2014年東京大学大学院修了。同年よりArup東京事務所勤務。美術館、スタジアム、ホテル、研究所、オフィス、住宅等の環境設備設計を担当。設計業務と並行して、環境コンサルティング業務や解析・設計自動化ツールの開発に従事。

計算エンジンとインターフェイス

具体的なツールの紹介に入る前に、シミュレーションツールの構成について触れておきたい。環境シミュレーションツールは「計算エンジン」と「インターフェイス」から構成されることが多い。計算エンジンとは文字通り各種環境解析の計算を行うコアの部分で、主要な解析種別ごとに古くから開発が続けられているものが存在する。計算エンジンはオープンソースであることが多く、誰でも比較的簡単にアクセスすることができるという特徴がある。計算エンジンのみでも解析を行うことは可能であるが、解析パラメータの設定のためにテキストファイルを編集したり、解析の実行にコマンドが必要となるケースが多く、お世辞にも使い勝手が良いとは言い難い。そこで登場するのがインターフェイスである。インターフェイスは解析パラメータの編集、解析の実行、解析結果の表示などを容易にできるように作られたもので、計算エンジンとセットで用いられる。シミュレーションツールというと計算エンジンとインターフェイスが混同されていることがあるが、解析の手法や確からしさ、汎用性などを判断する上では意識的に切り分けた方が望ましい。本稿でも計算エンジンとインターフェイスを分けて紹介する。

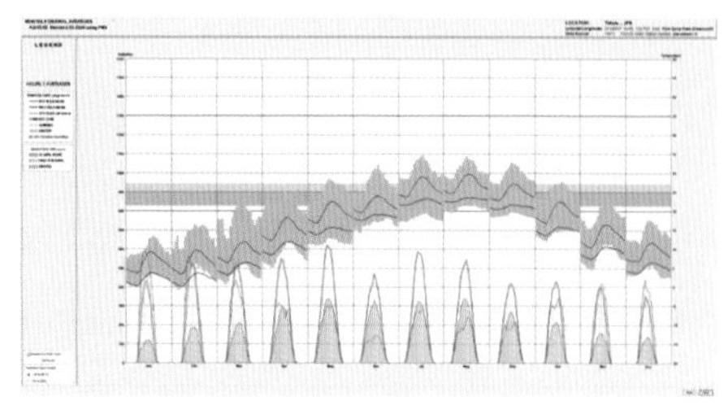

▲図 1：Monthly Diurnal Average Chart

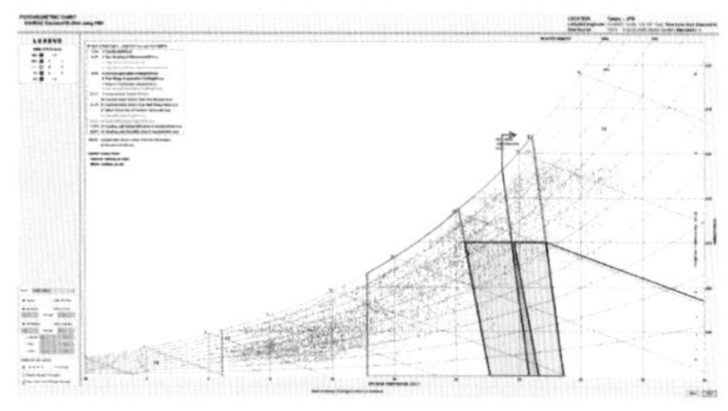

▲図 2：Psychrometric Chart

気象データ分析

まず最初に、気象データ分析ツールについて紹介する。気象データ分析は厳密には環境シミュレーションではなくデータビジュアライゼーションの一部ではあるものの、環境シミュレーションを行う前の段階で必ず必要になるので、この項で合わせて紹介する。

Climate Consultantは、UCLA（カリフォルニア大学ロサンゼルス校）が開発した気象データ分析ツールで、独自のインターフェイスから各種グラフを作成することが可能である。Monthly Diurnal Average（月ごとに1日の変動を平均化したグラフ；図1）やPsychrometric Chart（湿り空気線図；図2）、Wind Wheel（風配図、Wind Roseともいう）などひと通りの可視化が可能である。Psychrometric Chartでは各種パッシブ手法を採用した際の快適域の変化や外気温湿度が快適域に含まれる時間帯の割合などが表示できるため、設計初期段階で重宝する。

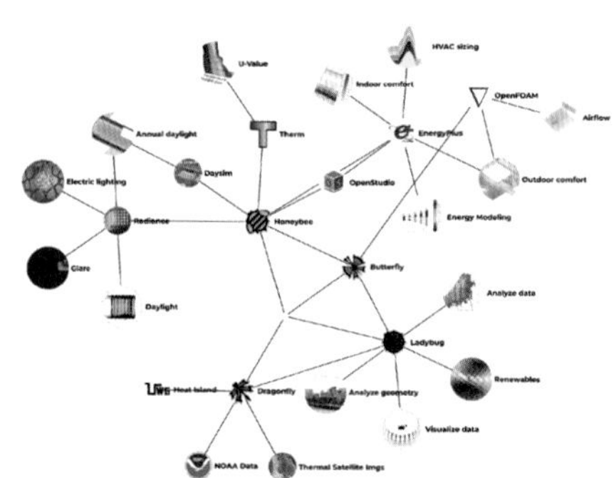

▲図 3：Ladybug Toolsによる環境シミュレーションネットワーク（出典：https://www.ladybug.tools/）

Ladybugは、Ladybug Tools（https://www.ladybug.tools）（図3）というRhinoceros / Grasshopperのプラグインシリーズの1つで、Grasshopper上から気象データの分析を行うことができる。Sunpath（太陽軌道図；図4）を3Dで表現できるので、建物や周辺街区との関係性を把握しやすいというメリットがある。また一部のコンポーネントからは太陽の位置や太陽光線のベクトルデータを抽出することができるので、直達日射の到達可否の判定や日影図の作成など、さまざまな方法で応用することが可能である。

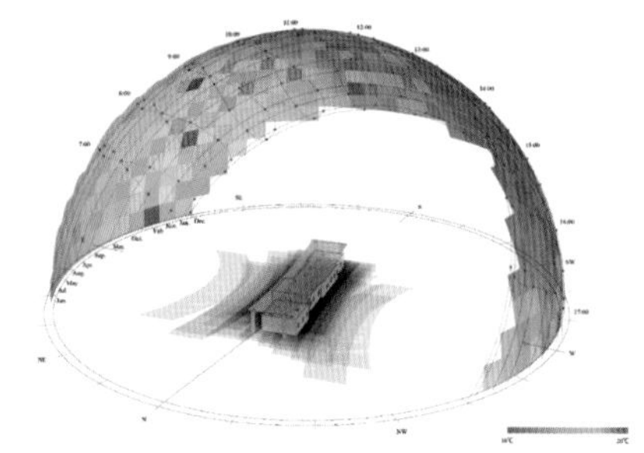

▲図 4：太陽軌道図の3D表現

いずれのツールでも気象データにはepw（EnergyPlus Weather Data）

というフォーマットが用いられており、EnergyPlusのサイト（https://energyplus.net/weather）や、Climate.OneBuilding.Org（https://climate.onebuilding.org/）からダウンロードすることが可能となっている。ただし、日本国内のepwデータは限られた地点しか用意されていない[注1]ため、必要に応じて別途拡張アメダス等の気象データを購入する必要がある。

気象データ自体は数値の集合体[注2、3]なので、ExcelやPower BI、Pythonなどで独自の可視化ツールを作成することもできる。既存のツールではできないような可視化手法（図5）も、独自にカスタマイズすることが可能である。

また、近年問題が深刻化している地球温暖化について、将来の気候変動を考慮に入れた分析を行うことも非常に重要である。WeatherShift（https://www.weathershift.com）では、温室効果ガスの排出予測に基づいたRCPシナリオごとに2100年までの予測気象データを作成することができ、これからの活用が期待されている。

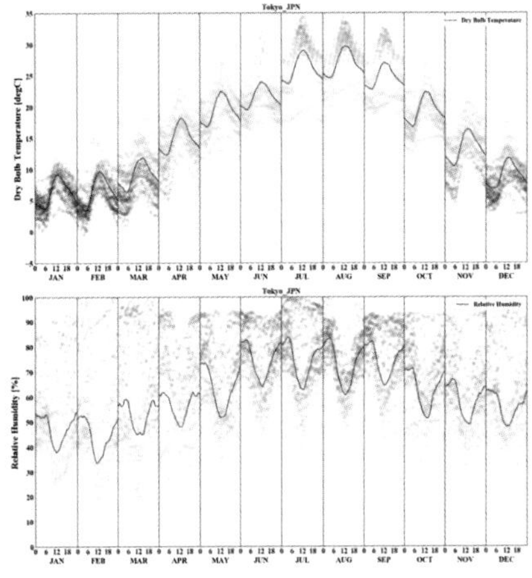

▲図5：epwデータを用いた気象データの様々な可視化表現

注1：EnergyPlusのサイトからダウンロードできる気象データのうち、関東圏内のものは「Tokyo Hyakuri」のみである。これも東京都内ではなく百里基地（茨城県）のものなので扱いには注意が必要。

注2：epwデータはフォーマットこそ.epwというかたちをとっているものの、中身はほとんどcsvと同等のため、各自でデータを用意して気象データを作成することも可能である。

注3：epwをはじめとした気象データは一般的に標準年気象データが用いられている場合が多いが、自身で元データを編集することで特定の年の気象データを用意することもできる。

光解析

光解析ではほとんどの場合、計算エンジンはRadianceが用いられている。他の多くの計算エンジンと同様に、Radianceを扱いやすくするためのインターフェイスがいくつか用意されている。

Ladybug Toolsの1つに、Honeybeeがある。HoneybeeはRadianceや、後述のEnergyPlus、Thermといった計算エンジンのために用意されたGrasshopperプラグインである。Radianceの計算機能は非常に多岐に渡るため、Honeybeeで全てをカバーできるわけではないが、設計プロセスの中で光解析を行う分には十分な機能が実装されている。図6のように平面的な照度分布を示すことや、図7のようにパース上に輝度分布を表現することも可能である。また、LEED認証に必要なASEやsDAといった光環境指標についても計算が可能である。

細かい差異はあるものの、有償ソフトウェアであるClimate Studio（https://www.solemma.com/）やcove.tool（https://www.cove.tools/）でも同様の機能が提供されており、各社ともに価格や使い勝手、解析ビジュアルの美しさで差別化を図っている。

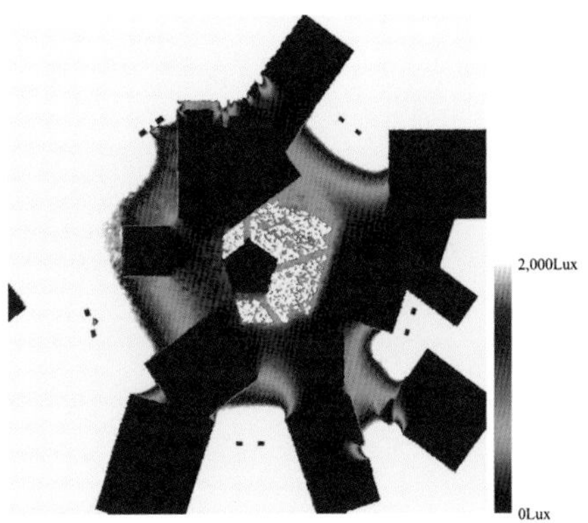

▲図6：照度分布シミュレーション

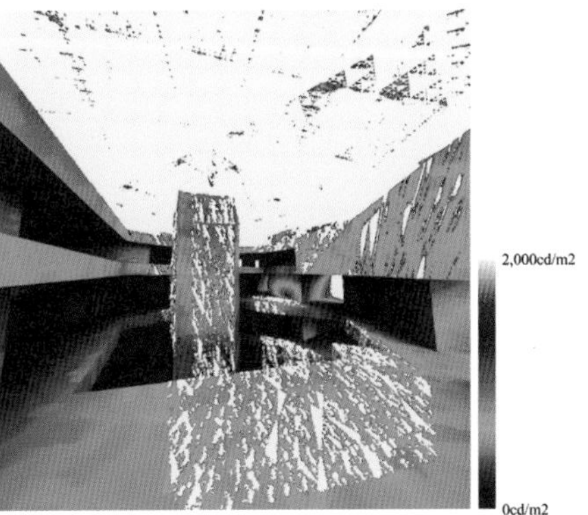

▲図7：輝度分布シミュレーション

風解析

風解析では通常CFD（Computational Fluid Dynamics）という手法が用いられている。解析の設定や計算自体が煩雑なため、計算エンジンとインターフェイスが一体となっていることが多い。また、解析の複雑性ゆえかオープンソースのソフトウェアが少なく、多くの場合有償のソフトウェアが用いられているのが現状である。

市販のソフトウェアでは、FlowDesignerやSTREAMといったものがある。CFD解析では、屋外を流れる風の解析（図8）や、自然換気による室内の空気の流れ（図9）、空調を行った場合の温度分布（図10）などを解析することが可能である。計算負荷の制約から定常状態での計算が主であり、設計プロセスの中で時系列を扱う非定常計算を行うことは稀である。

オープンソースのCFDとしてはOpenFOAMが有名である。Ladybug Toolsの1つであるButterflyはOpenFOAMを計算エンジンとしたインターフェイスであるが、現時点では計算機能が制限されており今後使い勝手が向上することが期待される。

流体を2次元に限定してより簡易的にシミュレーションするためのツールとして、タブレット用アプリであるWindTunnelがある。解析の精度や自由度は上述のソフトウェアに遠く及ばないものの、タブレット上でスケッチ感覚でインタラクティブにスタディができるという利点はある。

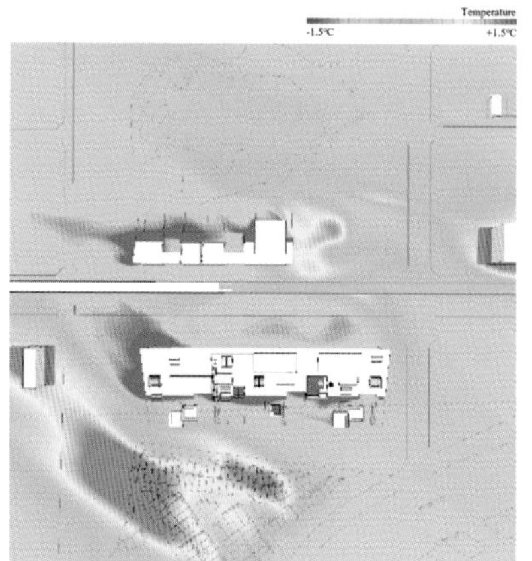

▲図8：CFDによる屋外風環境解析

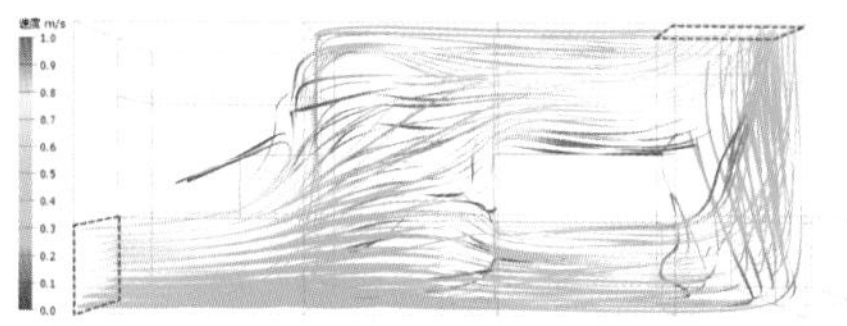
▲図9：CFDによる屋内風環境解析

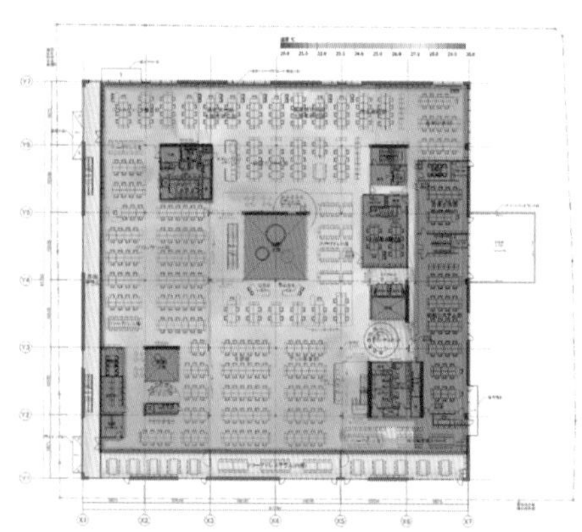
▲図10：CFDによる空調時の室温分布解析

熱解析

熱解析は、その範囲の広さから解析の目的に応じてさまざまなツールが用いられている。たとえば建物のファサードや床面に到達する日射熱量、屋根面に置かれた太陽光発電パネルによる発電量などを計算する場合には、Radianceを計算エンジンとしてHoneybeeなどのツールを用いることが比較的容易である。また、自然換気による室温の分布を計算するのであれば、CFDを用いることで3次元的な室温の分布を可視化することができる。ダイレクトゲインや自然換気を考慮して、年間を通した室温の推移を計算するのであれば、後述のEnergyPlusを用いることで時系列での熱の変化を分析することが可能である。もしくは開口部のディテールを検討する際に、サッシや断熱境界による熱橋の有無をスタディするのであれば、Thermというツールを用いて詳細な温度分布を計算する場合もある（図11）。

いずれにせよ、熱の解析においては何を対象とし（日射熱、内部発熱、自然換気、放射、熱橋、etc.）、どのような状態の計算を行い（定常状態、非定常状態）、何を出力するのか（空間的な温度分布、時系列での温度推移、etc.）、目的に応じて適切なツールを選択することが重要である。

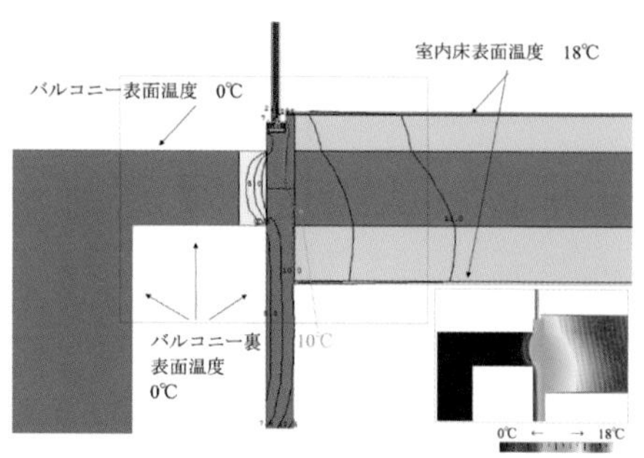

▲図11：Thermによる熱橋解析

快適性評価

熱解析の派生として、快適性を分析するツールも存在する。

CBE Thermal Comfort Tool（https://comfort.cbe.berkeley.edu/）は、ブラウザ上でPMVやSET*といった快適性指標を計算するツー

ルである（図12）。空気温度・放射温度・風速・相対湿度・着衣量・代謝量の6パラメータを入力することで、各快適性指標が計算される。また、オプションとして居住者に直接日射が当たる場合の放射温度の変化や、不均一な放射環境・ドラフト・上下温度差・床表面温度といった局所不快的性の評価を行うことも可能である。

Honeybeeにも同様に、日射を加味した放射温度やSET*を計算するコンポーネントが存在する。Grasshopper上で計算を行うことで、快適性指標の空間分布を表現することが容易となる。たとえばCFD解析結果から出力した風速分布等と組み合わせることでSET*の平面分布などを表現することも可能である（図13）。

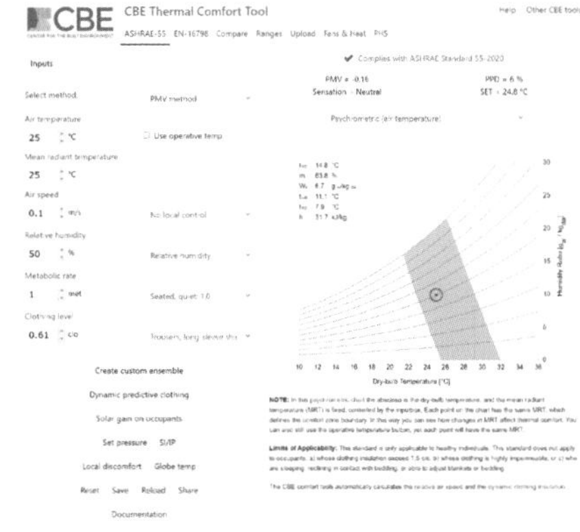

▲図12：Thermal Comfort Toolによる快適性評価
（出典：https://comfort.cbe.berkeley.edu/）

エネルギー解析

エネルギー解析は、熱回路網計算によりノードと呼ばれる特定の点間の時系列の熱収支を計算するもので、計算エンジンとしてEnergyPlusを用いることが多い。EnergyPlusはアメリカのNREL（National Renewable Energy Laboratory）主導により開発されているオープンソースの計算エンジンで、サードパーティによるインターフェイスが多数開発されている。

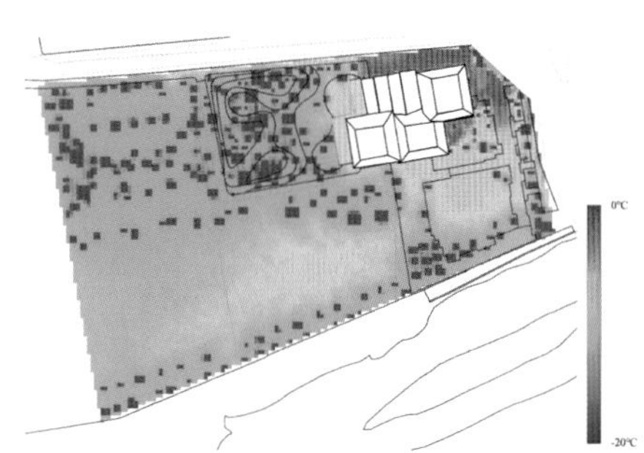

▲図13：日射を加味した屋外の快適性評価

光解析で挙げたHoneybeeがそのインターフェイスの1つで、EnergyPlusの各種解析をサポートしている。EnergyPlusでの解析は、Radianceによる光解析やCFD解析と異なり、熱の収支を計算するノードが室や室を構成する床・壁・天井などの面ごとに1つ設けられており、ノードごと・時間単位ごとの温度や熱量の移動を計算することが可能である。時系列での解析を比較的低負荷で実行できるものの、空間分布を表現することはできないので注意が必要である。

EnergyPlusの解析では、たとえば図14のような自然室温を出力することができる。年間を通した室温の推移を計算できるので、ダイレクトゲイン、自然換気、ブラインド・稼働ルーバーによる日射遮蔽などを組み合わせ、パッシブ手法のみで年間どのくらいの時間が快適域に含まれるかといったことが分析できる。断熱性能やガラス性能、人員負荷や照明負荷など、各種パラメータの変更も容易なため、設計初期段階で建物の性能の大枠を捉える上で非常に有用である。

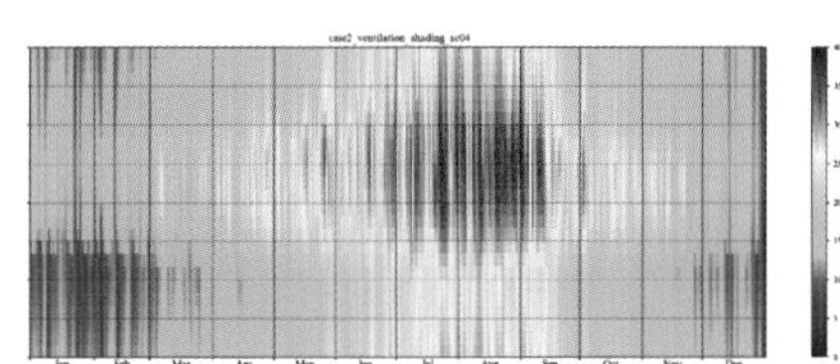

▲図14：EnergyPlusによる年間の室温推移を示すヒートマップ

より詳細な空調・熱源をモデリングし消費エネルギーの分析を行う場合には、OpenStudioが適している。チラーやボイラーといった熱源側の機器や、エアハンドリングユニット、ファンコイルユニットといった空調機器を組み合わせ、詳細なエネルギー消費量の分析を行うことが可能である（図15）。OpenStudioによるモデリングにはある程度の知識と技術が必要になるため、慣れるまではHoneybeeに組み込まれているテンプレートから熱源・空調方式を選択することから始めるのが望ましい。

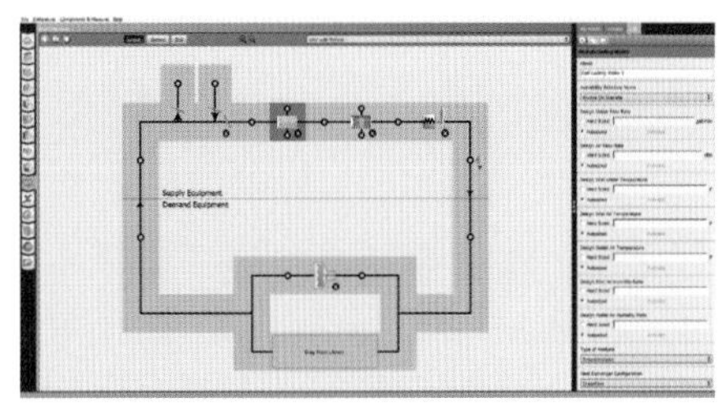
▲図15：OpenStudioによる空調・熱源のモデリング

光解析と同様に、Climate Studioやcove.toolでも同様の解析を行うことが可能である。

幾何計算によるシミュレーション

ここまでは外部の計算エンジンを用いながら環境解析を行うツールを紹介したが、Rhinoceros / Grasshopper上で独自に解析を行うことも可能である。Rhinoceros / Grasshopperは3次元上の幾何計算を簡単に行うことができるので、日射や視線、音線など、直線系の解析であればコンポーネントの組み合わせで実行可能である。図16はファサードによる直達日射の反射をスタディしたもの、図17は幾何音響解析によりホールの音環境の分析を行ったものを示している。いずれのケースでも外部の計算エンジンを用いることなく、Grasshopperのコンポーネントの組み合わせのみで解析を行っている事例である。幾何計算を行うことのメリットとしては、外部計算エンジンとの連携が不要となり計算負荷が低くなること、解析自体をカスタマイズ可能であることなどが挙げられる。特に次に示す最適化計算などと組み合わせる場合にはいかに計算負荷を抑えるかが重要になるため、一考に値する。

最適化計算

上述のシミュレーションツールと組み合わせ、形態や解析パラメータの最適解を導くツールも複数存在する。解析ツールと最適化を組み合わせるプラットフォームとしてはやはりGrasshopperが優れており、Grasshopper純正の最適化ツールであるGarapagosや、プラグインであるOctopus、Wallaceiを用いることで、環境シミュレーションの解析結果を最適化することが可能となる。

環境シミュレーションによる最適化を行う場合は、たとえば「日射熱取得量を最大化する」「照度のばらつきを最小化する」「消費エネルギーを最小化する」といった目的関数を与えることが考えられる。一方で単一の目的関数による最適化を行うと、「同じ回転角度のルーバー」「全て南側を向いた建物ボリューム群」等、一意的な計算結果となってしまう場合も多々ある。もちろん最適化されているという意味では間違っていないが、最適化計算を行う意図とは反してしまっている。そういった場合は、複数の目的関数を与えた多目的最適化を行ってみると良い。「夏期の日射熱取得量を最小化」「冬期の日射熱取得量を最大化」「室内照度分布のばらつきを最小化」等、一見すると相反する条件を目的関数として設定することで、パレート解と呼ばれる一意的ではない解析結果群を得ることが可能となる（図18）。

その他、最適化計算とは異なるが、総当たり計算とその可視化のためのツールとして、ColibriとDesign Explorerが挙げられる（図19）。ColibriはGrasshopperのプラグインで、設定したパ

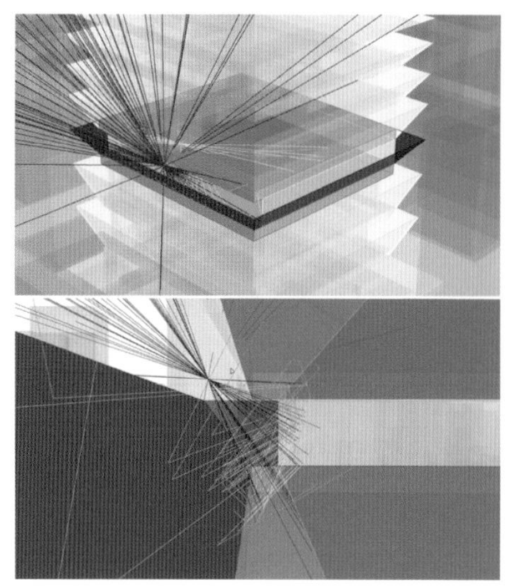

▲図16：日射の反射を考慮したファサードの形態解析

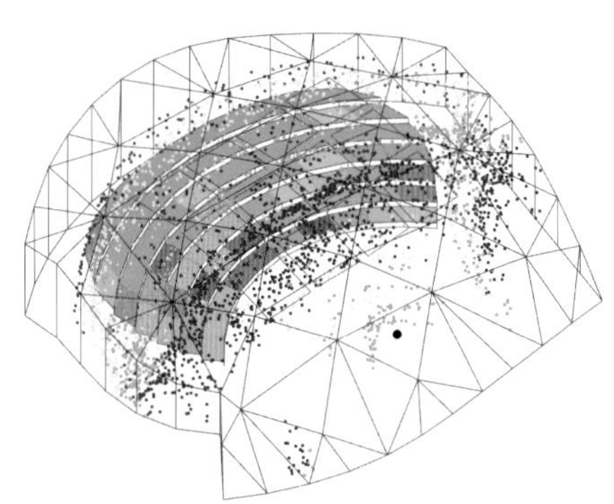

▲図17：幾何音響解析によるホールの音環境評価

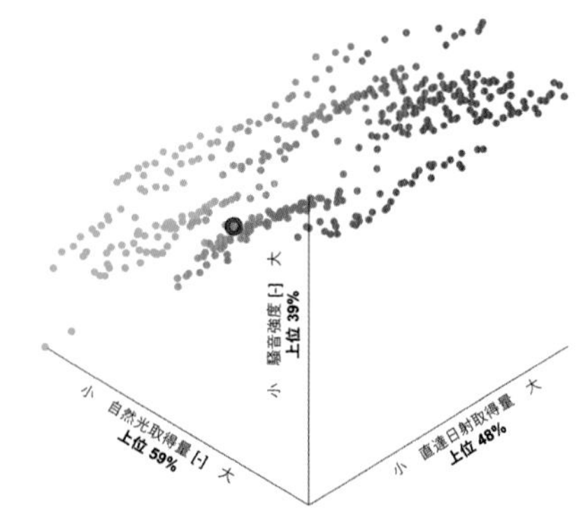

▲図18：複数の環境パラメータによる多目的最適化

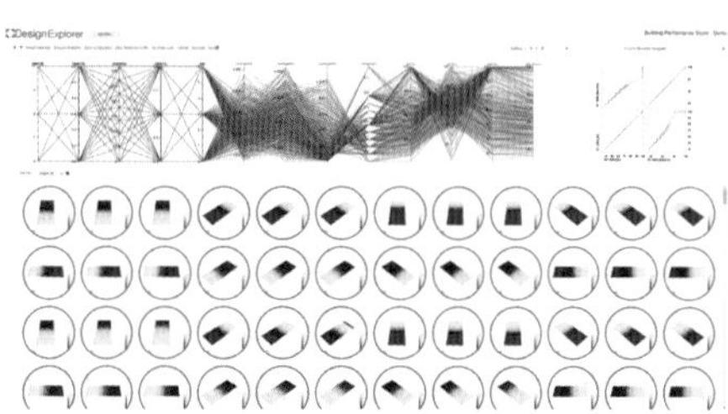

▲図19：Design Explorerによる解析結果の可視化
（出典：http://core.thorntontomasetti.com/design-explorer/）

ラメータのレンジを元に組み合わせの総当たり計算を行い、その計算結果を保存する。保存された計算結果を元に、ブラウザ上のDesign Explorerから可視化を行うことで、パラメータごとの傾向や結果の絞り込みによる分析が可能となる。

最適化計算や総当たり計算を行う際の注意点として、環境シミュレーションは個々の計算負荷が高く、最適化計算の中に組み込む場合に、計算が終わらない、処理落ちするといった事態に陥る可能性がある。その場合は解析モデルを単純化する、最適化パラメータを絞る、幾何計算等でシミュレーションを置き換える等の工夫が必要となる。

＊　＊　＊

各種環境解析ツールについて、比較的取り扱いやすいものを中心に紹介した。全体の傾向として、オープンソースのものは無償で扱え、ソースコードを改変することでカスタマイズが可能である一方で、自由度の高さゆえにインターフェイスが煩雑であり取っ掛かりづらい部分もある。有償のソフトウェアでは自由度は減る分インターフェイスが洗練されており、初心者が躓きにくいという部分はあるだろう。いずれにせよ、環境解析全般がより身近なものになってきていることは事実である。シミュレーションがエンジニアだけでなく、意匠設計者によって行われることは喜ばしい一方で、解析の確からしさや適用範囲を判断する目を持ち合わせておく必要性がより増してきているとも言える。環境シミュレーションの習得と並行して、その解析の根本となる環境工学や物理現象についても合わせて理解を深めていく必要がある。

〈建築概要〉

01－① 淡路島の住宅
所在地：兵庫県淡路島市
敷地面積：1,224.79m²
建築面積：283.55m²
延床面積：285.28m²
構造：木造軸組工法 基礎 べた基礎
規模：地上２階建て
施工：
施工／平尾工務店
設備／ウチダ
電気／福田電気商会
外構・造園／原田造園
外皮／野水瓦産業
サッシ／山崎屋木工製作所
プール／アクラコーポレーション
地中熱／クラフトワーク
設計：
意匠／SUEP.
（末光弘和 末光陽子
田中建蔵＊ 加藤隼輝＊）
構造／佐藤淳構造設計事務所
環境／DE.lab
設備／前田設備設計事務所
電気／RISE 設計室
造園／原田造園

01－② 二重屋根の家
所在地：山口県下関市
敷地面積：1,308.53m²
建築面積：235.2m²
延床面積：235.2m²
構造：木造
規模：地上１階建て
施工：
施工／ハゼモト建設
設備／みらいふ
電気／HARU 電気システム
設計：
意匠／SUEP.
（末光弘和 末光陽子
佐々木翔＊ 矢野雄司＊）
構造／坪井宏嗣構造設計事務所
環境コンサル／DE.lab

02－① 清里のグラスハウス
所在地：山梨県北杜市
敷地面積：2,203.51m²
建築面積：249.98m²
延床面積：249.98m²
構造：RC 造＋木造
規模：地上１階建て
施工：山口工務店
設計：
意匠／SUEP.
（末光弘和 末光陽子
宍戸優太）
構造／A.S.Associates

02－② 山元町立山下第二小学校
所在地：宮城県亘理郡山元町
地面積：16,466.02m²
建築面積：3,943.17m²
延床面積：4,731.95m²
構造・規模：
校舎／W造一部S造地上２階建て
体育館／RC造（屋根 W 造）平屋
プール付属棟／RC造 平屋
施工：
建築／阿部建設
外構／阿部工務店
設計：
意匠／佐藤総合計画＋SUEP.
（末光弘和 末光陽子
加藤隼輝＊ 廣岡周平＊）
構造／佐藤総合計画
設備／佐藤総合計画
監理／佐藤総合計画

02－③ 向日居
所在地：福岡県八女市
敷地面積：1022.98m²
建築面積：129.18m²
延床面積：126.36m²
構造：木造
規模：平屋
施工：
施工／大藪組
空調・衛生／牟田商会
電気／立花電工
設計：
意匠／SUEP.
（末光弘和 末光陽子
藤阿紀江）
構造／坪井宏嗣構造設計事務所
環境／小林光

03 Kokage
所在地：千葉県我孫子市
敷地面積：271.09m²
建築面積：99.52m²
延床面積：127.50m²
構造：木造
規模：地上２階建て
施工：小川共立建設
設計：
意匠／SUEP.
（末光弘和 末光陽子）
構造／坪井宏嗣構造設計事務所
環境／小林光
電気／TWO -PLAN

04－① 風光舎
所在地：東京都江東区
敷地面積：205.74m²
建築面積：163.28m²
延床面積：577.35m²
構造：RC 造
規模：地上４階建て
施工：
施工／青木工務店
空調／スタンダード設備
衛生／スタンダード設備
電気／YAMA-DE
設計：
意匠／SUEP.
（末光弘和 末光陽子
永瀬智基）
構造／坪井宏嗣構造設計事務所
設備／RISE 設計室
環境／DE.lab
企画／プリズミック

04－② 松山の住宅
所在地：愛媛県松山市
敷地面積：184.44m²
建築面積：112.56m²
延床面積：99.02m²
構造：鉄骨造
規模：地上１階建て
施工：
施工／株式会社富士造型
家具／チェリア
ガラス・サッシ・金物／
株式会社末光
設計：
意匠／SUEP.
（末光弘和 末光陽子）
設備／小林光
家具／ホワイトベース
カーテン／株式会社布

05－① 木籠のオフィス
所在地：福岡県八女市
敷地面積：2000.21m²
建築面積：174.80m²
延床面積：221.37m²
構造：鉄骨造
規模：地上２階建て
施工：
施工／イノウエハウジング
衛生／スミ設備工業
空調／九州システム産業
電気／牧野電気工事
設計：
意匠／SUEP.
（末光弘和 末光陽子
廣岡周平＊ 山内祥吾＊）
構造／坪井宏嗣構造設計事務所

05－② 光壺の家
所在地：東京都世田谷区
敷地面積：102.9m²
建築面積：57.83m²
延床面積：94.39m²
構造：木造
規模：地上２階建て
施工：
施工／広橋工務店
設備／エスケーホーム企画
電気／オカサト電気
外構／佐久間土建興業
設計：
意匠／SUEP.
（末光弘和 末光陽子
廣岡周平＊ 加藤隼輝＊）
構造／RGB STRUCTURE
環境コンサル／DE.lab

06－① 地中の棲処
所在地：福岡市中央区
敷地面積：200.14m²
建築面積：78.56m²
延床面積：77.35m²
構造：RC 造
規模：平屋
施工：黒木建設
設計：
意匠／SUEP.
（末光弘和 末光陽子）
構造／ASA

06－② Kubomi
所在地：東京都調布市
敷地面積：128.25m²
建築面積：47.54m²
延床面積：97.56m²
構造：木造
規模：地上２階建て
施工：前川建設
設計：
意匠／SUEP.
（末光弘和 末光陽子
藤阿紀江）
構造／坪井宏嗣構造設計事務所

07－① 九州芸文館 アネックス１ Hammock Gallery
所在地：福岡県筑後市
敷地面積：12914.74m²
建築面積：414.46m²
延床面積：334.77m²
構造：主体構造 鋼板コンクリート造
（デッキプレート版併用 RC 造）
規模：地上１階建て
施工：
建築／安達建設
設備／小宮産業機械
電気／九州システム産業
空調／津福工業
鉄骨工事／
新日鉄住金エンジニアリング
建具工事／旭ビルウォール
床工事／ミスターフローリング
植栽工事／緑幸園
設計：
意匠／SUEP.
（末光弘和 末光陽子
佐々木翔＊）
＋日本設計＋産研設計
照明／岡安泉照明設計事務所
カーテン／安東陽子デザイン
構造／日本設計＋
坪井宏嗣構造設計事務所
設備／産研設計

07－② 百佑オフィス
所在地：台湾高雄市
敷地面積：616.98m²
建築面積：362.78m²
延床面積：918.36m²
構造：RC 造
規模：地上３階建て
施工：
施工／百佑営造有限公司
型枠／懋鋐工程行
鋼筋／馬立開發建設有限公司
電気／光雄企業有限公司
PV／久盛能源科技股份有限公司

サッシ／ 宗益行
空調／ 竺郁科技機電有限公司
設計：
意匠／ SUEP.
(末光弘和 末光陽子
永瀬智基 呉俊養)〈日本〉
＋RHTAA〈台湾〉
構造／ 構造計画研究所(日本)
＋洪世原土木結構技師
事務所(台湾)
環境／ Arup
設備／ Arup

08 ミドリノオカテラス
所在地：東京都世田谷区
敷地面積：445.05m²
建築面積：221.92m²
延床面積：749.60m²
構造：RC造
規模：地上3階・地下1階建て
施工：解良工務店
設計：
意匠／ SUEP.
(末光弘和 末光陽子
永瀬智基)
構造／ 坪井宏嗣構造設計事務所
内装／ SUEP.〈A、B、E、G住戸〉・
Poten-Poten
〈C、D、I住戸〉・
山内建築アトリエ
〈F、H、J住戸〉
設備／ 前田設備設計
ランドスケープ／ Fd Landscap
植栽／ いきものランドスケープ
造園／ 前橋園芸
企画プロデュース：アーキネット

09－① レソラ今泉テラス
所在地：福岡県福岡市中央区
敷地面積：777.06m²
建築面積：516.12m²
延床面積：3,858.80m²
構造：S・RC・SRC造
規模：地上10階・地下1階建て
施工：飛島建設
設計：
意匠／ 日建設計＋SUEP.
(末光弘和 末光陽子
田中建蔵＊永瀬智基)
ホテル内装／ アスコット
監理／ 日建設計
企画プロデュース：NTT都市開発

09－② 葉陰の段床
所在地：福岡県福岡市中央区
敷地面積：144.69m²
建築面積：87.63m²
延床面積：148.79m²
構造：木造
規模：地上2階建て
施工：
施工／ 筑羽工務店
設備／ 藤木商会
電気／ 堤電設
設計：
意匠／ SUEP.
(末光弘和 末光陽子
藤阿紀江)
構造／ ASA
家具／ 三好木工

10 嬉野市立塩田中学校
所在地：佐賀県嬉野市
敷地面積：36,258.90m²
建築面積：7,660.10m²
延床面積：8,436.26m²
構造：S造
規模：地上2階建て
施工：
施工／ 東亜建設工業 九州支店
電気／ 九電工・宮園電工電気 JV
空調・衛生／ 菱熱・兼茂設備 JV
配膳室等／ 谷口建設
設計：
意匠／ SUEP.
(末光弘和 末光陽子
佐々木翔＊廣岡周平＊
矢野雄司＊)
＋INTERMEDIA
構造／ 佐藤淳構造設計事務所
設備／ シード設計社
照明／ 岡安泉照明設計事務所

11 ソロー茨城
所在地：茨城県石岡市
敷地面積：4,405.69 m²
建築面積：296.42 m²
延床面積：288.18 m²
各階床面積：1階 288.18m²
26.73%
構造：主体構造 木造(落とし込み板壁構法) 杭・基礎 柱状改良・ベタ基礎
規模：地上1階建て
施工：
建築／ 関根工務店
空調・衛生／ ティーベック
電気／ 江沼電機工業
設計：
意匠／ SUEP.
(末光弘和 末光陽子
山内祥吾＊)
構造／ 坪井宏嗣構造設計事務所
設備／ 科学応用冷暖研究所

12 Looop Resort NASU
所在地：栃木県那須郡那須町
敷地面積：7,458.84m²
建築面積：297.91m²
延床面積：252.30m²
構造：木造
規模：地上2階建て
施工：
施工／深谷建設株式会社
設備／
エム・アイ設備コンサルタント
電気／ 那須電設
外構・造園／ クオリート
設計：
意匠／ SUEP.
(末光弘和 末光陽子
加藤隼輝＊杉崎奈緒子＊)
構造／ 坪井宏嗣構造設計事務所
環境／ 前田設備設計事務所
設備／ 前田設備設計事務所
電気／ 前田設備設計事務所
造園／ エスエフジー・ランドスケープアーキテクツ

＊は元所員

〈写真・図版クレジット〉

• SUEP. 設計事例

中村絵：
p6, p11, p12, p13(写真), p24, p29, p30, p31(下), p34, p35(下), p48, p51(写真), p53, p60, p65, p78, p88, p96, p98(写真右), p101, p112, p122, p124(下), p127, p132, p135(上), p140, p141(下), p143(中)

Google：p7(左中)

DE.lab(清野新)：
p7(左下), p10(左下), p13(左下、右下), p28(上), p42, p52(左上、中、下), p63(下), p64(上、下左), p67(上右、下)

鳥村鋼一：
p40, p41(下), p79(下), p82, p83(下)

Daici Ano：
p66, p67(左上), p116, p117(右上、左下)

いきものランドスケープ 板垣範彦：
p100(下)

嬉野市：p123(下左)

SfG landscape architects：
p143(下)

上記以外は全てSUEP. 提供

• 先進事例紹介、インタビュー

andramatin：p14, p15

Nishizawa Architects：
p17, p19, p22

大木宏之：p18, p20, p21

Lemmart (SHIMIZU KEN)：
p36

micelle ltd. 片田友樹：p37

傍島利浩：p44

アトリエ・天工人：p45

竹中工務店：
p56(左、右上), p57(左下)

中村絵：p56(右下)

伊東豊雄建築設計事務所：
p57(左上、右)

Arup：p57(左中)

新井隆弘：p68(上、右下), p71, p73, p75

新良太：p68(左下)

小堀哲夫建築設計事務所：
p69, p72(右), p76

宮本佳明建築設計事務所：
p84, p85

Daici Ano：p92(上、左下)

Hiroshi Nakamura & NAP：
p92(右下), p93

Patrick Bingham-Hall：
p102, p105(上), p106, p107, p108, p109

WOHA：p103, p110

Studio Periphery：p105(下)

雁光舎(野田東徳)：p118(上)

フォワードストローク：p118(右下)

日建設計：p119

芦澤竜一建築設計事務所：
p128, p129

新建築社写真部：
p118(左下), p136(上)

澤秀俊設計環境：
p136(下), p137

星のや軽井沢：p144, p145(上)

オンサイト計画設計事務所：
p145(下)

• プロトタイプリサーチ

九州大学大学院末光研究室：p16, p38, p46, p58, p70, p86, p94, p104, p120, p130, p138, p146

• 環境シミュレーションツールを使う

清野新：p148-152(引用を除く)

• カバー・帯写真

新建築社写真部：カバー表1

Masatomo MORIYAMA：
カバー表4袖

中村絵：帯表4

著者プロフィール

末光弘和＋末光陽子／SUEP.（スープ）

東京と福岡を拠点に国内外で活動する建築家ユニット。地球環境をテーマに掲げ、風や熱などのシミュレーション技術を用いて、資源やエネルギー循環に至る自然と建築が共生する新しい時代の環境建築デザインを手がけている。主な受賞に第27回吉岡賞（2011年）、第29回芦原義信賞（2019年）、2018年度グッドデザイン賞金賞など。主な作品に「淡路島の住宅」（2018年、兵庫県）、「九州芸文館アネックス1」（2013年、福岡県）、「ミドリノオカテラス」（2020年、東京都）、「百佑オフィス」（2022年竣工予定、台湾）、「SOLSO FARM OFFICE」（2022年竣工予定、神奈川県）など。

末光弘和（建築家）

1976年愛媛県生まれ。1999年東京大学卒業。2001年東京大学大学院修士課程修了。2001～2006年伊東豊雄建築設計事務所。2007年よりSUEP. 主宰。2009～2011年横浜国立大学 Y-GSA 設計助手。2020年より九州大学大学院人間環境学研究院准教授。

末光陽子（建築家）

1974年福岡県生まれ。1997年広島大学卒業。1997～2003年佐藤総合計画。2003年にSUEP. を設立。2018～2022年昭和女子大学非常勤講師。現在、SUEP. 主宰。

九州大学大学院末光研究室
担当：石本大歩、山岸将大、中澁大喜、
　　　小原可南子、淺井希光、山﨑滉佑、松永真梨子

開放系の建築環境デザイン
自然を受け入れる設計手法

2022年6月15日　第1版第1刷発行

著　者………末光弘和＋末光陽子／SUEP.
　　　　　　九州大学大学院末光研究室

発行者………井口夏実
発行所………株式会社学芸出版社
　　　　　　京都市下京区木津屋橋通西洞院東入
　　　　　　電話 075-343-0811　〒600-8216
　　　　　　http://www.gakugei-pub.jp/
　　　　　　info@gakugei-pub.jp
編集担当……神谷彬大

制作担当……藤阿紀江、大原幸恵、二田水宏次（SUEP.）

装丁・DTP……泉美菜子（PINHOLE）
印刷・製本……シナノパブリッシングプレス

ISBN 978-4-7615-3280-2